C000165334

Scáil an
Phríosúin

Scáil an Phríosúin

Anna Heussaff

Cló Iar-Chonnacht
Indreabhán
Conamara

An chéad chló 2015
© Cló Iar-Chonnacht 2015

ISBN 978-1-78444-119-7

Dearadh: Claire McVeigh, redrattledesign / Deirdre Ní Thuathail
Dearadh clúdaigh: Claire McVeigh, redrattledesign

Foras na Gaeilge

Tá Cló Iar-Chonnacht buíoch de Fhoras na Gaeilge
as tacaíocht airgeadais a chur ar fáil.

Faigheann Cló Iar-Chonnacht cabhair airgid
ón gComhairle Ealaíon.

Tá an t-údar buíoch de Chlár na Leabhar Gaeilge (Foras na Gaeilge) as coimisiún
a bhronnadh uirthi i leith an tsaothair seo.

Gach ceart ar cosaint. Ní ceadmhach aon chuid den fhoilseachán seo a atáirgeadh,
a chur i gcomhad athfhála, ná a tharchur ar aon bhealach ná slí, bíodh sin
leictreonach, meicniúil, bunaithe ar fhótachóipeáil, ar thaifeadadh nó eile, gan
cead a fháil roimh ré ón bhfoilsitheoir.

Clóchur: Cló Iar-Chonnacht, Indreabhán, Co. na Gaillimhe.
Teil: 091-593307 **Facs:** 091-593362 **r-phost:** eolas@cic.ie
Priontáil: Colour World Print, Cill Chainnigh.

do Mary agus Caelinn
ár gcairde dílse
a d'imigh uainn i bhfad róluath

Bhí an cillín chomh fuar leis an mbás. Léas solais ag éalú isteach an fhuinneog thuas in airde, ach gan teas na gréine á leanúint. An fuacht ina luí ar an aer mar aon le huaigneas na bpríosúnach fadó.

Bhí Saoirse ina haonar sa chillín. Chuimil sí a súile, a bhí trom, tuirseach. Ba bhreá léi luí síos ar an leaba chrua faoin bpluid thanaí liath. Sos a bhí uaithi, sos agus faoiseamh ó gach cúis imní.

Ach ní raibh sos ar bith le fáil aici go fóill. Bhí píosa páipéir ina lámh agus na focail a scríobh sí air á gcleachtadh aici. Bhí an t-am tagtha lena cuid a rá os ard. D'fhéach sí ar an gclog ar a guthán. Cúig nóiméad eile sa chillín agus amach léi i measc an tslua.

Bhí an doras dúnta ach ní príosúnach a bhí inti. Ní raibh sí le crochadh mar a dhéantaí le príosúnaigh fadó. Bhí an saol ar a toil aici, fiú má bhí sí buartha, cráite le tamall anuas. Bhí cead isteach is amach as an bpríosún aici, gan smacht ag daoine eile uirthi. Gheall sí di féin go mbeadh gach rud ina cheart.

Bhí seaicéad deas teolaí uirthi ach fós bhraith sí creathán fuachta ar a craiceann. Duine eile ba cheart a bheith imníoch, ar sí léi féin. Thiocfadh athrú ar an saol go luath, nuair a d'inseodh sí an fhírinne do chách.

Ach ní raibh sí réidh chuige sin fós. Bhí uirthi a bheith foighneach. Rud amháin san am. Bhí ócáid mhór ar siúl anocht, nuair a sheolfaí an taispeántas a raibh Saoirse ag obair air le míonna fada anuas. Taispeántas staire a bhí ann, faoi bhean a fuair bás sa chillín céanna a raibh sise ina suí ann anois. Ellen Cassidy ab ainm don bhean. Fuair sí bás níos mó ná céad bliain sular rugadh Saoirse, ach bhí an bheirt acu gaolta le chéile. Bhí mistéir ag baint lena bás, mistéir nach raibh réiteach ag Saoirse air, ach lasfadh an taispeántas léas solais sa chillín dorcha inar luigh Ellen ina haonar. Ní raibh ainm Ellen in aon leabhar staire, ach bhí aitheantas le tabhairt di anois.

Ní raibh príosúnach i gCill Mhaighneann le fada. Cuairteoirí a líon an áit inniu, ag plódú clósanna agus cillíní a bhí ag cur thar maoil le macallaí na staire. Músaem a bhí sa phríosún, músaem móraitheanta inar ceiliúradh eachtraí cáiliúla i stair na hÉireann. Ach bhí scéal eile ag an bpríosún freisin, scéal na ndaoine gan ainm. Bhí breis agus céad míle fear, bean is páiste faoi ghlas i gCill Mhaighneann i gcaitheamh an naoú haois déag, gnáthdhaoine a d'íoc go daor as na gnáth-choireanna a rinneadar – gadaíocht, troid, ró-ólachán, striapachas. Agus bhí cuid acu a cuireadh i bpríosún gan fáth ná fianaise. Ní raibh Ellen Cassidy ach ocht mbliana déag d'aois nuair a gabhadh í. Seacht seachtaine ina dhiaidh sin a fuair sí bás go tobann. Bhí scéal corraitheach le hinsint fúithi, scéal grá agus tragóide a raibh agóidíocht na talún in Éirinn mar chúlbhrat leis. Chloisfí guth Ellen ag glaoch amach ón uaigh: *Ní thuigim céurd a tharla. Cé a thug focal inár gcoinnidh? Tá deire linn mur gcreidfear ár scéul. Is mór m'eagla . . .*

Bhí deartháir ag Ellen, Tadhg, a thug na cosa leis go Meiriceá sula bhfuair sise bás. Scríobh sé cuntas ar scéal Ellen blianta níos déanaí, agus na focail sin mar chuid den chuntas. Bhí sé lonnaithe i Nua-Eabhrac faoin tráth sin, agus chuir sé an cuntas i dtaisce in éineacht le gearrthóga nuachtán agus cáipéisí eile. Ach níor osclaíodh an seantrunc ina rabhadar go ceann céad bliain tar éis dó féin bás a fháil, nuair a bhí Saoirse ag glanadh amach an tí inar chaith a seanmháthair i Nua-Eabhrac a saol ar fad. Uncail lena seanmháthair ab ea Tadhg Cassidy, agus nuair a léigh Saoirse an cuntas, theastaigh uaithi scéal Ellen a insint don saol mór. B'iontach le Saoirse go mbeadh a hainm inspioráideach féin ag gabháil le comóradh ar bhás éagórach i bpríosún.

Bhí sé in am don ócáid. Dhún sí a ríomhaire glúine agus thóg sí scáthán beag amach as a mála. Bhí a cuid gruaige dorcha chomh lonrach, cóirithe is a bhí nuair a d'fhág sí an gruagadóir ag am lóin. Chuir sí snas béil as an nua ar a beola agus smearadh púdair ar a grua.

Tharraing sí uirthi na bróga arda corcra a cheannaigh sí don ócáid agus bhain sí di a seaicéad. Bhí sí réidh don slua, mar a bheadh aisteoir ag dul ar stáitse.

D'fháilteodh sí roimh a cairde agus chroithfeadh sí lámh go croiúil le gach duine. Dhéanfadh sí comhrá béasach leis na maithe is na móruaisle a thagann i gcónaí chuig imeachtaí poiblí. Dhéanfadh sí gáire is comhluadar le cách, gan ligean uirthi go raibh duine nó beirt i measc an tslua arbh fhearr léi scian a chur iontu ná lámh a chroitheadh leo. Bhí uirthi a bheith foighneach. Thar aon rud eile, bhí uirthi smacht a choimeád ar an imní a bhí ina luí go trom ar a bolg.

Chuir sí a cuid nótaí ina mála. Bhíodar de ghlan mheabhair aici, nach mór:

An cháil is mó ar an bpríosún seo ná gur cuireadh seachtar cinnirí polaitiúla chun báis ann sa bhliain 1916. Ní lena mbás siúd a bhaineann scéal an taispeántais seo, áfach, ach le bás Ellen Cassidy, a tharla i gCill Mhaighneann sa bhliain 1879. Tinneas ba chúis lena bás, a dúirt na húdaráis ag an am. Ach feallmharú a rinneadh uirthi, dar lena deartháir, a chreid gurbh é grá geal Ellen a bhí ciontach as an ngníomh uafáis sin.

Dhún Saoirse doras an chillín ina diaidh. Bhí sé tar éis a sé a chlog, an príosún nach mór folamh seachas na daoine a bhí ag freastal ar an ócáid. Thuas ar an dara hurlár a bhíodar ag cruinniú, i seomra taispeántais os cionn an mhúsaeim.

D'éirigh a croí agus í ag druidim leo. Bheadh a grá

geal féin i measc an tslua, a céile leapa rúnda nárbh fhéidir léi greim láimhe a bhreith air i láthair daoine eile. D'éalódh súile Shaoirse chuige i rith an tráthnóna, an dóchas agus an eagla dhamanta a bhí uirthi ag iomrascáil ina hintinn. An mbeadh seisean ag faire uirthi trasna an tseomra, nó an gcuirfeadh sé cogar cneasta ina cluas?

Bhí ceisteanna móra le socrú eatarthu, ach d'agair sí uirthi féin arís eile go mbeadh gach rud ina cheart. Bhí sí láidir, diongbháilte inti féin. Réiteofaí gach fadhb ach a misneach a choimeád.

Uair an chloig ina dhiaidh sin a d'fhill Saoirse ar an gcillín. Ní raibh sí ina haonar an uair seo. Bhí an slua ar bís le féachaint ar an áit ina bhfuair Ellen Cassidy bás. Ag an ócáid seolta amháin a bheadh an deis sin acu: leanfadh an taispeántas mí go leith eile ach ní cheadófaí do ghnáthchuairteoirí dul isteach sa chillín. Bheidís ag brath ar fhíseán a rinneadh mar léiriú ar an scéal staire.

Bhí scuaine ghlórach lasmuigh den chillín, gan spás istigh ann ach do sheachtar nó ochtar san am. Iad ag brú isteach i mullach a chéile ionas go raibh sé deacair a áireamh cé a bhí i láthair. Bhí mearbhall ag teacht ar Shaoirse. Bhí dhá agallamh raidió déanta aici mar aon le dreas cainte. Fuair sí bualadh bos iontach thuas staighre ach bhí a cuid fuinnimh ag dul i léig.

Tháinig fonn uirthi gach duine a ruaigeadh ón gcillín. Gach duine ach a grá geal féin. An doras a dhúnadh agus na héadaí a réabadh dá chéile. Bhí sí tuirseach, spíonta ach fós bhí sí báite le dúil ann.

D'fhéach sí thart uirthi lena deoch a aimsiú, an sú torthaí a thaitin chomh mór sin léi go n-óladh sí gach lá é. Bhí stealladh vodca curtha sa bhuidéal níos luaithe aici. Ba cheart di fanacht glan ar alcól ach ba chuma faoi sin anocht. Uisce ar fad a d'ól sí thuas staighre agus bhí braon láidir tuillte go maith aici.

Faoi dheireadh thiar, bhí an slua imithe. Shuigh sí ar an leaba chúng. Cúig tar éis a hocht an t-am a chonaic sí ar a huaireadóir. Ní dhúnfaí an príosún go dtí beagnach a naoi, de réir mar a dúradh léi. Sheiceálfadh ball foirne na cillíní roimhe sin ach bhí leathuair an chloig ar a laghad aici sula dtarlódh sin. Sos agus faoiseamh le fáil aici tar éis a cuid dua. Sásamh mar a shantaigh sí go díochra.

Bhí sí chun fanacht sa chillín go dtí go dtiocfadh a leannán chuici. Póg fhada chráite acu, gan bacadh le focal a rá.

Níor chasadar le chéile i rith an lae, mar a bhí socraithe acu, ná níor labhraíodar le chéile le linn na hócáide. Ach fuair sí téacs uaidh an oíche roimhe sin a líon a cuislí le fonn fíochmhar.

B mé sa chillín tréis 8 mar drr tú. Fan lm. Ní gá freag, tuigmd a chéile.

D'ól sí súimín den sú torthaí agus í ina seasamh ag an doras, ag faire suas síos an pasáiste. Bhí tuirse an domhain uirthi tar éis di a bheith ina seasamh le dhá uair an chloig. Chlúdaigh sí an tóirse a bhí aici mar sholas ionas nach raibh le feiceáil ach fannléas. Luífeadh sí siar ar an leaba chúng go dtí go dtiocfadh sé chuici.

Áit rúnda, phríobháideach ab ea an cillín anois. Bhí an tuirse mar a bheadh pluid á múchadh, ach thiocfadh ráig eile fuinnimh chuici ar ball. Nuair a d'fheicfeadh seisean ar an leaba í, chuirfidís uathu an t-achrann agus an imní.

Dhún Saoirse doras an chillín. Níor thug sí aird ar na scáileanna ina timpeall. Níor thuig sí go raibh duine ag faire uirthi.

Sheas Aoife Nic Dhiarmada ag doras an chillín. Bhí poll faire gearrtha sa seanadhmad. Ach bhí an ceann ar an gcillín áirithe seo clúdaithe, agus ní raibh sí in ann an seomra bídeach a fheiceáil.

Bhí an treoraí a tháinig in éineacht léi ag scrúdú fáinne eochracha. "Brón orm," ar sí go mí-fhoighneach. "Níor thug mé liom an eochair cheart. Ní thuigim cén fáth."

"An bhfanfaidh mé leat anseo?" a d'fhiafraigh Aoife. Thuig sí go raibh an bhean eile faoi bhrú. Bhí an príosún plódaithe le cuairteoirí mar a bhíodh gach lá.

"Beidh mé chugat i gceann cúig nóiméad."

D'fhéach Aoife thart uirthi agus í ag fanacht. Níor thug sí an áit faoi deara i gceart an tráthnóna roimhe sin, nuair a bhí sí lasmuigh de chillín Ellen Cassidy mar aon leis an slua a d'fhreastail ar an ócáid. Sa chuid ba shine den phríosún a bhí an cillín, ar phasáiste ar an mbunurlár. Bhí pasáiste eile thuas os a cionn, a bhí le feiceáil aici de bharr go raibh cuid den

urlár idir an dá leibhéal déanta de mhiotal a raibh poill
ann. Bhí grúpa cuairteoirí bailithe thuas ann, agus bhí
sí in ann cosa an treoraí a fheiceáil os a cionn. Dá
mbeadh an t-am aici níos déanaí sa lá, níor mhiste léi
turas treoraithe a dhéanamh í féin.

Ach bhí cúram eile uirthi faoi láthair. Bhí socrú
déanta aici casadh le Saoirse ar maidin, de bharr nach
raibh deis chomhrá acu le linn ócáid an taispeántais.
Comharsana ab ea iad tráth den saol, ach chuir
Saoirse fúithi i Meiriceá nuair a bhí a céim ollscoile
bainte amach aici. Tamall ina dhiaidh sin, d'fhág
Aoife, a fear céile agus a mbeirt chlainne an saol a
bhíodh acusan i mBaile Átha Cliath agus lonnaíodar
ar leithinis Bhéarra ar chósta an Atlantaigh. Ag ócáid
na hoíche roimhe sin a chonaic Aoife an bhean eile den
chéad uair le cúpla bliain.

San óstán mór trasna an bhóthair ón bpríosún a
bhíodar le casadh le chéile, agus bhí Aoife ann ar
bhuille a haon déag mar a d'aontaíodar. Faoi mheán
lae agus í fós ann ina haonar, thosaigh sí ag ceapadh
go raibh míthuiscint éigin ann. Rinne sí glaonna, sheol
sí téacsanna agus, sa deireadh, bhuail sí trasna go dtí
an príosún. Rinne sí fiosruithe ag an deasc fáilte agus
moladh di labhairt le Janis Ní Bheirn, duine den
fhoireann a bhí ag obair le linn na hócáide seolta.
Chuaigh an bheirt acu go dtí an seomra taispeántais
ar dtús, agus ansin bheartaíodar féachaint sa chillín, i
gcás go raibh nóta nó nod eile fágtha ag Saoirse faoina
cuid pleananna.

"Bhí iontas orm gur tugadh cead di a bheith sa chillín ina haonar," arsa Janis go tobann agus iad ar a slí ann. Ní raibh mórán ráite aici go dtí sin agus bhí Aoife sásta an comhrá a chothú.

"Cén fáth sin?" ar sí.

"Ní cheadaítear do chuairteoirí siúl thart ar an bpríosún gan tionlacan. Tá graifítí stairiúil ar chuid de na ballaí agus caithfear a bheith an-chúramach san áit."

"Ach caithfidh go raibh Saoirse isteach is amach ón bpríosún fad a bhí an taispeántas á ullmhú aici?"

"D'fhéadfá a rá go raibh, agus sinne ag freastal ar a cuid éileamh." Rinne Janis gnúsacht bheag ina scornach. "Ar ndóigh, ní mise atá freagrach as cinntí den sórt sin."

"Is dócha gur cuid thábhachtach de scéal Ellen Cassidy é an cillín." Go neodrach a dúirt Aoife é.

"Is dócha gurb ea, ach níor cheart go ndéanfaí oifig bheag phríobháideach de mar a rinne sise." Thost Janis agus doras á oscailt aici idir dhá phasáiste. Nuair a labhair sí arís, bhí goimh ina glór. "Tá stiúrthóir an phríosúin i mbun staidéir thar lear i mbliana, an dtuigeann tú, agus is cosúil gur éirigh le Saoirse dul i bhfeidhm ar an stiúrthóir sealadach."

Rinne Aoife meangadh éadrom. "Is duine í Saoirse a théann i bhfeidhm ar dhaoine, ceart go leor."

D'fhéach Janis ar Aoife agus iarracht de leithscéal ar a gnúis. "Tá's agam gur iriseoir tú, agus cara le Saoirse freisin, agus níor mhaith liom go gceapfá gur gearán pearsanta é seo."

"Tá mé éirithe as an iriseoireacht le tamall," arsa

Aoife go réidh, "agus níl cónaí orm i mBaile Átha Cliath níos mó. Bhí aithne agam ar Shaoirse na blianta ó shin, agus is dá bharr sin a shocraíomar casadh le chéile inniu."

Bhraith Aoife fuacht an tseanphríosúin ag dul go smior inti agus í ag fanacht. Bhí gach seans go raibh Saoirse ina leaba chluthar sa bhaile, a guthán múchta agus codladh go headra aici tar éis a cuid oibre go léir.

Bhí bolta mór iarainn ar an doras ach bhí glas sách nua air, nach ndearna díoscán ar bith nuair a d'oscail Janis é. Tharraing sí an doras chuici agus tháinig boladh múscánach ar an aer, boladh a bhí milis agus lofa in aon turas. Ach bhí an seomra mar a chonaic Aoife an tráthnóna roimhe sin é. Leaba de chláir adhmaid agus pluid liath carnaithe uirthi. Gan de sholas ach léas cúng ón bhfuinneog. Seomra gruama gan fáilte ná compord. Chuimhnigh sí ar an mír scannáin a taispeánadh ag an ócáid, ina raibh aisteoir óg le feiceáil faoin bpluid agus dath an bháis ar a craiceann.

Ghlac sí coiscéim eile isteach sa chillín. Samhlaíodh di go raibh sí ag gluaiseacht go mall, amhail is gur moilleodh an scannán. Bhí bróg chorcra ar an urlár nár bhain le saol an naoú haois déag. Tharraing an treoraí an phluid siar go cúramach. Stán sí féin agus Aoife ar a chéile.

Bhí éadach corcra síodúil le feiceáil faoin bpluid liath,

agus cloigeann chatach dhubh. Bhí bean ina luí faoin bpluid, a haghaidh chomh righin le dealbh chloiche.

Bhí a géag caite trasna ar a cliabhrach, agus chuir Janis a lámh amach chun a cuisle a thomhas. Ach thuig sí féin agus Aoife go raibh sé rómhall chuige sin. Bhí Saoirse chomh fuar marbh is a bhí Ellen Cassidy ar an leaba chéanna fadó.

"Bí cúramach gan aon rud a chorraí!" arsa Aoife. Go giorraisc a tháinig na focail uaithi ach ní raibh neart aici air. Bhí a cosa ar snámh fúithi agus a cuid smaointe ar fán.

Ghearr a compánach comhartha na croise uirthi féin. "Ar éigean a leag mé méar uirthi," ar sise chomh giorraisc céanna. "Ach in ainm Dé, conas is féidir . . . ? Bhí mé lánchinnte aréir . . ."

Níor fhreagair Aoife í. Chrom sí isteach i dtreo an chorpáin. Bhí cloigeann Shaoirse casta i dtreo an bhalla agus chonaic Aoife marc ar a clár éadain, amhail is gur tugadh buille tréan di. Bhí an craiceann scoilte agus fuil théachta ar an ngoin. D'fhéach sí ar ais ar Janis, gan fuaim eatarthu. A n-anáil á gcoimeád acu mar chomhartha ómóis don bhean óg.

Tar éis achar ama, chuir an treoraí gothaí an údaráis uirthi féin. Thug sí spléachadh ar a huaireadóir agus í ag iompú i dtreo an dorais. "Tá sé ceathrú chun a haon, má iarrtar an t-eolas sin orainn. Déardaoin atá ann inniu, nach ea, an tríú lá is fiche de mhí Dheireadh Fómhair? Caithfimid dul go dtí an stiúrthóir. Beidh uirthi glaoch ar na gardaí láithreach."

"Cad a bhí i gceist agat," a d'fhiafraigh Aoife go bog, "maidir le bheith lánchinnte aréir?"

Rua a bhí Janis agus bhí bricíní den dath céanna ar a craiceann. Ach bhí a haghaidh chomh bán anois is a bhí aghaidh Shaoirse. "Ní raibh i gceist agam ach . . . Cheap mé go raibh doras an chillín seo faoi ghlas. Bhí orm an áit a sheiceáil, tá's agat."

"Nuair a bhí an ócáid thart, an ea?"

"Bhí beagnach gach duine imithe," arsa Janis agus impí ina glór. "Chuaigh mé thart ar an gcuid seo den phríosún in éineacht le treoraí eile. Mise a thriail an doras seo. Tharraing mé air agus níor chorraigh sé."

"Agus an raibh solas sa chillín ag an am sin?"

Thug Janis féachaint mhífhoighneach uirthi. "Níl leictreachas ar bith sna cillíní. Agus clúdaíodh an poll faire le flapa nuair a bhí an scannánú ar siúl. Ach, in ainm Dé, ní raibh raibh cúis ar bith agam a cheapadh go raibh Saoirse istigh anseo agus an doras curtha faoi ghlas uirthi."

"Tá brón orm, táimid beirt trí chéile. Is damanta an scéal é."

Bhí Janis ar a dícheall ag cur gothaí na hoibre uirthi féin. "Ní féidir linn fanacht anseo. Is faoin stiúrthóir agus na gardaí a bheidh sé na cinntí a dhéanamh anois."

D'fhéach Aoife thart uirthi. Bhí mála láimhe Shaoirse ar an urlár, in aice le ceann na leapa. Bhí ríomhaire beag glúine ar an urlár freisin agus é dúnta. Chrom sí arís agus chonaic sí buidéal sactha síos sa mhála. Ach bhí uirthi glacadh lena comhairle féin agus gan méar a leagan air.

Nuair a sheas sí, bhí an bhean eile lasmuigh den doras. Bhí súile Shaoirse ar oscailt agus trilsí gruaige ag sileadh anuas ar a guaillí. A gnúis fáiscthe amhail is gur chuir sí troid fhíochmhar ar an mbás sular ghéill sí dó. Bhí rian salachair nó múisce ar a smig freisin.

Dhruid Aoife i dtreo an dorais sula dtiocfadh múisc uirthi féin. Ní raibh leid ar bith á nochtadh féin di ar na ballaí loma uaigneacha.

Bhí an leaba in aimhréidh ach bhí an chuid eile den seomra néata go leor. Bíobla dubh den seandéanamh ar an mbord beag, agus crois adhmaid crochta ar an mballa os a chionn. Crúiscín ar an mbord freisin. Buicéad an leithris istigh faoin leaba. Gach rud mar ba cheart, murach an corpán faoin bpluid.

Chúlaigh Aoife i dtreo an dorais. Bhí a hintinn ag obair go tomhaiste, fuarchúiseach, agus speabhraídí míre uirthi ag an am céanna. Ghread sí amach as an gcillín sula gcuirfí ina leith go raibh sí ar an láthair ina haonar. Tharraing sí an doras ina diaidh agus dúirt le Janis go bhfanfadh sí lasmuigh sa phasáiste go dtí go bhfillfeadh sise leis an stiúrthóir.

Thriail sí a guthán. Ní raibh ceangal le fáil, rud nár chuir iontas uirthi agus ballaí móra tiubha ar gach taobh.

Má tugadh buille nó leadradh do Shaoirse ar an leaba agus ansin gur cuireadh an doras faoi ghlas, ba dheacair di cúnamh a lorg. Má bhí an príosún ag folmhú agus Janis cinnte go raibh Saoirse imithe abhaile, bhí sí i sáinn ar fad. Ní chloisfí ag béicíl ón leaba í, ná ag bualadh ar an doras má d'éirigh léi dul chomh fada leis. B'ionann is gur daoradh chun báis istigh sa chillín í.

Bhí fuadar lasmuigh de Phríosún Chill Mhaighneann. An scéal á scaipeadh. Daoine bailithe chun comhrá, ráflaí ag méadú go tiubh.

Biúró Teicniúil an Gharda Síochána ar an láthair, oifigigh i gcultacha bána ag iompar earraí tástála isteach sa phríosún. Bleachtairí agus saineolaithe eile sna sála orthu mar aon le Paiteolaí an Stáit, a mála mór ag luascadh leha taobh. Gardaí faoi éide ag faire ar an slua, ag cinntiú nach sroichfeadh iriseoirí ná grianghrafadóirí láthair na coire, ag míniú do thurasóirí nach ligfí isteach iad.

Shiúil Aoife suas síos ar an gcosán leathan trasna an bhóthair ón bpríosún. Tar éis do Janis an cillín a chur faoi ghlas, dheifrigh an bheirt acu go dtí oifig an stiúrthóra agus d'fhanadar ann go dtí gur labhair garda leo. Glacadh sonraí teagmhála uathu agus dúradh leo go nglacfaí ráiteas iomlán uathu níos déanaí sa lá. Bhraith Aoife go raibh Janis míshuaimhneach ina comhluadar. Bheadh snaidhm anacrach eatarthu tar éis ar tharla istigh sa chillín, ach níorbh ionann sin is go mbeadh an treoraí sásta labhairt go hoscailte léi.

Chaith Aoife tamall sa Hilton, an t-óstán mór trasna an bhóthair, agus tamall eile i gcaifé in aice láimhe. Ach bhí an dá áit broidiúil, callánach, agus ní raibh sí in ann díriú ar a cuid smaointe féin. Labhair strainséirí léi, ag fiafraí cad a bhí ar siúl, nó an raibh tuairim aici cé a bhí marbh, agus nach raibh sé millteanach go dtarlódh a leithéid de thubaiste in ionad chomh stairiúil, i gceantar chomh socair, i measc daoine gnaíúla. Bhí leisce uirthi freagra ar bith a thabhairt, agus níorbh fhada gur fhág sí an caifé díreach mar a d'fhág sí an t-óstán.

Bhí sí ar bís a bheith ag faire ar gach cor, ach fós ba bhreá léi éalú ón gcallán. Sheas sí ar an gcosán, ag féachaint ar bhallaí tréana an phríosúin, an dún daingean a d'fhág a rian neamhthrócaireach ar stair na hÉireann ar feadh dhá chéad bliain. Más amhlaidh gur maraíodh Saoirse – gur dúnmharaíodh go fuarchúiseach í nó gur tharla achrann gránna gan choinne – cén chúis ó thalamh an domhain a bhí leis sin? An raibh ainm an chiontóra ar bhéal na mbleachtairí cheana féin? Nó arbh fhéidir go raibh míniú eile ar an eachtra?

Sheiceáil Aoife a guthán anois is arís, ag súil le glaoch óna fear céile, Pat, a bhí sa bhaile ar leithinis Bhéarra lena mac, Rónán. Bhí téacs curtha aici chuig Pat a luaithe a d'fhág sí an príosún, agus ceann eile chuig a n-iníon, Sal, a bhí ina mac léinn ollscoile i mBaile Átha Cliath. D'fhreastail sise ar an ócáid sa phríosún in éineacht le hAoife, agus tháinig téacs ar ais uaithi gan mhoill. *Dochreidte, uafásach, unreal*, a scríobh sí. *Stuck istigh ag rang, leat asap, súil tú ok.* Bhí Aoife ag tnúth go mór a hiníon a fheiceáil – ag tnúth le comhrá eatarthu a chabhródh léi an dá phictiúr ina hintinn a thabhairt le chéile: an radharc uafáis a bhí roimpi sa chillín; agus an bhean a bhí ina steillbheatha an tráthnóna roimhe sin.

Sheas sí ag balla gairdín suas an bóthar ón bpríosún. Chíor sí suímh nuachta ar líne, ach ní raibh acu ach lomeolas faoin eachtra, an fhoclaíocht de réir ghnáis na hiriseoireachta. Corpán, bás gan choinne, ní fios cén chúis. Imscrúdú gardaí, gach féidearthacht á meas. An t-ainm gan scaoileadh go dtí go ndéanfar teagmháil leis na gaolta.

Ní raibh ach cúpla duine de ghaolta Shaoirse i láthair ag an ócáid, de réir mar a thuig Aoife. In Éirinn a tógadh an bhean óg, ach cailleadh a hathair sula raibh sí ocht mbliana déag d'aois, agus cúpla bliain ina dhiaidh sin, d'fhill a máthair ar a háit dúchais féin i Nua-Eabhrac. Lean Saoirse trasna an Atlantaigh í nuair a bhí céim ollscoile bainte amach aici i mBaile Átha Cliath, agus chuir a dearthár faoi i Meicsiceo. Aintín agus col ceathracha léi a bhí fágtha in Éirinn, agus níorbh fholáir go n-iarrfaí ar dhuine acu siúd a corp a aithint.

Cúram gránna a bheadh ann, mar a bhí cloiste ag Aoife ar ócáidí eile. An phluid á tarraingt siar go mall agus an aghaidh liathbhán á nochtadh. Béic uafáis á ligean, nó deora ciúine á sileadh. Na focail chuí á n-aithris go foirmeálta sula gclúdófaí arís an té ba chóir a bheith beo beathach. Tamall níos déanaí, thabharfaí an corp chuig bord na marbhlainne, lena ghearradh is a scrúdú mar a bheadh cnap feola ann.

D'aimsigh Aoife pictiúr ar a guthán, ceann a ghlac sí de Shaoirse an tráthnóna roimhe sin. Splanc agus dúthracht ina súile, a smig in airde agus í ag labhairt amach go muiníneach leis an slua. Bhíodh sí tógtha i gcónaí le pé rud a bhí idir lámha aici – róthógtha, amanna – agus, mar a thug an bhean úd Janis le fios, bhíodh nós aici a cheapadh go raibh gach duine eile chomh tógtha céanna lena cuid tionscadal is a bhí sise.

Bhí Saoirse cuid mhaith níos óige ná Aoife agus Pat. Nuair a chuireadar triúr aithne ar a chéile, bhí Saoirse ag tabhairt faoin Ardteist fad a bhí Sal ag tosú ar an mbunscoil. Bhí Saoirse ina cónaí ar an mbóthar céanna leo agus bhíodh sí ag feighleoireacht dóibh, ag déanamh cúraim don chailín óg uair sa choicís nuair a théadh a tuismitheoirí amach don tráthnóna. Réitídís go maith le chéile, agus nuair a cailleadh athair Shaoirse, rinne Aoife agus Pat a ndícheall tacú léi. Thagadh Saoirse isteach chucu go minic, ag ól tae sa chistin nó ag slogadh fíona cois tine nuair a tairgeadh di é. Neartaíodh an nasc eatarthu nuair a d'inis Pat di faoi bhás tragóideach a athar féin nuair a bhí seisean ina dhéagóir.

Tháinig deireadh leis an socrú feighleoireachta eatarthu de réir a chéile, áfach. Bhíodh Aoife agus Pat róspíonta le dul amach go rialta nuair a bhí an dara leanbh acu, agus nuair a théidís amach, bhíodh sé deacair fanacht ina suí go mall ina dhiaidh sin ag éisteacht le Saoirse ag cur di faoi gach casadh is cúram ina saol féin. Ach lean an teagmháil eatarthu nuair a chuaigh a gcomharsa óg chun cónaithe i Nua-Eabhrac, mar a bhí déanta ag a máthair bliain roimpi: cártaí Nollag eatarthu go rialta agus dhá nó trí cuairt trasna an aigéin. Tar éis d'Aoife agus an teaghlach aistriú ó Bhaile Átha Cliath go leithinis Bhéarra, lean na cuirí agus na geallúintí go bhfeicfidís a chéile an chéad bhliain eile.

Ach ní raibh coinne ar bith ag Aoife leis an nglao a chuir Saoirse uirthi deich lá roimh an taispeántas. Ní raibh a fhios aici go raibh Saoirse ag cur fúithi arís in Éirinn, ná go raibh taighde staire ar siúl aici do thaispeántas i bPríosún Chill Mhaighneann. Ghabh Saoirse a leithscéal nár chuir sí scéal chuici níos túisce, ach ba bhreá léi go dtiocfadh a seanchairde chuig an ócáid oscailte. D'fhreagair Aoife gur dócha go mbeadh spéis ag Sal ann ó tharla go raibh sí i mbun cúrsa staire i gColáiste na Tríonóide, agus ní amháin sin ach go raibh lóistín nua faighte aici i gceantar Chill Mhaighneann. Iontach ar fad, a d'fhreagair Saoirse agus tuin Mheiriceá ar a cuid cainte, *small world*, is breá liom mar a tharlaíonn a leithéid in Éirinn.

Is ansin a tháinig cor nua sa chomhrá ar an nguthán. "Beidh gliondar orm Sal a fheiceáil agus í fásta suas," arsa Saoirse, "ach tá cúis eile le mo ghlao inniu. Ba chóir dom glaoch ort cúpla seachtain ó shin ach sciorr an t-am orm." Bhí tost ar an líne agus thosaigh Aoife ag ceapadh go raibh duine éigin básaithe, nó Saoirse le pósadh, nó mórscéala eile aici.

"Ba bhreá liom labhairt leat i gceart, a Aoife," arsa Saoirse ansin. "Nílim in ann é a mhíniú ar an nguthán, ach tá mé ag iarraidh comhairle a fháil agus . . . Dá dtiocfá féin go Baile Átha Cliath, dá mbeifeá saor in aon chor, a Aoife, ba mhór an cúnamh dom é casadh leat anseo roimh an ócáid."

Rinne Aoife a dícheall nod a fháil cad a bhí i gceist, ach dúirt Saoirse go raibh an scéal róchasta. Ní iarrfadh sí gar dá leithéid uirthi mura mbeadh práinn leis.

"Tá brón orm nár ghlaoigh mé ort mí ó shin, agus ar ndóigh, mura n-oireann sé duit . . .," ar sí. Chuimhnigh Aoife mar a chloistí tuin ghortaithe ó Shaoirse nuair nach bhfaigheadh sí an rud a bhí uaithi. "Ach, dáiríre, más féidir linn suí síos le chéile, tuigfidh tú cén fáth gur iarr mé é."

In ainneoin a cuid amhrais, ghéill Aoife go ndéanfadh sí an turas go Baile Átha Cliath. Ach níor ghéill sí dul ann cúpla lá roimh an ócáid mar a mhol Saoirse. Bheadh sí féin agus Sal i láthair ag an ócáid, a dúirt sí, agus d'fhéadfadh sí casadh le Saoirse an mhaidin dár gcionn agus pé scéal a bhí aici a phlé. Ina hintinn féin, bhí sí idir dhá chomhairle faoin socrú: bhí olc uirthi gur cuireadh brú uirthi ag an nóiméad deireanach ach bhí fiosracht á gríosadh ag an am céanna.

Bhí an iarnóin ag éirí fuar, gruama, agus d'airigh Aoife fós an fuacht a tháinig ina cnámha istigh sa chillín. Ní raibh mórán ite aici ó mhaidin ach oiread – babhla anraith ordaithe aici sa chaifé ach gan goile aici dó tar éis cúpla spúnóg.

Bhí ceist amháin ag greadadh go nimhneach ina cuid smaointe ó d'fhág sí an príosún. An raibh an ceart aici casadh le Saoirse roimh an ócáid, nó an raibh baint ag scéal práinne Shaoirse lena bás? An raibh an focal "práinneach" luaite aici ar chor ar bith nó ar chuir Aoife lena stór cuimhní é de bharr a ciontaíola féin nár tháinig sí go Baile Átha Cliath níos túisce? Ní raibh ráiteas tugtha ag Aoife do na bleachtairí fós, agus bhí sí in amhras cad a déarfadh sí faoin nglao a fuair sí ó Shaoirse. Ba bheag a bhí ar eolas aici faoi seachas go raibh fonn ar Shaoirse a comhairle a fháil.

Scrollaigh sí siar ar na téacsanna ar a guthán. Bhí ceann faighte aici ó Shaoirse cúpla lá tar éis dóibh labhairt le chéile, agus aiféala á léiriú aici faoin tslí ar ghlaoigh sí ar Aoife.

GRMMA as teacht g BÁC. Brón arís fén mbrú, a lán lán ag tarlú. Cuir focal má athrnn tú d'intinn, ag tnú siv a fheicl go lua!

De phreab a chuala Aoife an guthán ag bualadh agus í ag léamh an téacs. Ainm a hiníne a bhí ar an scáileán.

"Cá bhfuil tú?" Labhair Sal go mífhoighneach, mar a dhéanadh go minic. "Tá mise sa Hilton le deich nóiméad anois, cheap mé go mbeadh tú anseo?"

"Bhí mé plúchta istigh ann. Ach casfaidh mé leat ar na céimeanna lasmuigh." D'fhéach Aoife i dtreo an óstáin agus a croí ag ardú. "Go raibh míle maith agat as do rang a fhágáil, a stór."

Ar a slí ar ais go dtí an t-óstán, chuir iriseoir raidió micreafón suas lena béal. Chroith Aoife a ceann go béasach agus shiúil léi go mear. Bhí criú teilifíse i mbun agallaimh ar an gcosán freisin agus fear a raibh cóta mór air á cheistiú acu. Mheas Aoife go bhfaca sí ag an ócáid seolta é. Pé tuairimí nó leathráflaí a bhí aige, bhí dream bailithe thart air a bhí ar bís iad a chloisteáil. Gach leathráfla á scrúdú is á scagadh, gan amhras, mar chuid den chaitheamh aimsire a bhainfeadh an pobal as mórscéal nuachta.

Rug Aoife barróg ar Shal a luaithe a tháinig sí suas léi. Bhí a cuid mothúchán féin ag cur thar maoil inti agus pictiúr an chillín os a comhair arís. Corpán Shaoirse chomh fuar leis na ballaí loma. A béal fáiscthe agus a súile marbha ar oscailt.

"Rachaimid ag siúl tamall, cad faoi sin?" arsa Sal go luath. "Tá gairdíní an Bhrú Ríoga gar dúinn anseo. Is féidir leat an rud iomlán a insint dom ón tús."

Thrasnaigh siad crosbhóthar go dtí geata mór a raibh túr ard cloiche os a chionn. Ionad stairiúil ab ea an Brú Ríoga, a mhínigh Sal, a raibh tailte agus gairdíní thart air. Thosaigh sí ag trácht ar chomh spéisiúil, bríomhar is a bhí ceantar Chill Mhaigh-neann, agus lig Aoife léi fad a rinne sí a marana féin. Bhí scata turasóirí ar a slí amach an geata agus bhí orthu fanacht go siúlfaidís tharstu. Bhí beirt ag siúl ina dtreo ag an am céanna.

"Féach!" arsa Aoife go tobann. Ghriog sí uillinn a hiníne. "Réamonn Seoighe atá ann. Bhí mé ag caint le duine éigin faoi le déanaí. I stáisiún Chill Mhaighneann atá sé ag obair, is cosúil."

"Mise a dúirt leat é seachtain ó shin, a Mham," arsa Sal. Labhair sí ar bhealach a raibh seantaithí ag Aoife air, guth an tuismitheora á ghlacadh aici lena máthair. "Nach cuimhin leat an comhrá? Dúirt mé leat go raibh sé ar intinn agam glaoch air ó fuaireamar an teach sa cheantar."

Thiontaigh an garda a cheann nuair a ghlaoigh Aoife as a ainm air. Fear sna tríochaidí a bhí ann, ach bhí dreach níos óige fós air. Bhí aithne curtha acu ar Réamonn nuair a bhí sé lonnaithe in iarthar Chorcaí, agus fiosrú dúnmharaithe ar siúl a thug le chéile iad. Ba é mian a chroí dul ag obair i mBaile Átha Cliath, rud a bhí déanta aige seacht nó ocht mí roimhe sin.

"Conas a tharla daoibh . . . ? Ar chuala sibh an scéal nuachta anseo?" Bhí leathshúil ag Réamonn ar an bhfear a bhí ag feitheamh leis trasna na sráide.

"Bhí seanaithne againn ar an té a maraíodh," arsa Aoife go tapa. "Fuaireamar cuireadh go dtí an taispeántas aréir, agus d'fhill mise ar an bpríosún ar maidin."

"Bhí tú istigh sa phríosún inniu?"

Bhí leisce ar Aoife a rá go raibh sí i láthair nuair a fuarthas an corpán. Luath go leor a chloisfeadh Réamonn an chuid sin den scéal. Bheadh sé in éad léi, dar léi, mar gur shantaigh sé gach taithí a chabhródh leis a bheith ina bhleachtaire sa todhchaí. Ba í Sal a bhris an tost.

"Is dócha go mbeidh tusa páirteach san fhiosrúchán, a Réamoinn? Más féidir linn cabhrú leat ar aon bhealach . . . ?"

Thug Réamonn spléachadh eile i dtreo a chomhghleacaí. "Cinnte dearfa, ach tá deifir orm anois," ar sé. "Is fear mífhoighneach é an sáirsint thall." Chuimil sé blúire deannaigh dá mhuinchille agus rinne casachtach bheag. "Cinnte, glaofaidh mé oraibh a luaithe a bheidh deis agam."

Lig Aoife uirthi nár thug sí faoi deara an mhíshocracht ina ghuth. Ba chuimhin léi go mbíodh Réamonn ar a dhícheall oifigigh shinsearacha a shásamh. "Murar éirigh libh fós dul i dteagmháil le muintir Shaoirse," ar sí, "tá seoladh agam dá máthair i Nua-Eabhrac."

"Go raibh maith agat, ach sílim gur cuireadh glaoch uirthi. Mar sin féin . . ." D'fhéach Réamonn ó dhuine go duine agus iarracht níos cairdiúla ina ghlór. "Má tá aon eolas ar leith agaibh . . . ? Mar shampla, táimid ag iarraidh teacht ar fhear darb ainm Mel Mac Aogáin, agus má tá aithne agaibh air siúd . . . ?"

"Bhí mise ag labhairt leis aréir," arsa Sal láithreach. "Fear fionn, nach ea? Cheap mé go raibh sé cineál *hyper*, ag faire thart ar an seomra an t-am ar fad." Leath a súile. "An é go gceapann sibh . . . ?"

"D'fhéadfainn teagmháil a dhéanamh le cúpla cara

le Saoirse," arsa Aoife. Go héiginnte a dúirt sí é, ar fhaitíos go gceapfadh Réamonn go raibh sí ró-dhíograiseach, teanntásach ina leith. Agus thuig sí freisin go mbeadh sé deacair do Réamonn a rá amach cé a bhí faoi amhras. "Má tá aithne acusan ar an bhfear seo, Mac Aogáin, an gcabhródh sé . . . ?"

Rad Sal mionghaire i dtreo an tsáirsint ar an taobh thall den bhóthar, mar leithscéal as moill a chur ar Réamonn. "An bhfuil a fhios agaibh cad ba chúis le bás Shaoirse? Tá sé go huafásach ar fad, nach bhfuil?"

Chúlaigh Réamonn coiscéim agus rinne sé comhartha láimhe leis an sáirsint. Tháinig tuin oifigiúil ar a chuid cainte an athuair. "Beimid ag glacadh ráitis ó gach duine a bhí i láthair aréir, mar a thuigeann sibh, agus an fear seo Mel Mac Aogáin ina measc. Níl ann ach go raibh sé ag obair le Saoirse Ní Néill, sin uile. Agus beidh mé i dteagmháil libh arís go luath, tá mé cinnte."

Bhí Réamonn Seoighe míshásta leis féin. Cén fáth gur luaigh sé Mel Mac Aogáin leis an mbeirt bhan? Bhí fonn air a bheith lách cairdiúil leo, ach sciorr an cheist uaidh sular chuimhnigh sé i gceart air féin.

Ba cheart dó a bhéal a choimeád dúnta faoin bhfiosrúchán. Ar éigean a bhí dhá uair an chloig caite ó fuarthas an corpán. Ní raibh eolas ar bith aige ar Mhel Mac Aogáin seachas gur luadh a ainm ag an gcéad chruinniú faoin gcás a tionóladh sa stáisiún ar ball. Níor dearbhaíodh fós, go deimhin, go raibh cúis amhrais ann faoi bhás na mná sa chillín.

Bhí baol anois go scaipfí ráfla go raibh na gardaí sa tóir ar Mhac Aogáin. Bhí cairde ag Aoife Nic Dhiarmada i measc lucht nuachtáin, agus cén bac a bheadh uirthi a leithéid a rá leo? Ar a laghad ar bith bhí an sáirsint ar an taobh thall den tsráid nuair a dúirt sé é.

Ach thuig Réamonn ina chroí istigh cén fáth gur éalaigh an t-ainm uaidh. Fonn millteanach a bhuail é a thabhairt le fios d'Aoife agus do Shal go raibh sé féin i lár an aonaigh. Féach mar atá an Garda Seoighe ag déanamh go maith ina phost nua i mBaile Átha Cliath, a déarfaidís leis na comharsana in iarthar Chorcaí. Obair ríthábhachtach ar bun aige agus é ag deifriú go dtí láthair na coire.

Baineadh geit as nuair a chonaic sé Aoife agus Sal ar an tsráid, b'in a chuir dá bhuille é. Bhí a fhios aige go raibh Sal ar an ollscoil i mBaile Átha Cliath, agus ba chuimhin leis comhrá a bhí acu i mBeanntraí um Cháisc nuair a tharla dóibh casadh le chéile ar an tsráid. Dúirt sise go nglaofadh sí air sa chathair ach ní raibh coinne aige go dtarlódh sin. Bhí sé cúig bliana déag níos sine ná Sal, agus saol spleodrach an choláiste á chaitheamh aicise. Cinnte, bhí ceangal ar leith aige lena muintir ó bhíodar gafa sa chás gránna úd i mBéarra, ach ní cairde cléibh a bhí iontu, mar sin féin.

Bhí an Bleachtaire-Sháirsint Lombard ag súil le freagra ar cheist nach raibh cloiste ag Réamonn.

"Cá raibh tusa aimsir na gcluas?" Bhí bealach sách borb ag Lombard. "Seans gur mhaith leat a bheith thuas i seomra teolaí sa Hilton le do chara óg thall? Nó thuas uirthi sa seomra, más fuil seachas uisce atá i do chuid féitheacha!"

Rinne Réamonn meangadh teann. Bhí Sal dathúil, córach, ní raibh aon cheist faoi sin, a craiceann dorcha agus a folt ciardhubh mar a d'oir dá dúchas Afracach ar thaobh a hathar. Ach níor chall don sáirsint a cuid éadaigh a bhaint di ar an gcéad amharc.

Bhí slua beag ag geata an phríosúin, agus ghuailleáil Lombard a bhealach tharstu. Bhí seisean leathan, téagartha agus gan leisce air buntáiste a bhaint as a thoirt. Nuair a tháinig Réamonn suas leis, labhair Lombard arís.

"An raibh tú istigh san áit seo cheana, a d'fhiafraigh mé ar ball? Tú féin agus na milliúin turasóirí?"

"Thug mé cuairt ar an bpríosún uair nó dhó, sea."

"Níor bhac mé féin riamh leis. An seanstuif sin faoi Éirí Amach 1916, tá sé cloiste i bhfad rómhinic cheana agam."

Bhí Réamonn tosaithe ag cur spéise sa stair ó lonnaigh sé i mBaile Átha Cliath. Níor éirigh leis riamh spéis a chur i gcúrsaí spóirt agus bhíodh sé deacair air a chuid am saor ón obair a líonadh. Ach fuair sé amach go raibh an-ghlacadh le daoine aonair ar shiúlóidí staire agus ag láithreacha oidhreachta. "Baineann scéalta an phríosúin leis an naoú haois déag freisin," ar sé go díograiseach. "Bhí an áit ag cur thar maoil le daoine bochta i rith an Ghorta Mhóir."

"Agus iad chomh tanaí go mbíodh deichniúr i gcillín do thriúr, an ea?" Rinne Lombard gáire tur, pé acu faoi scrios an ocrais é nó ar mhaithe le spochadh as Réamonn.

"Bhí Parnell ina phríosúnach anseo freisin," arsa Réamonn, mar iarracht ar an gcomhrá a choimeád neodrach. "Is cosúil go raibh saol bog aige féin is a lucht leanúna i gCill Mhaighneann fad a bhí an tír ina ciréib ag Cogadh na Talún."

"Pé rud a deir tú féin. Is dócha gur deas an caitheamh aimsire é an stair, don té nach bhfuil mórán eile ina shaol."

Bheartaigh Réamonn díriú ar mhórscéal an lae. "Tugaim faoi deara go bhfuil ceamara slándála anseo ag an deasc fáilte," ar sé. "Beidh taifeadadh [recording] ar fáil de gach duine a tháinig isteach go dtí an taispeántas tráthnóna inné."

"Gan dabht ar bith, agus beidh diabhal [damn] bocht de gharda ag scrúdú na dtaifeadtaí céanna – tú féin, b'fhéidir, ós duine de na sóisir tú." Rinne Lombard drannadh [attempt] beag gáire. "Mar sin féin, chuala mé rud spéisiúil sa stáisiún ar ball."

Ní raibh de rogha ag Réamonn ach a fhiafraí cén rud spéisiúil a bhí ann.

"Fuarthas an corpán i gcillín sa chliathán [side] thiar, an foirgneamh is sine sa phríosún. Agus, mar a tharlaíonn sé, níl ceamara slándála ar na pasáistí [passageways] ná na staighrí thart ar an gcillín." D'ísligh an sáirsint a ghuth chun a chur in iúl go raibh a léargas [overview] pearsanta féin á roinnt aige. "Más dúnmharú a rinneadh anseo aréir, bhí an ciontóir [offender] ar a sháimhín só ag teacht is ag imeacht, gan a phictiúr a fhágáil mar fhianaise againn."

"An bhfuil tú cinnte faoi sin? Cheapfá go mbeadh ceamaraí ar fud an phríosúin."

"Cad ab fhiú a ghoid ón áit? Taibhsí [ghosts] na staire, an ea?"

"Níl a fhios agam, ach cuireann sé iontas orm mar sin féin. Cad faoi na hamadáin a cheapann gur mór an spórt é a n-ainm a scríobh ar na ballaí?"

Thuig Réamonn gur ag labhairt leis féin a bhí sé. Bhí a dhroim iompaithe ag Lombard leis agus é ag cadráil le duine d'fhoireann an phríosúin. Flosc air pé sifíní de ráflaí a bhí ar fáil a bhreith leis. Bhí cáil ar Lombard go raibh eolas aige ar gach orlach den dúiche, agus go raibh mionchoirpigh áirithe a dhiúltaíodh plé le haon gharda ach é nuair a thugtaí isteach sa stáisiún iad. Thaitin an stíl dhíreach, bhorb a bhí aige leo, a dúradh.

Nuair a bhí cúpla nóiméad cadrála déanta aige, lean Réamonn isteach sa phríosún é. Bhí téip bhuí na ngardaí mar bhacainn ar an bpasáiste ar dheis a thabharfadh chuig cillín Shaoirse sa chliathán thiar iad. Ina áit sin, thiontaíodar ar chlé, isteach sa chliathán thoir. Ag an gcéad cháschruinniú sa stáisiún, dáileadh tascanna an fhiosrúcháin, agus bhí áthas ar Réamonn gur cuireadh go dtí an príosún é mar aon le cuid de na bleachtairí. Ní raibh sé cáilithe ina bhleachtaire fós, ach bhí sé ar bís gach taithí oibre a fháil a dheifreodh ar an mbóthar traenála é.

D'aithin sé an cliathán thoir a luaithe a shiúladar isteach ann. Ba é an chuid ba cháiliúla den phríosún é, a bhí le feiceáil in iliomad scannán agus clár teilifíse. Áras mór maorga, solas an lae ag doirteadh anuas trí ghloine fhairsing an dín, agus staighrí miotail ina lár a thug bealach in airde go dtí an chéad agus an dara hurlár. Bhí focal ar leith ann ar an dearadh Victeoiriach úd ar phríosún, faoi mar ba chuimhin le Réamonn é: *panopticon*, a chiallaigh go mbíodh doras gach cillín le feiceáil ag bairdéirí an phríosúin in aon amharc amháin.

Bhí grúpa bleachtairí agus gardaí faoi éide ina seasamh ag bun an staighre miotail, agus bleachtaire-chigire ina lár. Brenda de Barra ab ainm di, agus bhí cáil na mífhoighne uirthi. Bhí a folt gruaige liathbhán gearrtha go docht, agus géire an údaráis ina súile. I stáisiún Shráid Chaoimhín a bhí sí lonnaithe, agus bhí Cill Mhaighneann i measc na stáisiún áitiúil a bhí faoina scáth.

"Bhíomar ag feitheamh libh," ar sí. Bhí eagla ar Réamonn go lochtódh an sáirsint é as moill a chur orthu, ach níor thug an cigire deis labhartha dóibh.

"Mar is eol daoibh, tá foireann bheag amháin tar éis sonraí teagmhála a ghlacadh ó na cuairteoirí ar fad a bhí sa phríosún nuair a fuarthas an corpán," ar sí. "Ní bheidh faic na fríde le rá ag an tromlach, ach tosóidh an fhoireann chéanna ag glacadh ráiteas uathu siúd ar ball, sula n-imeoidh siad leo chuig óstáin agus aerfoirt agus pé áit eile óna dtángadar ar maidin."

D'fhéach Réamonn thart air. Ní raibh ceamara slándála ar bith le feiceáil. B'fhearr leis mura mbeadh an ceart ag Lombard.

"Maidir le ráitis a ghlacadh ón bhfoireann oibre anseo, iarrfaidh mé ar bheirt nó triúr agaibh tabhairt fúthu siúd," arsa an cigire. "Tá ceisteanna móra le soiléiriú mar a phléamar ag an gcruinniú: mar shampla, cén t-am a cuireadh doras an chillín faoi ghlas aréir agus cérbh iad na daoine a raibh eochair acu don doras sin." Bhí cúpla duine ag breacadh nótaí fad a labhair sí. "Tasc eile ná sonraí teagmhála a aimsiú do gach duine a bhí i láthair anseo aréir, ionas go mbeimid réidh le hagallaimh a chur orthu."

"Nach bhfuil liosta na gcuirí ar fáil ón ócáid?" Garda ó Shráid Chaoimhín a chuir an cheist. "Ar éigean a shiúil daoine isteach ón tsráid gan cuireadh a fháil roimh ré."

"Fuaireamar liosta amháin ó choiste áitiúil, ach is cosúil go raibh liosta eile ag Saoirse Ní Néill, agus tá a ríomhaire siúd á scrúdú anois díreach."

"Cad faoi na scannáin CCTV?" a d'fhiafraigh duine eile."Tá ceamara sa halla fáilte anseo, nach bhfuil? Agus, ar ndóigh, tá ceamaraí eile sa cheantar, thall san óstán agus sa gharáiste timpeall an chúinne ar an gCuarbhóthar Theas."

"Tháinig tú romham," a d'fhreagair an cigire go tirim. "An scannán is tábhachtaí ag an bpointe seo ná an ceann ón halla fáilte. Beidh duine nó beirt agaibh á scrúdú sin agus á chur i gcomparáid le liostaí na gcuirí go dtí go mbeidh gach ainm againn."

Bhí Réamonn ar a dhícheall cuimhneamh ar cheist fhiúntach. "Cad faoi Mhel Mac Aogáin, an fear a rinne an obair deartha ar an taispeántas?" a d'fhiafraigh sé go tapa. Ní raibh cúis ar bith gan a ainm a lua ag an gcruinniú. "An fíor nach bhfuil freagra le fáil óna ghuthán inniu?"

"Is éard atá á rá ag an nGarda Seoighe," arsa Lombard, agus súil á caochadh aige i ngan fhios don chigire, "ná go gcreideann sé gur *prime suspect* é Mac Aogáin."

"Mura miste libh," arsa de Barra go grod. "Tá spéis againn i ngach finné a bhí anseo aréir. B'fhéidir gurb é an rud is tábhachtaí a inseofar dúinn ná go raibh croí lag ag Ní Néill, nó go raibh sé de nós aici drugaí láidre a ghlacadh, agus go dtuigfimid ina dhiaidh sin gur thit sí ina pleist agus gur bhuail sí a ceann trí thimpiste."

Bhí Réamonn ar buile le Lombard. Bhí an sáirsint ag magadh faoi i measc a chomhghleacaithe. Tháinig smaoineamh ina cheann agus bheartaigh sé é a rá amach, cé nach raibh sé iomlán cinnte an raibh sé stuama.

"Casadh beirt orm lasmuigh a bhí anseo aréir," ar sé, "agus bhí duine acu, Aoife Nic Dhiarmada, anseo sa phríosún arís inniu. B'fhéidir go bhféadfadh sise cabhrú linn daoine a aithint ar an scannán CCTV, nuair atá brú ama orainn?"

"Go raibh maith agat, a Gharda." Ní raibh moladh ná cáineadh le léamh ar ghnúis Bhrenda de Barra. "Fuaireamar tairiscint den sórt céanna ó dhaoine eile sa cheantar, agus seans gur leor a gcúnamh siúd." Ghreamaigh sí Réamonn lena hamharc. "Ach an amhlaidh go bhfuil aithne agat ar Aoife Nic Dhiarmada?"

"Roinnt aithne," a d'fhreagair Réamonn go

cúramach. "Bhí teagmháil agam léi cúpla uair nuair a bhí mé ag obair in iarthar Chorcaí. Is ann atá cónaí uirthi le cúpla bliain anuas."

"Níorbh aon dochar é comhrá a dhéanamh léi, más ea," arsa de Barra. "Cá bhfios nach ndéarfadh sí rud éigin leatsa a bheadh fágtha ar lár ina ráiteas oifigiúil."

"Cá bhfios?" arsa Lombard go plásánta. "Ach ní foláir a lua freisin go raibh Aoife Nic Dhiarmada ina hiriseoir tráth den saol. Agus tabhair faoi deara go bhfuil a srón chomh géar fós go raibh sí i láthair sa chillín nuair a aimsíodh an corpán."

"Níor chaill tú riamh é, a Enzo," arsa an cigire. Bhí meangadh beag ar a béal a chuir i gcuimhne do Réamonn go raibh aithne mhaith ag an sáirsint agus an cigire ar a chéile. Ní raibh sé cinnte, áfach, an go ceanúil nó a mhalairt a thug sí a chéadainm air. An scéal a bhí amuigh ar Lombard ná nach raibh sé féin pioc ceanúil ar an ainm a bhaist a thuismitheoirí air – Lorenzo, in onóir sin-seanathar Iodálach, a bhunaigh siopa iasc is sceallóg sa chathair.

Bhí an cigire fós ag tabhairt orduithe. "Ós fear mór agallaimh tusa, a Sháirsint," ar sí le Lombard, "d'fhéadfá féin agus an Garda Seoighe dul sa tóir ar Mhel Mac Aogáin anois díreach. Is léir go bhfuil spéis ar leith agaibh ann, agus cloisim go bhfuil a árasán síos an bóthar uainn anseo. Labhraígí leis na comharsana mura bhfuil fáil air féin."

"An fear singil nó pósta é?" a d'fhiafraigh Réamonn.

"Fear pósta, ach níl freagra ó ghuthán a mhná céile." Chlaon an cigire a ceann i dtreo ríomhaire glúine a raibh garda óg ina bhun. "Tá an seoladh agus na huimhreacha gutháin againn anseo."

Ar an tslí amach as an bpríosún, thug Réamonn suntas do phóstaer poiblíochta an taispeántais, a raibh an teideal "Scáil an Phríosúin" air. Bhí íomhá de chillín ar an bpóstaer – fuinneog bheag thuas in airde agus troscán lom crua, samhail choitianta an ghéibhinn seachas go raibh pluid liath carnaithe ar an leaba agus cos le feiceáil ag gobadh amach faoi. Bhraith Réamonn priocadh ar a chraiceann agus é ag féachaint air. Cén fáth go marófaí bean sa lá atá inniu ann mar aithris ar eachtra a tharla sa naoú haois déag?

Rinne an sáirsint mhiongháire searbh leis. "Bhí Saoirse Ní Néill an-tógtha le stair an phríosúin, díreach mar atá tusa," ar sé. "Beag a thuig sí gur chuid den stair bheannaithe a bheadh inti féin an tseachtain seo."

*B*hí árasán Mhel Mac Aogáin ar thaobhshráid idir Cill Mhaighneann agus Inse Chór, i gceann de thrí bhloc nua a bhí buailte ar sheantithe ísle, gan comhréir ná cur in oiriúint eatarthu. Gloine agus adhmad snasta na n-árasán ag déanamh beag is fiú dá gcomharsana, gob triantánach ar gach bloc mar a bheadh srón in airde i measc na cosmhuintire. B'in mar a bhí ar fud an cheantair, dar le Réamonn: an nua is an sean ag sáraíocht ar a chéile, cleamhnas rathúil eatarthu in áiteannna agus gráscar naimhdeach in áiteanna eile. Árais úrnua i gcúinní ina mbíodh monarcha nó muileann nó gort glasraí ar feadh na gcianta, tithe breátha sócúla le cois lánaí cúnga ina mbíodh botháin na mbochtán tráth.

Bhrúigh an sáirsint ar chloigín a raibh an t-ainm "Mac Aogáin" scríofa in aice leis. Bhí sraith cloigíní sa halla beag ar urlár na sráide, mar aon le boscaí poist na n-áitritheoirí. Bhí an cloigín á thriail ag Lombard den dara huair nuair a osclaíodh doras an ardaitheora. Tháinig bean bheag théagartha amach agus d'fhéach sí ar an mbeirt ghardaí go fiosrach.

"Cé atá le crochadh inniu, *tell us?*" ar sí. Bhí tuin láidir na cathrach ar a cuid cainte. "Nó an é go bhfuil sibh sa tóir ar dhiabhal bocht éigin nár íoc as ceadúnas dá mhadra?"

Cheap Réamonn go labhródh an sáirsint go colgach léi, ach a mhalairt a tharla. Leath aoibh chairdiúil ar Lombard agus lig sé a mheáchan in aghaidh an bhalla, á thabhairt le fios nach raibh deifir ar bith air.

"An bhfuil cónaí ort féin anseo in aon chor, agus aithne agat ar mhuintir na n-árasán?"

Roinn an bhean meangadh milis ar Lombard ina seal. "Agus cad is ainm duitse, a Gharda, go gcuirfeá ceist chomh pearsanta sin orm?"

"'A Sháirsint', mura miste," arsa Lombard, agus é ag féachaint thart air go neamhchúiseach. "Thuas an bóthar atá mé lonnaithe, ach ní bhfuair mé leithscéal cheana le cuairt a thabhairt ar an mbloc áirithe seo."

Rinne Réamonn a iarracht féin blúire eolais a mhealladh ón mbean. "Táimid ag iarraidh labhairt le muintir Mhic Aogáin," ar sé. "Níor freagraíodh an cloigín, ach má tá's agat . . . ?"

"Tá aithne agam ar Róisín Mhic Aogáin ceart go leor agus . . ." Stad an bhean agus d'athraigh a dreach. "*Jaysus*, ná habair go bhfuil drochscéala agaibh agus mise anseo ag cabaireacht? Chuaigh máthair Róisín isteach san ospidéal go tobann aréir."

"Tá brón orainn faoi sin," arsa Lombard, ag teacht roimh Réamonn. "Ach tá gnó eile ar fad le plé againne leo. An dóigh leat gur ag an ospidéal atá siad inniu?"

"Chonaic mé Róisín fiche nóiméad ó shin, ag rith isteach ina hárasán. Ar an gceathrú hurlár atá sé." Rinne an bhean meangadh beag arís, agus d'imigh an teannas dá gnúis. "Creid uaim é, tá radharc den scoth acu thuas ansin i dtreo Pháirc an Fhionnuisce. *Lucky for some.*"

"Is cosúil nach bhfuil cónaí ort féin anseo, más ea?" Sméid Lombard a shúil léi, ach gan dul thar fóir leis an gcluanaireacht.

"Is cosúil nach bhfuil *is right,*" ar sise. "Dá mbeadh costas na n-árasán seo agam, i mo luí faoin ngrian i bhfad i gcéin a bheinn, in áit a bheith ag glantóireacht do lucht an airgid."

Ghlac Réamonn agus an sáirsint an t-ardaitheoir go dtí an ceathrú hurlár. D'imigh an meangadh de bhéal Lombard.

"Má tá Róisín Mhic Aogáin sa bhaile," arsa Réamonn, ar mhaithe leis an tost a mhaolú, "tá seans go mbainfear geit aisti nuair a fheicfidh sí gur gardaí sinn."

"Agus í ag ceapadh go bhfuil a máthair ina siocán marbh?" Chroith Lombard a ghuaillí. "Trua nár fhreagair sí féin ná a fear céile an guthán, más ea. Ar aon nós, ní fada go dtuigfidh sí gur corpán eile atá á réiteach don bhosca cúng."

Bhuail siad ar dhoras an árasáin faoi thrí sular

osclaíodh é. Bean chaol fhionn a bhí rompu agus, mar a thuar Réamonn, bhánaigh a haghaidh a luaithe a d'aithin sí an éide.

"Tá sé ceart go leor," ar sé go tapa, a lámh sínte ar eagla go dtitfeadh sí i laige.

"Tá brón orainn cur isteach ort," arsa Lombard go ciúin, "ach tá do chabhair á lorg againn le fiosrú dár gcuid. Baineann sé le heachtra a tharla i bPríosún Chill Mhaighneann. Is tusa Róisín Mhic Aogáin, nach tú?"

Chlaon an bhean a ceann mar fhreagra agus leanadar isteach san árasán í. Nuair a shroicheadar an seomra suí, ba bheag nár lig Réamonn cnéad iontais. Seomra fairsing a bhí ann, troscán bog leathair ar dhath an uachtair agus tinteán tíleanna bána timpeall ar an tsornóg. Bhí pictiúir ildaite d'ealaín theibí ar na ballaí geala, ach níorbh iad siúd ba thúisce a mheall an tsúil. Bhí fuinneog ollmhór ag síneadh ó shíleáil go hurlár, agus glaise na gcrann i bPáirc an Fhionnuisce á líonadh. Ba chosúil go raibh Mel agus Róisín Mhic Aogáin ag déanamh go maith dóibh féin sa saol.

"Ba mhaith linn labhairt le d'fhear céile, Mel," arsa Lombard. Bhí babhta nua aisteoireachta ar siúl aige anois, é tuisceanach ach fós údarásach in áit a bheith ina phlámásaí gealgháireach. "Chualamar go bhfuil do mháthair tinn san ospidéal," ar sé, "agus b'fhéidir gur ann atá d'fhear céile? Nílimid in ann freagra a fháil óna ghuthán."

"Cad atá uaibh le Mel?" Shuigh Róisín Mhic Aogáin ar imeall an toilg. Treabhsar slíoctha liath a bhí uirthi agus geansaí beag bán. "Is drocham é seo, [bad time] drocham."

"Tuigimid an méid sin. Ach ní foláir dúinn labhairt le Mel faoin eachtra a luaigh mé leat."

"Cad atá i gceist agat, 'eachtra'? Cén bhaint atá aige linne?" Bhí Róisín ag éirí suaite, cos amháin léi ag cnagadh ar an urlár snasta adhmaid.

"Is éard atá i gceist agam, a Bhean Mhic Aogáin, ná go bhfuarthas duine marbh sa phríosún ar maidin inniu. Is duine í a bhí ag obair le d'fhear céile le déanaí agus a bhí – "

"Cén duine, in ainm Dé?"

"Tá brón orm a bheith á insint seo duit, i gcás go [loss] raibh aithne agat féin ar an té a cailleadh." D'ísligh Lombard a ghuth go tomhaiste. "Saoirse Ní Néill a fuarthas marbh."

Stán Róisín air agus a súile ag leathadh. D'oscail sí a béal agus tháinig fuaim aisteach uaithi: béic íseal nó cnead, ba dheacair a rá cé acu. Nuair a thug Réamonn spléachadh ar Lombard, bhí éiginnteacht ina ghnúis siúd freisin.

"Gabh . . . gabh mo leithscéal!" Bhí a lámh ar a béal ag Róisín agus a guaillí ag croitheadh. [shaking] Chrom sí a ceann agus fuaimeanna plúchta fós ag teacht uaithi. Mhothaigh Réamonn míshuaimhneach agus é ag iarraidh an méid a bhí ar siúl a léamh.

"Gabh mo leithscéal" arsa Róisín arís nuair a thóg sí a ceann le féachaint orthu. Labhair sí go mear, canúint na cathrach uirthi ach gan é chomh láidir is a bhí ag an mbean thíos staighre. "Tá rudaí ag brú isteach orm: bhí eagla an domhain orm aréir go raibh mo mháthair i mbaol báis, agus an chéad rud eile, cloisim an scéal seo . . ."

"Glac do chuid ama," arsa an sáirsint.

"Fuair mo mháthair drochphianta go han-tobann aréir; tá ailse uirthi le bliain go leith anuas ach tá sé ag dul in olcas anois agus táimid ar ár n-airdeall maidin is oíche . . ." Bhí cos Róisín ag greadadh ar an urlár an athuair agus tháinig fuaim eile óna scornach, mar a bheadh snag a dhéanfadh duine de bharr meisce. "Ach aréir, sular tháinig an taom nua seo ar mo mháthair, bhí mé féin ag an ócáid sa phríosún, agus bhí sise . . . bhí Saoirse Ní Néill ag pramsáil thart, gan rian ar bith . . ."

"Cén t-am a d'fhág tú féin an ócáid, más ea?"

"Thart ar a hocht a chlog, nó b'fhéidir deich chun a hocht. Bhí mo mháthair ceart go leor nuair a chonaic mé san iarnóin í, agus bhí cúramóir in éineacht léi ar feadh an tráthnóna. Ach ní bhím ar mo shuaimhneas seachas nuair a bhím in aon seomra léi. Shroich mé an teach díreach fiche nóiméad sular tháinig na pianta uirthi."

D'fhéach Róisín i dtreo na fuinneoige ach ba léir nach ar dhathanna áille an fhómhair a bhí a hintinn. Bhí a haghaidh chomh bán leis na tíleanna ar an tinteán agus a cuid gruaige ag sileadh síos ar a cliabh. D'fháisc sí a méara tanaí ar a chéile agus thug Réamonn faoi deara go raibh dath tobac ar a corrmhéar dheis. Tar éis cúpla nóiméad, d'fhéach sí ar ais ar an mbeirt ghardaí, amhail is go raibh iontas uirthi go raibh siad fós ann.

"Conas mar atá do mháthair ó chuaigh sí isteach san ospidéal?" a d'fhiafraigh Lombard. "Is as Inse Chór í, mura bhfuil dul amú orm?"

"As Eastát an Iarnróid, sea," a d'fhreagair Róisín. Bhí bealach cainte pas righin aici, gan corraí ar éigean a bhaint as a béal. "Go raibh maith agat as fiafraí fúithi, tá sí cuid éigin níos fearr inniu. Téachtú fola ba chúis leis na pianta, a dúirt na dochtúirí. Is rud é a thagann leis an ailse, agus ansin bíonn baol ann, baol mór dáiríre . . ." Sheas sí go tobann. "Ach caithfidh mé filleadh ar an ospidéal. Má dhúisíonn sí agus gan mé ann, beidh sí trí chéile."

"Cinnte, dearfa," arsa Lombard go cneasta. B'iontach le Réamonn mar a bhí fear chomh borb leis ábalta a bhealach cainte a chur in oiriúint do gach cúinse. Nuair a chuala sé ar dtús sa stáisiún go raibh an-scil agallaimh ag Lombard, ar éigean a chreid sé é.

"Maidir le d'fhear céile," a lean an sáirsint agus é ag seasamh, "caithfimid labhairt leis siúd go práinneach. Tá seans gur finné an-tábhachtach é, an dtuigeann tú?"

Chuir Róisín a lámh lena béal mar a rinne cheana. "Ní thuigim. Cén fáth . . . Cad chuige an fiosrúchán atá ar siúl agaibh?"

D'fhéach Lombard idir an dá shúil uirthi. "Níl a fhios againn fós an bás nádúrtha nó a mhalairt a fuair Saoirse Ní Néill. Is chuige sin atá an fiosrúchán."

Chrom Róisín lena mála láimhe a thógáil ón urlár. Tharraing sí paicéad toitíní amach as ach níor oscail sí é. Bhraith Réamonn go raibh sé féin ina thaibhse sa chomhluadar, gan deis tugtha ag Lombard dó aon cheist a chur. "D'fhéadfaimis dul chuig an ospidéal in éineacht leat," ar sé go tapa, "i gcás gur ann atá d'fhear céile agus a ghuthán múchta aige?"

"Measaim go bhfuil an dara guthán aige, ceann a úsáideann sé don obair. B'fhéidir go bhfuil sibh ag glaoch ar an uimhir mhícheart?"

Chomharthaigh Lombard do Réamonn na huimhreacha gutháin a dheimhniú le Róisín. D'imigh an sáirsint amach an doras agus a chluas aige lena ghuthán féin. Thug Réamonn spléachadh eile amach an fhuinneog i dtreo na páirce sular fhágadar an seomra.

Thriail sé an uimhir nua a thug Róisín dó ach ní raibh freagra ar an nglao. Fad a bhailigh Róisín earraí éagsúla le tabhairt chuig an ospidéal, ghlaoigh sé ar an mbarda ospidéil ina raibh a mháthair. Dúradh leis gur imigh Mel tamall roimhe sin. Chonaic altra i mbun comhrá é duine de na póirtéirí sular dheifrigh sé amach as an mbarda. Bhí máthair Róisín fós ina codladh.

Thug an sáirsint Réamonn i leataobh agus iad ar a slí amach as an mbloc árasán. "Focal i do chluas," ar sé, "maidir le do chara Aoife Nic Dhiarmada."

"Ní dúirt mé gur cara liom í," arsa Réamonn, sula raibh breith aige ar a chuid focal.

"Pé rud, is cuma liom dáiríre. Ach an scéal atá

faighte agam ná gur mhaith leis an gCig labhairt le Nic Dhiarmada sula mbeidh aon *tête-à-tête* agatsa léi. Mar a dúramar ag an gcruinniú, ní foláir a bheith fíor-airdeallach ar lucht iriseoireachta is a gcairde nuair a bhíonn cás íogair mar seo á láimhseáil."

Bhí Aoife agus Sal ina suí i gclós an Bhrú Ríoga i gCill Mhaighneann, cearnóg álainn a raibh ballaí boga liatha an fhoirgnimh ar gach taobh de. Fuinneoga arda grástúla ar an séipéal ar thaobh amháin, línte rialta clasaiceacha ag soláthar sásaimh don tsúil. Fairsinge gloine ar bhalla an ghailearaí nua-ealaíne trasna ón séipéal, an sean agus an nua aontaithe go fíneálta. Clogthúr, áirsí agus siúlán foscaithe a bhí ar aon dul le clabhstra mainistreach. Tearmann suaimhneach ar fáil in áit a tógadh fadó mar ospidéal do shaighdiúirí gonta a d'fhill abhaile ó chogaí na himpireachta.

Dhún Aoife a súile. Bhí cuntas tugtha aici do Shal ar a bhfaca sí sa chillín, teoiricí agus tuairimí pléite acu faoin uafás a bhí tite amach. Tinneas marfach a bhuail Saoirse gan choinne? Féinmharú, nó dúnmharú, nó timpiste thragóideach? Bhí intinn Aoife ina láthair throda faoin am a ghlacadar sos ón gcomhrá. Choimeád sí a súile dúnta agus mhothaigh sí séideán fionnuar an aeir ar a grua. Ní mhothódh Saoirse an t-aer sin go brách arís. Cá bhfios nár tháinig sí féin isteach chuig an mBrú ar thóir tearmainn sna laethanta deireanacha a chaith sí ar an saol, agus í ciaptha ag pé ceist a d'iarr sí a phlé go práinneach le hAoife?

Laistigh de sheachtain a bheadh an tsochraid ar siúl, a luaithe a bheadh an scrúdú iarbháis thart agus seilbh ag muintir Shaoirse ar an gcorpán. Ní raibh aon tuairim ag Aoife an i Meiriceá nó in Éirinn a chuirfí í, ach bheadh uirthi freastal ar an tsochraid dá mb'fhéidir é. Ní raibh sé ar intinn aici ó thús ach trí nó ceithre lá a chaitheamh i mBaile Átha Cliath tar éis an taispeántais, agus bheadh uirthi labhairt le Pat sula ndéanfadh sí socrú nua ar bith. Bhí brú uirthi filleadh ar Bhéarra: bhí dornán cuairteoirí fós ar lóistín sna Bánchnoic, an teach aíochta a bhí acu ar an leithinis; agus, lena chois sin, bhí obair chóirithe le déanamh ar chuid den teach nuair a d'imeodh na cuairteoirí.

D'oscail sí a súile agus thóg amach a guthán. Bhí alt nuachta faoin taispeántas íoslódáilte aici níos luaithe sa lá. Thug Saoirse le fios san alt go raibh sí fós i mbun taighde:

"Níl sa taispeántas seo ach tús na hoibre," a deir Saoirse Ní Néill. "Creidim go spreagfaidh sé spéis an phobail, agus go dtiocfaidh daoine chugam le tuilleadh eolais. Ní faoi Ellen Cassidy amháin atá sé ach oiread, ná faoi phríosúin a bhfuil ballaí móra thart orthu. Is féidir macallaí an scéil a chloisteáil go dtí an lá inniu, ach a bheith airdeallach ar an bhfianaise inár dtimpeall."

Léigh Aoife an t-alt cúpla uair. Bhí Saoirse ag féachaint roimpi ina saol, gan nod ar bith go raibh sí imníoch faoina bás féin. Cinnte, bhí sé ar chumas duine a bhí in ísle brí focail mhisniúla a rá amach, ach bhraith Aoife diongbháilteacht seachas reitric iontu. Cad a bhí á thabhairt le fios aici, más ea, nuair a thrácht sí ar mhacallaí an scéil sa lá atá inniu ann? Nó an raibh taighde nua de shórt éigin leagtha amach aici di féin?

Shín Sal cupán caife chuici, a cheannaigh sí sa bhialann in íoslach an Bhrú.

"So cad é do phlean, mar sin? An raibh tú ag labhairt le do chuid, you know, foinsí iontaofa sna nuachtáin agus mar sin de?"

"Níor ghlaoigh mé ar aon duine fós." Chuir Aoife an caife láidir lena beola. Bhí sé ceithre bliana ó d'fhág sí saol na hiriseoireachta, agus cé go raibh cairde léi ag obair sa ghnó i gcónaí, ní raibh teagmháil rialta aici leo.

"Glaofaidh mé ar dhuine nó beirt ar ball," ar sí. "Ach beidh siadsan ag iarraidh eolais uaimse freisin faoin méid a chonaic mé sa chillín."

"So?" Focal beag a raibh sé de nós ag Sal iliomad leasa a bhaint as.

"Má thugaimse sonraí dóibh nár scaoil na gardaí go poiblí, faoin rian múisce a chonaic mé ar bhéal Shaoirse, abraimis, tuigfidh na gardaí gur mé a bhí béalscaoilte, agus geallaim duit nach mbeidh nod dá laghad le fáil againn ó Réamonn ina dhiaidh sin, ná ó aon gharda eile ach oiread."

Scrollaigh Aoife ar a guthán agus uimhreacha á lorg

aici. In ainneoin a cuid cainte, bhí boladh na fiosrachta ag dúiseacht ina polláirí mar a bhíodh riamh.

"B'fhéidir nach iriseoirí is mó a bheidh in ann eolas a thabhairt dúinn," ar sí le Sal. "Ba mhaith liom labhairt le gaolta agus le cairde Shaoirse agus comhbhrón a dhéanamh leo, agus seans go mbeidh duine éigin díobh in ann a rá linn cad a bhí ag déanamh imní di le déanaí."

Tháinig loinnir i súile Shal. "Hé, cad faoin bhfear dathúil sin a raibh tú ag comhrá leis aréir, nach col ceathrar le Saoirse é siúd? Bhí mise *so* ag súil go gcuirfeá in aithne dom é, tá's agat, ach níor bhac tú sin a dhéanamh."

"Níor chuir mé in aithne duit é, mar go raibh a ainm dearmadta agam."

"Agus?" Rinne Sal meangadh soibealta. "An chéad uair eile a bheas ógfhear inspéise i do chomhluadar, *just* inis dó cé mise agus iarrfaidh mise a ainm air, *no problem.*"

Chroith Aoife a ceann. Ba léir nár bhraith Sal scáil an bháis ag titim uirthi mar a bhraith sí féin. "Tá an ceart agat gurbh fhiú dúinn labhairt leis. Measaim go bhfuil uimhir a thuismitheoirí agam ar mo ghuthán. Bhíodh Saoirse ag fanacht leo nuair a thagadh sí ar cuairt as Meiriceá." Scrúdaigh Aoife scáileán a gutháin. "Ach níl ceangal ceart le fáil anseo sa chlós, an bhfuil?"

"Níl sé ró-iontach," arsa Sal, agus a guthán féin á ghlinniúint aici. "Seo, siúlfaimid síos go dtí an gairdín. Beidh sé ciúin ag an am seo den lá."

Thug Aoife suntas don radharc a fuaireadar ón áirse a thug slí amach ón gcearnóg. Bhí ascaill fhada ag síneadh uathu agus sraith crann ar an dá thaobh di. Ag bun na hascaille a bhí geata cloiche agus túr ard ós a chionn a raibh cosúlacht aige le pictiúr a dhéanfadh páiste de chaisleán. Nuair a tháinig sí féin agus Sal isteach an geata sin, níor thug sí faoi deara na táilte fairsinge idir iad agus mórfhoirgneamh an Bhrú Ríoga. Chuaigh an ciúnas i gcion uirthi an athuair. Bhíodar scoite ó challán na cathrach agus ó achrann an tsaoil uile. Ba dheacair a shamhlú go raibh corp mná ina luí sa phríosún ar an taobh thall den gheata.

Shroicheadar ardán féarach os cionn gairdín a bhí leagtha amach go foirmeálta. Bhí lochán bídeach i lár an ghairdín agus cosáin ghairbhéil mar a bheadh spócaí rotha ag imeacht uaidh idir fálta néata. Sceacha ísle bosca a bhí le taobh na gcosán sa leath uachtarach den ghairdín, agus claíonna arda sa leath íochtarach a rinne cathair ghríobháin de na siúláin. Bhí Aoife ag cuimhneamh ar ghairdíní den stíl chéanna a chonaic sí sa Fhrainc, nuair a luigh a súil ar cheann de na binsí ar imeall an locháin. Bhí bean ina suí ag stánadh ar an uisce, cóta de phatrún láidir glas is dearg uirthi, agus a folt gearr rua scuabtha siar óna cluasa.

"Aithním an bhean thall," ar sí le Sal go tapa.

"Cé hí féin? An raibh sí ag an ócáid aréir?"

"Bhí, agus istigh sa chillín ar maidin freisin. Sin í Janis, an treoraí." D'ísligh Aoife a glór in ainneoin nach raibh baol ar bith go gcloisfí ón lochán í. "Ba mhaith liom casadh léi gan choinne, mar dhea. Níl a fhios agam an mbeidh fonn uirthi labhairt liom."

D'fhan Sal ina suí faoi chrann ársa cnó capaill agus shiúil Aoife síos céimeanna a thug isteach sa ghairdín í. Ghlac sí bealach timpeallach chuig an lochán in áit déanamh caol díreach air. Bhí an bhean rua ag éirí óna binse agus í ag druidim léi.

"Ó, a Janis, conas atá tú?" arsa Aoife. Rinne sí meangadh éiginnte léi, mar léiriú nár mhaith léi a comhluadar a bhrú uirthi, in ainneoin an cheangail a bhraith sí a bhí eatarthu. "Is dócha gur ag éalú ón slua lasmuigh den phríosún atá tú anseo?"

"Ba bhreá liom a bheith sa bhaile," a d'fhreagair sise, "seachas a bheith préachta amuigh anseo. Ach is cosúil go n-oireann sé do na gardaí mé a choimeád ag feitheamh sula nglacfaidh siad ráiteas uaim."

"Táimse ag feitheamh freisin," arsa Aoife, agus a ceann á chroitheadh aici. "Tá sé deacair, nach bhfuil, dul siar arís is arís eile ar an méid a chonaiceamar?"

"Tá mé spíonta ag an rud ar fad."

Lean Aoife ag amharc sa tsúil uirthi, ionas nach dtiontódh Janis uaithi. "Ba bhreá liomsa labhairt leis an duine a bhí ag obair ar an taispeántas le Saoirse," ar sí. "Mel is ainm dó, nach ea?"

"Go n-éirí go geal leat." Gan mhothú a dúirt Janis

é. "Bhíodar an-díograiseach agus iad ag obair le chéile maidin is oíche, is fíor an méid sin."

Bhí Aoife ar a dícheall an comhrá a choimeád ag imeacht. Bhí Janis níos doicheallaí fós ná mar a bhí istigh sa phríosún. "Dúirt tú liom go raibh brú ort cabhrú leis an taispeántas freisin, cé go raibh tú an-ghnóthach cheana?"

"Dúirt. Agus bhí."

"An amhlaidh go raibh an brú sin ar an bhfoireann ar fad? Thuig mé go raibh coiste deonach ag tacú le Saoirse freisin."

"Bhí mise ar an diabhal coiste, ach cur amú ama a bhí ann. Leath den dream sin, ní raibh uathu ach rith go dtí an pub tar éis na gcruinnithe. Geallaim duit nach raibh am agamsa chuige sin."

"Tá mé cinnte nach raibh, agus do dhóthain le déanamh agat ar feadh an lae sa phríosún." Rinne Aoife meangadh tuisceanach léi. "Is mór an t-ualach a chuirfeadh obair choiste ort."

D'fhan Janis ag faire ar Aoife sular fhreagair sí í. Bhí sprochaillí dorcha faoina súile, agus a craiceann an-bhán faoi na bricíní rua. "Ní bhacfainn le coiste ar bith dá mbeadh buanphost agam mar ba chóir. Ach ní chreideann an rialtas seo go bhfuil an gradam sin tuillte ag mo leithéid, is cosúil, cuma cén taithí oibre a bhí agam cheana."

Ghéill Janis suí síos nuair a chomharthaigh Aoife gur mhaith léi féin sin a dhéanamh. Thug sí faoi deara go raibh a cóta teann ar Janis, amhail is go raibh meáchan curtha suas aici ó cheannaigh sí é. Ach ba chosúil go raibh sí sásta go leor comhrá a dhéanamh fad a bhí deis ghearáin aici.

"Caithfidh go raibh tú ag obair go mall aréir?" a d'fhiafraigh Aoife di. "D'fhág mé féin an ócáid go luath tar éis a hocht ach bhí slua maith fós i láthair ag an am sin."

"Ag a naoi a chlog a dhúnamar an áit. Caithfear a chinntiú i gcónaí nach bhfuil aon duine fós istigh sula gcuirtear an córas aláraim ar siúl."

"Agus ní foláir go raibh a fhios ag Saoirse cén t-am a bhí an príosún le dúnadh?"

Tharraing Janis ar a cuid muinchillí, agus rith sé le hAoife nár oir dath an chóta di. Ní raibh an saol ag teacht go bog léi, ba léir. "Bhí fios an ama aici ceart go leor," ar sí, "mar gur fhiafraigh sí díom cúpla uair inné cén t-am a bheadh uirthi an cliathán thiar a fhágáil." D'fhéach Janis ar Aoife go gasta. "Ach b'fhearr liom gan labhairt faoi na ceisteanna sin nuair atá ráiteas le tabhairt agam. Tá tú an-fhiosrach, caithfidh mé a rá."

Bhí Aoife buartha arís go raibh an comhrá ag teacht chun deiridh. "Tá brón orm, tá an ceart agat," ar sí go réidh. "Tá súil agam nach fada eile go mbeidh tú sa bhaile, agus b'fhéidir cara nó duine muinteartha ag tacú leat."

D'ardaigh Janis a guaillí. "Ní bheidh romham sa bhaile ach mo mhac. Agus ós déagóir é, ní chuireann sé a lán spéise sna rudaí a tharlaíonn dom."

"Tá mac sna déaga agam féin sa bhaile," arsa

Aoife, "agus tuigim duit. Ach abair liom . . ." Bhí cuimhne ag soilsiú ina hintinn go tobann, rud a dúirt Janis níos luaithe agus a raibh an dara ciall le baint as . . . "nuair a labhair tú ar Mhel Mac Aogáin . . .? Bhí sé féin agus Saoirse mór le chéile, a bhí i gceist agat, nach ea?"

"Níorbh é mo ghnósa é má bhí."

"Bhí siad an-discréideach faoi, ní foláir? Ní fhaca mé le chéile iad le linn na hócáide."

Rinne Janis gáire tirim. "Ní fhaca, déarfainn, mar go raibh a bhean chéile siúd i láthair freisin."

"Ó, a dhiabhail, tuigim anois cad atá á rá agat. Mar sin féin, caithfidh nach rabhadar discréideach i gcónaí, má thuig tú . . . ?"

"Ní raibh mé ag coimeád cuntais orthu, geallaim duit. Dáiríre, ba chuma sa sioc liom cad a bhí ar siúl acu ach gan é a dhéanamh i gcillín ina bhfuair bean bhocht bás fadó. Ná in aon chillín eile i bpríosún atá ina shéadchomhartha náisiúnta."

Bhí fuadach croí ar Aoife go raibh rún á scaoileadh ag Janis léi. Ach labhair sí ar nós cuma liom. "Is cinnte go raibh cúis ghearáin ag an bhfoireann go léir má tharla a leithéid."

"Ní raibh mé ag iarraidh é a lua le daoine eile. Ach chuaigh eochair amú cúpla seachtain ó shin, an eochair a osclaíonn na cillíní sa chliathán thiar, agus ceistíodh Saoirse i gcás go raibh sí feicthe aici. Shéan sí é, gan amhras, agus ní raibh cruthú ar bith go raibh baint aici leis an scéal, ach b'éigean dom a rá ag an am gur mheas mé go raibh an iomarca ama á chaitheamh aici sa chillín – agus aige siúd freisin."

Chrap Janis a beola. De réir mar a mhionnaigh sí gur mhian léi aire a thabhairt dá gnó féin, thuig Aoife go raibh sí ar bís a scéal a sceitheadh.

"Bheinn féin ar buile faoi," ar sí le Janis, "má bhí drochmheas mar sin á thaispeáint ag Saoirse don phríosún."

"Bhí sé náireach ar fad," a d'fhreagair Janis. "Bhí an cliathán thiar á sheiceáil agam tráthnóna amháin roimh am dúnta agus amach leis an mbeirt acu ón gcillín agus a lámha ag fánaíocht ar a chéile. Nuair a d'fhéach mé isteach sa chillín bhí sé ríshoiléir dom go raibh an leaba in úsáid acu. Lá eile, bhí orm dul síos san íoslach mór atá faoin gcliathán thoir, toisc go raibh criú scannáin le bheith ag obair ann an mhaidin dár gcionn. Bíonn cosc ar chuairteoirí ann, ach cé a bhí le feiceáil i gceann de na seanseomraí ach an bheirt sin agus iad ag crúbáil a chéile mar a bheadh ainmhithe."

D'fhan Aoife ina tost. Bhí na scéalta ag teacht ina scairdeán ó Janis anois.

"Mór an trua nach rabhadar discréideach an t-am ar fad, go háirithe agus Saoirse ina cónaí ar an mbóthar céanna liom." D'fhéach Janis i leataobh ar Aoife agus luisne uirthi. "Bhí mé ar mo shlí ar obair go moch maidin amháin nuair a tháinig an liobar sin Mel amach ó theach Shaoirse mar a bheadh péist ag sleamhnú ó chúl cloiche. Lig mé orm nach bhfaca mé é, ar ndóigh, ach ar sise liom níos déanaí sa lá go raibh cruinniú bricfeasta aici leis, amhail is gur óinseach amach is amach mé. Chuir sé déistin orm a bheith ag éisteacht léi."

Sheas Janis faoi dheifir nuair a bhí a racht ligthe aici. Sheas Aoife freisin agus leag sí a lámh go bog ar uillinn na mná eile. "Beidh ort an méid seo a insint do na gardaí, gan amhras," ar sí, mar ráiteas seachas mar cheist.

"Freagróidh mé na ceisteanna a chuirfidh siad orm."

"Is cinnte go mbeidh spéis acu in aon chaidreamh den sórt sin a bhí ag Saoirse le déanaí."

Chroith Janis a ceann agus thiontaigh sí a gualainn le hAoife. "Níor cheart dom é a rá leatsa, fiú. Ní duine mé a tharraingíonn aird orm féin."

Ba bheag nach raibh trua ag Aoife di. Cheap sí go raibh Janis in éad le Saoirse, a dhéanadh a comhairle féin go dána, beag beann ar dhaoine eile. "D'fhéadfainnse focal a chur i gcluas duine de na gardaí," arsa Aoife, "ionas go mbeadh sé níos éasca duitse labhairt faoi ina dhiaidh sin."

Bhí gnúis Janis dúnta, doicheallach mar a bhí níos luaithe. "Déan do rogha rud. Mar a deirim, freagróidh mise na ceisteanna a chuirfear orm."

Nuair a d'imigh Janis, chuaigh Aoife sa tóir ar Shal agus roinn sí an scéal léi. Ghlaoigh sí ar Réamonn ansin. Bhí sé amscaí ann féin nuair a casadh orthu é, ach b'fhearr léi an nod a thabhairt dósan ná d'aon duine eile. D'éist sé go cúramach léi agus ghabh sé buíochas léi, ach bhí sé seachantach nuair a d'fhiafraigh sí conas mar a bhí ag éirí leis an bhfiosrúchán.

Bhí teachtaireacht nua ar a guthán tar éis di labhairt leis. An Cigire Brenda de Barra a bhí ann, ag fiafraí d'Aoife an dtiocfadh sí ag féachaint ar scannán CCTV sa phríosún. Bhí cúpla duine ag cabhrú leis na gardaí na cuairteoirí ag ócáid an taispeántais a aithint, agus ba mhór acu Aoife a bheith in éineacht leo ag an bpríosún ag a leathuair tar éis a cúig.

*B*hí Réamonn lasmuigh d'Ospidéal Naomh Séamas nuair a ghlaoigh Aoife air. Phreab a chroí agus é ag éisteacht léi. Chuimhnigh sé ar an taom histéire a tháinig ar Róisín Mhic Aogáin nuair a dúradh léi go raibh Saoirse Ní Néill marbh. Má bhí barúil ar bith aici faoi mhídhílseacht a fir chéile, bhí cúis mhaith leis sin – agus an amhlaidh go raibh gliondar le cloisteáil uaithi mar aon le huafás?

Ghabh sé buíochas le hAoife ach thuig sé gur labhair sé go rófhoirmeálta léi. Níor theastaigh uaidh a rá léi gur tugadh foláireamh dó gan labhairt léi go príobháideach; agus nuair a mhol sí go gcasfaidís le chéile gan mhoill, d'fhreagair sé nár mhiste leis sin a shocrú ach gurbh eagal leis nach mbeadh am saor aige chuige go ceann roinnt laethanta. Glaoigh orm má oireann sé duit, mar sin, ar sise, agus deireadh á chur aici leis an nglao go grod.

Ní raibh fonn air an scéala faoi Mhel agus Saoirse a insint don Sáirsint Lombard. Ghlacfadh seisean an chreidiúint dó féin, nó sin, dhéanfadh sé beag is fiú d'Aoife mar fhinné. Ach ámharach go leor, bhí an sáirsint tar éis stopadh ag an stáisiún ar an mbealach ó árasán Róisín, agus cúis mhaith ag Réamonn glaoch ar an gcigire ina áit. Má bhí sé ag dréim le focal comhghairdis uaithi, áfach, cuireadh díomá air.

"Cá bhfuair tú an blúire eolais seo?" a d'fhiafraigh sí.

"Aoife Nic Dhiarmada a ghlaoigh orm. Chuala sí ó dhuine eile é agus mheas sí go bhféadfadh práinn a bheith leis mar eolas."

"Is nod fiúntach é ach beidh orainn a dheimhniú dúinn féin an bhfuil sé fíor, agus gan talamh slán a dhéanamh den mhéid a deir Nic Dhiarmada nó aon duine eile."

D'fhan Réamonn ina thost. Ní raibh a dhóthain aithne aige ar an gcigire lena meon a léamh.

"Feicfidh mé féin Nic Dhiarmada ar ball," arsa Brenda de Barra ansin. "Ach molaim duit gan cúis ghearáin a thabhairt d'Enzo Lombard; go bhfeicfeadh sé go ritheann tú chugamsa le gach mírín beag eolais a thagann an treo."

Cheistigh sí é faoi na hiarrachtaí a bhí ar bun le teacht suas le Mel Mac Aogáin. Bhí Réamonn tar éis teacht ar an bpóirtéir ar labhair Mel leis san ospidéal, a dúirt sé le de Barra. Bhí súilaithne ag an bpóirtéir ar Mhel agus nuair a thosaíodar ag comhrá, thagair an póirtéir don scéal nuachta ón bpríosún: go bhfuarthas corpán ann i lár an lae agus go raibh ráflaí ann nach turasóir a bhí marbh ach bean óg a bhí ag obair ar thaispeántas éigin. Tháinig lí bhán ar Mhel ar an toirt, a d'inis an póirtéir do Réamonn, amhail is gur taoscadh a chuid fola as a chorp. D'imigh Mel leis go tobann, ar sé, agus greim an fhir bháite aige ar a ghuthán.

D'aontaigh an cigire gur chóir do Réamonn leanúint leis an tóir ar Mhel thart ar an ospidéal. Dhéanfadh gardaí eile fiosruithe i dtithe tábhairne an cheantair.

"Cad a bheidh le déanamh nuair a thiocfaimid suas leis?" a d'fhiafraigh Réamonn di.

"Comhrá binn béasach," a d'fhreagair de Barra. "Nílimid ar tí Mac Aogáin a ghabháil, cuma cá raibh a bhod neadaithe aige le tamall anuas. Níor dearbhaíodh fós conas a fuair Saoirse Ní Néill bás."

Labhair Réamonn le tiománaí tacsaí lasmuigh de dhoras an phríomhospidéil, a dúirt leis go bhfaca sé fear óg fionn ag deifriú i dtreo gheata Shráid San Séamas. Níorbh fhada gur aimsigh Réamonn fear slándála a thug cur síos dó ar dhuine a chonaic sé ag siúl taobh le tramlíne an Luas ar thalamh an ospidéil. Thug an fear go dtí stad an Luas Réamonn, agus as sin leanadar cúrsa na líne in aice leis an marbhlann. Ón marbhlann, lúb an líne isteach i mbearna chúng idir balla teorainn an ospidéil agus cúl foirgnimh mhóir. Bhí ciumhais do choisithe ar thaobh amháin de ráillí an tram.

"Is ansin a bhí sé," arsa an fear slándála. "Bhí eagla orm go raibh sé ar meisce."

"Conas sin?"

"Bhí sé míshocair ar a chosa, ag tuairteáil leis. Dá dtitfeadh sé amach ar na ráillí os comhair an tram, is isteach i seomra fuar sa mharbhlann a thabharfaí é."

"An raibh sé airdeallach ar an gcontúirt sin, dar leat?"

"An eagla a bhí orm ná go raibh sé ag dul i gcontúirt d'aon ghnó. Fear óg in ísle brí, cloisimid fúthu an t-am ar fad anois, nach gcloiseann. D'fhógair mé air ach bhí sé rófhada uaim, agus ghread sé leis i dtreo Fatima."

Bhí aithne mhaith ag Réamonn ar stad an tram ag Fatima, a ainmníodh as eastát mór tithíochta in aice láimhe a mbíodh droch-chlú drugaí agus foréigin air. Bhí pobal diongbháilte lonnaithe ar an eastát freisin, áfach, agus d'éirigh leo tathant ar na húdaráis na seanbhlocanna árasán a leagan agus tosú as an nua. Herberton an t-ainm a tugadh ar an scéim nua, agus is ann a bhí cónaí ar Réamonn. Bhí sé sásta leis an rogha a rinne sé, in ainneoin go raibh a arásán aon seomra codlata sách beag. Thaitin an pobal measctha leis, idir aicmí agus chiní difriúla, idir úinéirí agus thionóntaí. Bhí Sínigh, Polannaigh agus Gearmánaigh mar chomharsana aige agus a dteanga féin san aer mar aon le blasanna dúchais na cathrach. Bhí árasáin ar fáil do thurasóirí agus do mhic léinn, a gcuid rothar le feiceáil ar a mbalcóin ag cuid de na háitritheoirí. Thar aon rud eile, bhí Réamonn in ann beannú go béasach dá chomharsana ach gan aithne phearsanta a chur orthu.

D'fhill sé ar stad an ospidéil agus ghlac sé an chéad

tram eile chuig stad Fatima. D'fhéach sé i ngach treo nuair a thuirling sé ach ní fhaca sé Mel. Deich nóiméad chun tosaigh air a bhí Mel, dar leis, agus an deis aige imeacht as radharc i míle áit dhifriúíl: síos sráideanna cúnga Herberton; nó isteach in aon cheann de na céadta árasán; nó soir i dtreo na sráideanna tréigthe ar chúl ghrúdlann Guinness. Nó sin, bhí an rogha aige dul ar an Luas agus tuirlingt i gceann éigin de na bruachbhailte iomadúla idir an tseanchathair agus Tamhlacht.

Shiúil Réamonn thart ar feadh cúpla nóiméad. Bhí bean ag bogshodar ina threo a bhí feicthe aige corruair in ionad aclaíochta Herberton. Tháinig sí aniar as Rialto, a d'inis sí dó, agus chuaigh fear tanaí fionn thairsti ag an tramstad ann. Thug sí suntas dó toisc boladh láidir an raithnigh a bhí á chaitheamh aige, agus chomh sleabhchta, cromtha a bhí sé ina shiúl.

Léim Réamonn ar an gcéad traein eile. Rachadh sé dhá stad go dtí Bóthar na Siúire agus ar ais de shiúl na gcos i dtreo Rialto. Seans éigin go gcasfaí Mel air. Drochsheans go mbeadh fonn comhrá ar an bhfear eile. Ach rud amháin san am.

Ghlaoigh sé ar an gcigire agus dúirt sise go raibh carr patróil ag faire amach do Mhel. Bhí súil ag an gceannfort preasócáid a eagrú sa tráthnóna agus b'fhiú go mór teacht suas leis an bhfear óg roimhe sin.

Nuair a thuirling Réamonn den tram den dara huair, chonaic sé go raibh dhá dhroichead in aice le stad Bhóthar na Siúire, droichead bóthair agus droichead an tram, agus an Chanáil Mhór á trasnú acu araon. Bhí crosbhóthar buailte leis an dá dhroichead agus an trácht ag síobadh anonn is anall de réir mar a d'athraigh na soilse. Carranna, lucht rothaíochta agus coisithe ar a slí abhaile, paisinéirí ag deifriú den Luas – broid na cathrach faoi lánseol.

D'fhéach Réamonn soir ón droichead bóthair i dtreo cheantar Rialto. Bhí stráice fada féir taobh leis an tramlíne, áit a mbíodh fo-chanáil fadó ar a dtugtaí báirsí leanna ó ghrúdlann Guinness síos fán tír. Má lean Mel ar a shiúlóid as Rialto, is ar an stráice féir sin a bhí sé. Chonaic Réamonn siúlóir aonair, ceart go leor, ach bhí seisean aosta agus bata ina lámh aige; agus tamall níos faide uaidh, chonaic sé fear eile a raibh bugaí linbh á bhrú aige.

Thiontaigh sé sa treo seo agus siúd, ag iarraidh a bheartú an bhfillfeadh sé ar Rialto. Ansin thug sé faoi deara go raibh cosán cúng thíos faoin droichead bóthair, san áit ar tháinig deireadh leis an stráice féir. Thrasnaigh Réamonn an droichead agus bealach á lorg aige síos go dtí an cosán. Chonaic sé staighre coincréite gar don stad Luas.

Leathshlí síos na céimeanna dó a chonaic sé Mel. Ina shuí ar a ghogaide a bhí sé, ar an gcosán dorcha istigh faoin droichead bóthair. D'aithin Réamonn an ghruaig fhionn a tugadh dó mar chur síos – glibeanna fada ag titim ó bharr a chinn ach í bearrtha go teann ó uachtar na gcluas anuas. Sheas sé siar coiscéim agus é ag faire go cúramach air.

Bhí cóta go glúin air agus scairf fhada shraoilleach. Greim chráite aige ar thoitín agus gan corraí ar bith as seachas nuair a dhiúil sé ar an tobac. Ní raibh Réamonn in ann a dhéanamh amach an raibh boladh raithnigh le fáil ón toitín, ach ceann a rolláil Mel féin a bhí ann go cinnte.

Chúlaigh Réamonn cúpla céim suas an staighre. Ba mhaith leis labhairt go ciúin leis an bhfear eile ach bhí sé ar an taobh thall den uisce. Dá nglaofadh sé amach air, cá bhfios cad a tharlódh. Agus ní raibh sé cinnte conas an cosán a shroichint go tapa, sula n-imeodh Mel leis.

Scríobh Réamonn téacs deifreach chuig an gcigire. Bhí sé imníoch go raibh na scuainí tráchta ag méadú agus go mbeadh sé deacair don phatrólcharr stopadh in aon áit i bhfoisceacht céad méadar den chrosbhóthar. Ach nuair a chuaigh sé síos na céimeanna arís, chonaic sé go raibh beirt ghardaí ag druidim le Mel cheana féin. Bhí siúl tromchosach faoi dhuine acu, a d'aithin Réamonn go rímhaith. An Sáirsint Lombard.

Dúirt an sáirsint rud éigin le Mel agus d'éirigh an fear fionn ina sheasamh go guagach. Labhair Lombard arís agus chuir Mel a lámha ar a chluasa amhail is nár fhéad sé éisteacht leis. Ansin thiontaigh sé agus rith sé.

Rith Réamonn suas na céimeanna agus a shúil aige ar Mhel ar an taobh thall den uisce glasdubh. Bhí dhá loc ar an gcanáil gar don stad Luas agus geataí móra adhmaid orthu a rialaíodh sruth an uisce. Bhí Mel ag moilliú ar an gcnocán taobh leis na loic. Ní rithfeadh sé i bhfad sula mbéarfaí air.

"Dreas beag cainte atá uainn," a chuala Réamonn á rá ag Lombard agus é sna sála ar Mhel. Ach bhréagnaigh a ghuth mífhoighneach a gheallúint.

Thuig Réamonn go tobann conas ab fhéidir an chanáil a thrasnú go tapa. Bhí siúlán caol adhmaid do choisithe feistithe ar na geataí. Leag Mel a chos ar an siúlán ba ghaire dó. Cúig choiscéim agus shroichfeadh sé an áit a raibh Réamonn ag fanacht.

Ach thosaigh Mel ag dreapadh in airde ar an ngeata féin. Bhí an t-uisce an-íseal sa loc taobh thíos de agus ocht nó naoi méadar de thitim ón ngeata síos sa lochán.

Bhí sé ar nós radhairc a d'fheicfí i scannán, a shíl Réamonn. Fear scrogallach á tharraingt féin in airde ar an ngeata leathan dubh agus bán. An t-uisce ina linn dhomhain dhorcha thíos faoi. Loc eile ar an gcanáil taobh thuas de agus an geata leathan spréite in aghaidh na spéire. Tram geal soilsithe ag imeacht le taobh na canálach. Páirc imeartha idir an chanáil agus imlíne na sléibhte i gcéin, sliotar le feiceáil ag eitilt ó chamáin imreoirí.

Bhí Mel ag stánadh síos san uisce. Bhí sé luascánach ar a chosa agus a ghuaillí cromtha ag ualach bróin nó ciontaíola. A chóta agus a scairf ag sraoilleadh leis.

Thosaigh an scannán ag gluaiseacht an athuair. Bhí slua ag deifriú ón tram chuig na tithe máguaird, agus dream beag díobh ag cruinniú ar an droichead, ag faire ar an bhfear a bhí ina sheasamh in airde ar an ngeata. Ghlac Réamonn coiscéim bhog ina threo, agus coiscéim eile ina dhiaidh sin. Rinne sé a dhícheall labhairt go ciúin, mar a dhéanfaí le hainmhí a bhí gortaithe, imníoch.

Níor fhreagair Mel é. Thóg sé a cheann agus bhris uaill léanmhar uaidh. "Imígí libh sa foc! Imígí nó léimfidh mé!"

Bhí guthán lena chluas ag Lombard. Cúnamh á lorg aige, eadránaí oilte a mheallfadh an fear cráite anuas ón ngeata, agus lucht tarrthála freisin ar fhaitíos na bhfaitíos.

"Tá mo cheann ag pléascadh!" a bhéic Mel. Ghreamaigh a shúil de Réamonn den chéad uair. "Níl uaim ach focain sos, focain ciúnas ón torann i mo cheann."

"Tuigimid go bhfuil tú faoi stró," arsa Réamonn. Bhí a chroí féin ag pléascadh ina chliabhrach ach bhí a ghuth réasúnta socair. Is éard a bhí le déanamh ná Mel a choimeád slán go dtí go dtiocfadh daoine oilte ar an láthair.

"Ní thuigeann sibh faic. Ní thuigim féin conas mar a tharla sé . . ."

Trí choiscéim ó Mhel a bhí Réamonn. As cúinne a shúl, chonaic sé garda eile thuas ar an droichead bóthair, ag tathant ar dhaoine imeacht leo as radharc. Ach bhí dream nua bailithe in aice le stad an Luas, ag stánadh is ag glacadh pictiúr. Ní scannán ach dráma beo ar stáitse a bhí ar siúl. Nó sorcas nár cleachtaíodh roimh ré.

Bhí lámh amháin ag Mel mar chuaille taca ar an ngeata. A chosa scartha amach ó chéile. Go tobann chrom sé chun tosaigh, ag féachaint síos san uisce. Ghlac Réamonn coiscéim eile ina threo.

"Is uisce focain domhain é seo, an bhfuil a fhios agat sin?" Go comhráitiúil a labhair sé an uair seo. "Bádh cara scoile liom anseo. Muid go léir ag léim ón droichead sa samhradh. Bhuail sé faoin mballa nuair a léim sé . . ."

"Tabhair dom do lámh," arsa Réamonn. Shín sé amach a lámh féin. "Cabhróidh mé leat teacht anuas."

"Déanfaidh mé mo rogha rud, nach dtuigeann tú mé? Ní theastaíonn uaim ach . . ."

Stad Mel go tobann. D'fhéach sé ar bhean a bhí ag teacht ina threo ó thram an Luas, í chomh caol, fionn is a bhí sé féin. Stad sí ar imeall an uisce agus labhair sí leis.

"Tar anuas," ar sí. Róisín a bhí ann, a súile dírithe air mar a bheadh dhá bhior ghéara. "Tar abhaile agus ná náirigh muid."

"Chonaic mé mo chara thíos faoin uisce," ar sé. Ach monabhar cainte a bhí ann anois. "Dath gorm a bhí ar a chraiceann . . ."

"D'fhág mé leaba mo mháthar, a Mhel. Nach leor duit mo chroí a bhriseadh uair amháin?"

D'fhéach Mel uirthi agus chroch sé a cheann. Bhí an spéir ag dorchú agus an t-uisce ag dubhú. Ghlac sé coiscéim mhíshocair ar an mbíoma adhmaid a raibh sé ina sheasamh air.

Chuaigh a scairf shraoilleach i bhfastó faoina chos. Baineadh tuisle as agus lúb a ghlúin faoi. Luasc sé amach ón mbíoma. Chuala Réamonn torann an uisce taobh thuas agus taobh thíos de. Bhí greim faighte aige ar mhuinchille Mhel. Bhíodar beirt ag brath ar a chéile.

Bhí na ceamaraí nuachta imithe agus an tsráid ciúin nuair a d'fhill Aoife agus Sal ar an bpríosún ag a leathuair tar éis a cúig. Bhí garda ar dualgas ag an ngeata, a aghaidh righin le fuacht agus le leadrán. Istigh sa seandaingean, chuala an bheirt bhan macallaí a gcoiscéimeanna á leanúint ar an urlár cloiche.

Bhí orthu fanacht lasmuigh den seomra ina raibh an scannán CCTV á scrúdú ar feadh tamaill. Tháinig beirt ghardaí amach agus cogar mogar eatarthu féin. Cúig nóiméad ina dhiaidh sin, bhuail duine d'fhoireann an phríosúin isteach. Faoin am sin, bhí ceangal gutháin faighte ag Sal agus í ag scimeáil ar an idirlíon. D'aimsigh sí tuairisc ghairid ar eachtra ag Droichead Bhóthar na Siúire. Bhí gardaí ar an láthair, a dúradh, agus gan aon chur isteach ar sheirbhís an Luas. Bhí Aoife ag faire ar a guthán féin, nuair a osclaíodh doras an tseomra faoi dheireadh.

"Tá brón orm sibh a choimeád," arsa an bhean a shín a lámh chuig Aoife. "Is mise an Bleachtaire-Chigire Brenda de Barra. Táimid buíoch díbh as teacht isteach."

Bhí súile gléineacha aici a thug gach cor faoi deara. Bhraith Aoife go raibh ceisteanna á meá ag an mbean eile ina hintinn agus í ag faire uirthi. Cén fáth gurbh í Aoife a bhí i láthair nuair a aimsíodh corp Shaoirse? Bhí cáil ar Aoife Nic Dhiarmada tráth den saol mar iriseoir agus, más ea, bheadh an cigire in amhras arbh fhéidir iontaoibh a chur inti. Bheartaigh Aoife a cuid cainte féin a mheá agus a dháileadh go tomhaiste freisin.

"Bhí aithne mhaith agat ar Shaoirse Ní Néill?" a d'fhiafraigh an cigire d'Aoife, gan aird ar bith aici ar Shal. Bhrúigh Aoife dlaoi ghruaige siar óna súile.

"Comharsana ab ea sinn tráth, ach ní fhacamar a chéile mórán le deich mbliana anuas."

"Rinne tú turas fada chuig a hócáid, mar sin féin? Creidim nach i mBaile Átha Cliath atá cónaí ort?"

Thiontaigh Aoife beagán i dtreo Shal. "Leithscéal a bhí ann teacht ar cuairt ar m'iníon," ar sí go réidh. "Tá cúrsa staire ar siúl ag Sal ar an ollscoil, agus bhí fonn orainn beirt a bheith i láthair. Tá súil agam nach miste leat má thagann sise isteach ag féachaint ar an CCTV freisin?"

Sméid an cigire a ceann mar léiriú nár mhiste. Ach níor ghéill sí gurbh fhiú di aird a thabhairt ar Shal, agus lean sí leis an gceistiú ar Aoife. "Cloisim go bhfuair tú nod inniu maidir le caidreamh idir Saoirse Ní Néill agus Mel Mac Aogáin? Ar mhiste leat a rá cad as an t-eolas sin?"

"B'fhearr liom gan ainm an duine a lua," a

d'fhreagair Aoife go cúramach. "Tuigfidh sibh cé a bhí ann nuair a thabharfaidh an duine sin a ráiteas féin."

D'fhair an cigire í go smaointeach. "Tú ag cosaint do chuid foinsí, is cosúil? Ceart go leor, feicfimid linn an mbeidh tábhacht leis ag deireadh an lae." Scaoil sí a beola ina meangadh tapa. "Tá súil agam nach bhfuil deifir oraibh? Tá cúraimí eile ag cur moille orainn leis an CCTV."

Bhí Sal ag bogadh ó chos go cos. Ní ghéilleadh sise go bog gan páirt a ghlacadh i gcomhrá. "Gabh mo leithscéal," ar sí leis an gcigire, "ach chualamar gur tharla eachtra suas an bóthar as seo. An bhfuil baint aige le bás Shaoirse nó leis an moill . . . ?"

Chroith de Barra a ceann. "Mar a thuigfeá, ní phléimid ceisteanna oibriúcháin d'aon sórt leis an bpobal. Ach nuair a bheimid réidh chugaibh, glaofar isteach oraibh."

Nuair a bhí an doras dúnta ag an gcigire, stiúraigh Aoife a híníon i leataobh. "Déan iarracht greim a choimeád ar do theanga," ar sí faoina hanáil. "Nach bhfeiceann tú gur duine í an cigire a dhéanann gach rud de réir an leabhair?"

"Feicim gur duine drochbhéasach í," arsa Sal. "Ba cheart di cúrsa PR a dhéanamh, má theastaíonn ár gcúnamh uaithi."

Bhí a guthán á scrúdú ag Aoife. "Mar a tharlaíonn sé, tá téacs díreach faighte agam ó iriseoir a mbínn ag obair léi. Deir sí go raibh Mel Mac Aogáin i lár na heachtra thuas ag an gcanáil."

"*See?* Bhí an Cigire Cantalach ag cur amú a cuid ama lena bladar faoi cheisteanna *so-called* oibriúcháin."

"Má leanann tú ort mar sin, a Shal, b'fhearr nach dtiocfá isteach sa seomra liom."

"Tóg tusa go bog é freisin, a Mham." Thug Sal tuin dháiríre uirthi féin. "*Sorry,* ach cheapfá go raibh mé deich mbliana d'aois, mar a labhair sí liom."

"Éist," arsa Aoife, "ná bímis féin ag troid faoi. Fad atáimid inár seasamh anseo, cuir i gcuimhne dom cad is cuimhin leat faoin taispeántas staire. Ba mhaith liom a thuiscint cén bhaint atá aige leis an ngnó seo ar fad."

"Abair liomsa ar dtús cad é an scéal a fuair tú faoi Mhel?"

D'fhéach Aoife ar a guthán arís. "Ní deir mo chara mórán faoi seachas nár gortaíodh aon duine. Bhí Mel ar tí titim sa chanáil, agus cheap roinnt daoine gur theastaigh uaidh é féin a mharú. Ach bhí garda in aice leis a choimeád greim air." Chuir sí a guthán ina mála. "Anois, maidir le scéal Ellen Cassidy, b'as iarthar na hÉireann di féin agus a deartháir Tadhg, nárbh ea?"

"As deisceart Chontae Shligigh, sea. Bhí cúpla acra ar cíos ag a muintir nuair a bhíodar ag fás aníos, ach díshealbhaíodh iad agus fuair Ellen obair mar chailín aimsire i dteach mór roinnt mílte ar siúl. Is ansin a casadh Denis Treacy uirthi."

"A grá geal, mar a thug Saoirse air?"

"An fear céanna. Bhí seisean ag obair sna stáblaí, agus caithfidh go raibh aithne ag Tadhg air freisin, mar gur thaistil an triúr acu go Baile Átha Cliath le chéile. An fómhar a bhí ann, 1879, an bhliain ar cuireadh tús le Conradh na Talún."

D'fhéach Aoife go ceanúil ar a hiníon. "Tá tú ag déanamh go maith, caithfidh mé a rá. Ní éireodh go ró-iontach liomsa dá gcuirfeá faoin scrúdú seo mé."

"*Sure*, a Mham, ach níl céim staire ar siúl agatsa, an bhfuil? *In actual fact*, léigh mé roinnt stuif ar an idirlíon faoi Chogadh na Talún inné, sular chuala mé an drochscéala faoi Shaoirse."

"Tá áthas orm nach gá dom nótaí a ghlacadh, pé scéal é."

Bhain Sal taca as an mballa agus a lámha fillte ar a cliabhrach aici. "*So* an cúlra a bhí le Cogadh na Talún," ar sí, "ná go raibh cúrsaí eacnamúla réasúnta maith in iarthar na hÉireann sna 1870idí, go dtí an bhliain 1877 nuair a theip ar na barraí. Bhí drochaimsir ann arís an dá bhliain ina dhiaidh sin, agus an seanscéal: fágadh na bochtáin gan dóthain bia. Tháinig eagla an domhain orthu go mbeadh gorta mór ann arís, *not to mention* díshealbhú go forleathan, agus bhíodar sásta troid go fíochmhar ar son a gcearta. Sin mar a léigh mé, ar aon nós."

"Agus an raibh baint ag Ellen nó ag an mbeirt eile leis na hagóidí faoin tuath?"

"Ní raibh, go bhfios dúinn. De réir mar a dúirt Tadhg Cassidy, d'fhreastail sé féin agus an fear eile ar chruinniú amháin de chuid Chonradh na Talún sular imíodar go Baile Átha Cliath. Agus fuair seisean obair i dteach tábhairne sa Chloigín Gorm, ar an mbóthar mór ó dheas cúpla míle ó Chill Mhaighneann, rud a thugann le fios go raibh cónaí orthu thart anseo." Stad Sal agus í ag faire ar gharda a tháinig amach doras an tseomra ina raibh an cigire. Chomharthaigh sé go n-iarrfaí isteach iad i gceann cúig nóiméad eile. "Tá a lán eolais eile sa taispeántas," ar sí ansin, "ach is ceist eile é cén fáth go marófaí Saoirse bhocht sa chillín céanna ina bhfuair Ellen bás."

"Is deacair a shamhlú go raibh baint dhíreach idir an dá eachtra, agus breis is céad is a tríocha bliain eatarthu."

"*What's more,* arsa Sal, "is mistéir é bás Ellen ar aon nós. Dúirt údaráis an phríosúin ag an am nach raibh cúis amhrais ann faoi. Ach dúirt a deartháir Tadhg gurbh é Denis Treacy a mharaigh í, mar bhealach éalaithe ón trioblóid a tharraing Ellen ar an triúr acu."

Tugadh isteach sa seomra iad faoi dheireadh. Bhí dallóga ar na fuinneoga agus lampa boird amháin ar lasadh. Bhí scáileán an ríomhaire lasta sa bhreacsholas, íomhánna dubha agus bána an cheamara slándála ar taispeáint air. Thug an Cigire de Barra míniú gasta dóibh ar a raibh uaithi. Bhí liosta cuimsitheach á thiomsú ag na gardaí de gach duine a bhí i láthair sa phríosún tráthnóna Céadaoin, ar mhaithe le teagmháil a dhéanamh leo. Is chuige sin a bhí an scannán CCTV á scrúdú agus na daoine a taispeánadh air á n-aithint.

"Tá a lán ainmneacha againn cheana féin," arsa de Barra. "Bhí fear áitiúil istigh linn a bhfuil an-eolas aige ar an gceantar. Agus bhíodh a athair ina threoraí deonach sa phríosún tráth."

Shuigh Aoife sa chathaoir a tairgeadh di, agus sheas Sal taobh thiar di. Bhí garda óg ag an mbord freisin, ag breacadh nótaí ar ríomhaire glúine. Tom Ó Mórdha a bhí air, ar sé go ciúin, sular chrom sé ar ais ar a chuid oibre. Cuireadh an taifeadadh ar siúl agus chonaic Aoife agus Sal daoine ag teacht isteach i dteach na cúirte béal dorais, áit a raibh halla nua fáilte do chuairteoirí an phríosúin, agus bealach as sin go dtí an músaem. Bhí cuid acu le feiceáil ag deifriú thar an gceamara agus cuid eile ag moilleadóireacht. Gáire á roinnt idir cairde, lucht aitheantais ag beannú dá chéile, an comhluadar ag dréim le sult a bhaint as an tráthnóna.

Bhí an cigire ag sciorradh tríd an taifeadadh a scrúdaíodh sular tháinig Aoife agus Sal isteach. Triúr ball den choiste pobail ainmnithe, ceathrar ó chumann staire an cheantair. Siopadóir agus tábhairneoir áitiúil. Cúigear déagóirí in éide scoile mar aon lena múinteoir. Bhí sise díreach imithe as radharc nuair a bhrúigh de Barra an stadchnaipe. Bhí beirt ar a slí isteach nach raibh ainm orthu fós, ar sí. Scrúdaigh Aoife iad agus d'aithin sí iriseoir raidió agus fear céile an iriseora, a bhí ag obair i gcúrsaí ceoil.

Thug Aoife bualadh bos tostach di féin: níor mhaith léi go gceapfadh an cigire nach raibh tairbhe lena cúnamh. Cúpla nóiméad níos déanaí, d'aithin sí triúr eile, seanchairde scoile le Saoirse a raibh a muintir fós lonnaithe i gceantar Ghlas Naíon, ar feadh a heolais. Chuimhnigh Sal ar ainm agus sloinne duine acu, agus bhreac an Garda Ó Mórdha na sonraí síos ar a ríomhaire.

"Ó, féach!" Chrom Sal isteach thar ghualainn a máthar. Mel Mac Aogáin a bhí tagtha isteach sa halla fáilte. Bhí culaith gheal air, agus carbhat caol. D'iompaigh sé a dhroim leis an gceamara agus tháinig bean óg ina threo ón doras. Bhí sciorta gearr agus buataisí go glúin uirthi, agus a cuid gruaige cuachta go hard ar chúl a cinn. Chuir Mel a lámh thart uirthi, ach níor ghéill sise go grámhar dósan. Soicind nó dhó a mhair an teagmháil, sular ghlac Mel céim siar uaithi.

"Glacaim leis gurb í sin a bhean chéile?" arsa Aoife, agus í ag dul sa seans labhairt go comhráitiúil. "Cad is ainm di?"

"Róisín Mhic Aogáin," arsa an cigire. Chuir sí an pictiúr ina stad agus labhair sí go ciúin leis an ngarda óg. "Sea, is é sloinne a fhir chéile atá aici ó phós sí," ar sí.

"Tá sí éirithe an-tanaí." Guth fir a chuala Aoife ar a cúl, é tagtha isteach i ngan fhios dóibh. Nuair a thiontaigh sí chun í féin a chur in aithne dó, thuig sí go bhfaca sí níos luaithe sa lá é, an cóta costasach céanna air, micreafón teilifíse faoina smig agus scata cruinnithe thart air lasmuigh den phríosún.

"Harry Ó Tuathail," ar sé agus a lámh sínte amach aige chuici.

"Is polaiteoir áitiúil é an Comhairleoir Ó Tuathail," arsa Brenda de Barra. "Go raibh míle maith agat as filleadh ar an bpríosún chun cabhrú linn. Tuigimid go bhfuil brú ama ort, a Chomhairleoir."

"Ná bac na teidil," ar seisean go réidh. "Táimid go léir anseo ar an gcúis chéanna."

"Is fíor sin," arsa de Barra. "An bhfuil aithne agat féin ar Róisín Mhic Aogáin?"

"Níl mórán aithne agam uirthi siúd, ach tá a muintir i gCill Mhaighneann leis na cianta, agus bhíodh a máthair, Maria Furlong, sáite i ngnóthaí pobail go dtí le déanaí. Tá ailse uirthi anois, an bhean bhocht, agus is annamh a fheicimid í."

Sméid an cigire a ceann agus í ag éisteacht le Harry Ó Tuathail. Urraim aici dósan mar dhuine a raibh stádas ar leith aige, dar le hAoife. Bhí bealach cainte séimh, pas éiginnte aige, rud a chuir iontas uirthi a chloisteáil ó pholaiteoir.

"Cad faoi Mhel Mac Aogáin," a d'fhiafraigh de Barra de ansin, "nó an bhfuil a fhios agat cén sórt duine é siúd?"

"Tá sé guagach, déarfainn," arsa Ó Tuathail go mall. Bhí canúint na cathrach aige, ach níor chogain sé a chuid focal mar a dhéanadh roinnt daoine. "An oíche cheana, bhí mé i bpub ina raibh cluiche mór ar siúl, agus chonaic mé ann é. Chuir mé tuairisc a mháthar céile ach ar éigean a d'fhreagair sé mé. Agus bhí sé argóinteach, trodach le daoine eile, rud a chuir as dóibh, ní nach ionadh."

D'fhéach Sal ar a máthair sular labhair sí. "Bhí sé míshocair aréir ar aon nós. Bhí a shúile ag preabadh ar fud na háite nuair a bhí mise ag caint leis, amhail is go raibh sé ag faire cé a thiocfadh isteach sa seomra. Agus nuair a bhíomar thíos ag féachaint ar an gcillín, bhí sé níos measa fós."

"An bhfaca aon duine agaibh istigh sa chillín é nuair a bhí an slua ansin?" a d'fhiafraigh an cigire. Ba léir d'Aoife nach sonraí teagmhála amháin a bhí á mbailiú aici, ach noda eile a chabhródh léi scagadh a dhéanamh ar na ráitis oifigiúla ó lucht freastail na hócáide. Ní raibh sí féin ná Sal in ann freagra cinnte a thabhairt ar cheist an chigire, áfach, agus dúirt Ó Tuathail gur fhág sé an cillín go luath chun glaonna gutháin a dhéanamh.

Cuireadh an taifeadadh ar siúl arís agus chonaiceadar na haíonna ag teacht isteach go tiubh, de réir mar a bhí am tosaithe na hócáide buailte leo. Harry Ó Tuathail féin, mar aon lena bhean chéile agus comharsana leo, faoi mar a mhínigh sé; comhairleoir áitiúil eile agus a fear céile; dornán aisteoirí agus ceoltóirí a bhí páirteach i dtionscadal ar stair Chill Mhaighneann; agus beirt iriseoirí a bhí ag plé le cúrsaí cultúir, a raibh Aoife in ann ainm duine acu a sholáthar.

"Is anseo a stopamar an chéad uair," arsa de Barra. "Caithfidh go bhfuil ar a laghad tríocha duine ainmnithe againn faoin am seo?"

"Beirt is tríocha," a d'fhreagair an Garda Ó Mórdha. "Déanaim amach go raibh os cionn leathchéad i láthair san iomlán."

"Is dócha go raibh Saoirse Ní Néill tagtha isteach sular thosaigh an ócáid?" a d'fhiafraigh Ó Tuathail. "Agus an dála céanna na baill foirne a bhí ag obair ag an ócáid?"

"Tá a n-ainm siúd againn, gan amhras," arsa de Barra, agus smid mífhoighne ar a guth. "Bhí cúpla duine eile istigh go luath freisin, agus iad i mbun deochanna agus méaróga bia a sholáthar. Cuirfear agallamh orthu go léir."

Rith smaoineamh nua le hAoife go tobann. "Cad faoi na cuairteoirí go léir a bhí sa phríosún san iarnóin? An féidir a bheith cinnte nár fhan duine acu i bhfolach tar éis am dúnta? Ní bheadh cosc ar an té sin siúl isteach chuig an ócáid níos déanaí, an mbeadh, nó fanacht as radharc go dtí go rabhamar ar fad imithe agus Saoirse ina haonar sa chillín?"

Bhraith Aoife míchompordach agus an cigire á breithniú go géar. B'fhéidir nár cheart di róspéis a léiriú sa chás. Freagra neodrach, ríbhéasach a thug de Barra uirthi.

"Cuirfimid na féidearthachtaí sin go léir san áireamh, cinnte. Ach cloímis leis an gcúram atá orainn anois, mura miste libh."

Níorbh fhada gur cuireadh an taifeadadh ina stad arís. Bhí cúigear óg tagtha isteach sa halla, iad ag féachaint thart orthu go fiosrach. De bhunadh iasachta ab ea iad, de réir cosúlachta: beirt fhear ciardhubh a raibh craiceann buídhonn orthu; bean a raibh scairf sa stíl Mhuslamach uirthi; agus bean eile de bhunadh na hÁise. Bhí an cúigiú duine folaithe beagán ag a compánaigh.

"Bhí comhrá agam le cuid acusan sa seomra taispeántais," arsa Sal. "Chonaic mé ina seasamh leo féin iad, agus d'fhiafraigh mé conas a chuir siad aithne ar Shaoirse."

"Agus cé hiad féin?"

Ghrinnigh Sal an scáileán. "So tá siad ag freastal ar chúrsa trí mhí faoi chultúr na hÉireann," ar sí. "Is as tíortha difriúla iad. An Mhalaeisia agus an Éigipt, ceapaim agus, ní cuimhin liom anois, b'fhéidir gur as Catar do na fir?"

"Ó sea, is cuimhin liomsa iad freisin," arsa Aoife, agus méar á díriú aici ar bhean gheal a bhí tagtha ar an scáileán. "Is cara ollscoile le Saoirse í seo, atá ag múineadh ar an gcúrsa a luaigh Sal. Ba í Saoirse a mhol di na mic léinn a thabhairt léi."

Thaispeáin Tom Ó Mórdha liosta ainmneacha d'Aoife agus d'aimsigh sí ainm an mhúinteora, Tara. Nuair a cuireadh an taifeadadh ar siúl arís, chonaic Aoife agus Sal a n-íomhá féin os a gcomhair. Mhúch Sal scige bheag a bhris uaithi agus rinne Aoife dícheall gan cuimhneamh ar an dreach meánaosta a bhí uirthi féin. Bhí sí ag gotháil lena lámha freisin, mar a dhéanadh go minic nuair a bhíodh tuairimí láidre á roinnt aici. Dhírigh sí ar dhaoine eile a aithint agus chonaic sí fear a bhí fostaithe ag eagras cearta daonna. Bhí comhrá aici leis ag an ócáid, ar sí, maidir le heolas a d'iarr Saoirse air a thiomsú faoi thíortha ina raibh leatrom forleathan ar phríosúnaigh.

"Hé, féach anois, col ceathrair Shaoirse atá ann, nach ea?" Bhí Sal ag baint lán na súl as fear óg a raibh spéaclaí den stíl ba dhéanaí air, agus culaith éadaigh a luigh go maith ar a ghuaillí leathana. Bhí an scannán díreach curtha ina stad ag an gcigire, agus a guthán lena cluas aici.

"Cormac Ó Néill is ainm dó, creidim," a dúirt Harry Ó Tuathail. "Bhí iontas orm a chloisteáil gur dó siúd a tugadh an drochscéala inniu, seachas do dhuine níos sine ná é."

"An fear bocht," arsa Aoife. "Is cosúil go bhfuil a thuismitheoirí ar saoire san Iodáil, agus nach raibh máthair Shaoirse in ann taisteal anseo as Nua-Eabhrac ach oiread."

"Rinne Saoirse Ní Néill an-obair ar an taispeántas," arsa Ó Tuathail. "Nach iontach gur thug sí faoin tionscadal agus gan fiú cónaí uirthi in Éirinn ag an am? Cloisim freisin nach staraí í, ach n'fheadar an fíor sin in aon chor?"

"Is fíor," arsa Aoife. "Is cuntasóir í, ach dúirt sí liomsa aréir go raibh sí tuirsithe dá post i Nua-

Eabhrac. Bhí sí an-tógtha leis an bpríosún ón gcéad chuairt a thug sí air bliain nó dhó ó shin."

"Téann an áit i bhfeidhm go mór ar dhaoine." Rinne Ó Tuathail meangadh ciúin, a thug le fios d'Aoife an bród a bhí air as a cheantar féin. Bhí sé maol go leor, gan ach ribí néata liatha air, ach bhí a aghaidh óigeanta agus ba dheacair a rá cén sórt aoise a bhí aige. "Is breá leo na mórscéalta staire a thit amach anseo a chloisteáil, ar ndóigh, ach sílim gurb é is mó a spreagann a gcuid samhlaíochta ná cillíní príosún a fheiceáil lena súile féin."

D'fhill an cigire ó thairseach an dorais nuair a bhí a glao gutháin thart agus cuireadh an taifeadadh ar siúl arís. D'aithin Harry máthair agus mac a bhí páirteach sa choiste pobail. Tháinig fear isteach ag an am céanna leo a d'fhan ina sheasamh sa halla. Bhí dreach iasachta air mar a bhí ar an dream a chonaic siad níos túisce, ach é níos sine ná iad agus beagán bacach freisin.

"Tá súilaithne agam air," arsa Harry. Chrom sé isteach chuig an scáileán agus d'fhéach sé go cúramach air. "Tá gnó aige sa cheantar le cúpla bliain anuas."

"Cén sórt gnó é sin?

"Ní cuimhin liom i gceart, ach gur gnó seirbhísí é, measaim." Scrúdaigh Harry an íomhá arís agus labhair sé go leithscéalach. "Níor éirigh liom labhairt leis aréir, faraor. Ach tá mé ag iarraidh fóram a bhunú do lucht gnó ó thíortha difriúla, agus d'fhéadfainn teacht ar a ainm dá mbeadh tairbhe leis sin?"

"Tá duine ar an liosta darb ainm Faisal," arsa Ó Mórdha. "Sea, Faisal al-Jamil. An dóigh leat gurb é sin é?"

"Nílim cinnte. Is as an Meánoirthear é, pé scéal é, ón Iaráic nó an tSiria, ceann de na tíortha sin atá buailte go dona le cogaíocht."

"Ba mhór an cúnamh a ainm, a Chomhairleoir," arsa an cigire. Bhí an taifeadadh ar siúl aici arís agus chonaiceadar fear níos óige, gruaig dhorcha air agus í bearrtha go teann. Bhí an fear gnó fós sa halla nuair a tháinig seisean isteach.

"Fan ort nóiméad," arsa Ó Tuathail. "Tá seans go raibh an bheirt seo in éineacht le chéile. Tá an dara duine seo ag plé le cúrsaí gnó freisin. Is bainisteoir óstáin é, mura bhfuil dul amú orm agus, n'fheadar, ainm éigin ar nós Diolún nó Dubháin air."

Bhí Ó Mórdha ag scrolláil ar a liosta. "Ní fheicim an sloinne sin ar an liosta, faraor."

"Fiosróidh mé daoibh é," arsa Ó Tuathail de gháire éadrom. "A Chríost, ba chóir go mbeinn oilte sa ghnó seo, nuair a chaithim mo chuid allais ag mealladh vótaí ó gach duine beo idir an Cloigín Gorm agus Stáisiún Heuston. Tá sé in am dom éirí as, is cosúil!"

Cúigear eile a taispeánadh sular tháinig deireadh leis an taifeadadh. Mná óga a raibh caille orthu araon ab ea beirt acu, agus gach cuid díobh clúdaithe seachas na súile. Chromadar a gcloigeann freisin agus iad ag dul thar an gceamara. Tháinig fear sna sála orthu a raibh féasóg fhada air agus gléasadh foirmeálta, agus mheas

Sal go raibh seisean in éineacht leis na mná. Seans go rabhadar sa ghrúpa céanna leis na mic léinn a chonaiceadar níos luaithe, ar sí. Ní raibh Aoife cinnte faoi sin agus gheall sí go labhródh sí le cara le Saoirse, Tara, a bhí i bhfeighil an ghrúpa. Luaigh Ó Tuathail gur thriail sé féin beannú don triúr ach gur chosúil nár mhian leis na mná labhairt le fir strainséartha.

D'aithin seisean an bheirt dheireanach ar an taifeadadh: múinteoirí i gcoláiste áitiúil. D'fhan sé sa seomra chun na sonraí a phlé leis an ngarda óg fad a ghabh an cigire buíochas le Sal agus Aoife. Dhéanfaí teagmháil le gach duine an lá dar gcionn, ar sí, agus shocrófaí a ráiteas a ghlacadh uathu. Rinne sí meangadh teann agus iad ag fágáil, a chuir míshuaimhneas ar Aoife an athuair. Bhí Brenda de Barra ceannasach agus cosantach in aon turas, dar léi.

Ar a slí síos an staighre, bhí Aoife ag déanamh a machnaimh ar an méid a déarfadh sí ina ráiteas oifigiúil. Bhí sí féin agus Sal ar an dara grúpa a chuaigh isteach sa chillín, agus d'fhágadar an príosún go luath ina dhiaidh sin de bharr go raibh coinne acu sa chathair. Bhíodar imithe faoina hocht a chlog agus, go deimhin, dúirt Harry Ó Tuathail go raibh seisean gafa le glaonna gutháin faoin am sin. Má bhí cúis amhrais ann faoi bhás Shaoirse, an amhlaidh gur cheadaigh an cigire dóibh féachaint ar an CCTV de bharr go rabhadar slán ó amhras, gan deis acu filleadh ar an gcillín nuair a bhí Saoirse ann ina haonar?

Bhris Sal isteach ar a cuid smaointe. "Nuair a bhí

an Cigire Cantalach ar an bhfón," ar sí, "chuala mé an focal 'preasócáid' á lua aici. Ciallaíonn sin go bhfógrófar anocht cén sórt fiosrúcháin atá ar bun, agus íosfaidh mise gach hata atá agam mura gcloisfimid an focal 'dúnmharú' á rá." D'fhéach sí ar a máthair go sásta. "Beimid in ann tosú ar ár gcuid fiosruithe féin ansin, ó tharla go bhfuil a fhios againn anois cé hiad na daoine ar fad a bhí i láthair."

Níor fhreagair Aoife í. Chreid sí féin gur dúnmharaíodh Saoirse, ach bhí imní uirthi go mbeadh sé an-deacair aghaidh agus ainm a chur ar an gciontóir. Fiú má bhí an duine sin i láthair go hoscailte ag an ócáid, chaithfí fós a chruthú go raibh sé nó sí san áit cheart ag an am ceart. Ach bhí an slua meidhreach, cainteach faoi dheireadh an tráthnóna agus ní chuimhneodh a bhformhór cé a chonaic siad ar a slí ón seomra taispeántais ná ón músaem. Cathair ghríobháin de dhorchlaí, de staighrí agus de chillíní ba ea an príosún, agus deiseanna iomadúla ann gníomh fealltach a dhéanamh faoi choim.

*T*each beag cluthar a bhí ag Saoirse, a ghlac sí ar cíos nuair a lonnaigh sí i gCill Mhaighneann sa samhradh. Ribín buí an Gharda Síochána ar an ngeata a thug le fios do Réamonn go raibh sé san áit cheart. Uimhir a ceathair, Bóthar an Choimín, an seoladh a tugadh dó sa stáisiún ach thóg sé tamall air é a aimsiú i measc na seanbhóithre cúnga thart ar an gCuarbhóthar Theas.

Ag a deich a chlog istoíche a shroich sé an teach. Bhí lá oibre déanta aige faoin am a raibh eachtra na canálach thart, ach leanfadh sé ag obair amach san oíche dá mba ghá é. Ba chuma leis go raibh a lámh measartha nimhneach. Gliondar a bhraith sé nuair a d'éirigh leis greim a choimeád ar Mhel Mac Aogáin, agus méadaíodh ar a ghliondar nuair a chuala sé gur mhol an ceannfort é as an éacht sin. Dúirt an cigire leis dul abhaile ach bhí a fhios aige nach gcodlódh sé go héasca. Bhí an fhoireann ar fad faoi bhrú, mar a d'admhaigh sí freisin, ní amháin ag bás Shaoirse Ní Néill ach ag cásanna eile freisin.

An cúram a bhí air ná teach Shaoirse a ghardáil. Ní raibh deis ag an mBiúró Teicniúil an láthair a chuardach san iarnóin mar ba mhian leo. Bhíodar gafa le dúnmharú eile i ndeisceart na cathrach, ceann nach raibh mistéir ar bith ag baint leis. Lá fada ólacháin déanta ag scata fear is ban, cóisir agus speabhraídí drugaí á leanúint, agus babhta foréigin sa chistin mar bhuaic ar an gceiliúradh. Beirt marbh agus sceana fuilteacha á scrúdú ag lucht fóiréinseach.

Bhí garda eile ag feitheamh le Réamonn nuair a shroich sé Bóthar an Choimín, clann óg sa bhaile aige agus deifir air tar éis dó trí huaire an chloig ragoibre a dhéanamh. Mhínigh sé go tapa do Réamonn go raibh lána ar chúl an tí ar ghá dó súil a choimeád air ó am go ham. Shiúil Réamonn thart go bhfeicfeadh sé an láthair. Bóthar caoch ab ea Bóthar an Choimín: bhí teach Shaoirse dhá theach óna bhun, áit a raibh bloc árasán agus claí ard os a chomhair. Bhí gairdín bídeach chun tosaigh ar gach teach agus clós beag ar cúl. Leathshlí suas an bóthar a bhí bearna idir na tithe ina raibh lána a thug chuig cúl na dtithe é.

Sheas Réamonn ag geata an tí. B'fhearr go mór beirt a bheith i mbun gardála nuair a bhí an cúl-lána le coimeád slán freisin. Bhí sé riachtanach iontaofacht an tí a chinntiú sula scrúdódh an Biúró Teicniúil é nó ní ghlacfaí sa chúirt le fianaise ón teach. Ghlaoigh Réamonn ar an stáisiún ach nuair a mhínigh sé an cás don Sáirsint Lombard, ní bhfuair sé uaidh ach magadh.

"Cén sórt dalldramáin tusa, nó an inné a landáil tú ó phláinéad eile?" ar sé. "Nach bhfuil a fhios agat go bhfuil na coirpigh chomh flúirseach le fiailí sa chathair seo, agus ganntanas lucht glanta fiailí ann gach lá den tseachtain?"

"Tuigim an méid sin go maith. Ach dá dtarlódh go raibh duine eile ar fáil . . . ?"

"An é go bhfuil fonn múin ort agus tú ró-ardnósach dul isteach i gcúinne dorcha, a Gharda Seoighe? Síos leat ar an gcúl-lána anois agus bí ag stealladh leat ar do sháimhín só!"

"Níl uaim ach a rá gurbh fhearr beirt a bheith anseo anocht . . ."

"Nach mór an díol trua thú," a bhí á rá ag Lombard. "Tú aonarach uaigneach amuigh sa dorchadas, an ea? Bodóg de bhangharda atá uait, is dócha, a chuirfidh teas ionat ar feadh seal?"

Bhí Réamonn ag mallachtú faoina fhiacla nuair a chuir sé deireadh leis an nglao. Bhí éirithe leis gan olc an tSáirsint Lombard a tharraingt air féin go dtí sin, ach bhí cloiste aige faoi gharda óg a d'aistrigh go dtí stáisiún eile tamall roimhe sin agus faoin drochíde a bhí faighte aige ón sáirsint céanna.

Bhí a chiorcal féin ag Enzo Lombard, é féin agus cuid de na hoifigigh a théadh ag ól le chéile. Ar ndóigh, théadh na gardaí sóisearacha ag ól freisin, ach níor thaitin tithe tábhairne le Réamonn agus chumadh sé leithscéal éigin gan dul in éineacht leo.

Bhí sé saonta uaidh glaoch ar an stáisiún ar ball,

amhail is nár thuig sé an síorbhrú a bhíodh ar acmhainní an Gharda Síochána. A luaithe a tháinig an smaoineamh ina cheann a ghníomhaigh sé, gan na himpleachtaí a mheas go beacht. Dúirt Aoife Nic Dhiarmada leis uair amháin go raibh sé róchúramach ina chuid cainte. Ach a mhalairt a bhí fíor ina intinn féin.

Ba bhreá leis neamhaird a thabhairt ar Lombard, ach ba é an t-aon bhleachtaire-sháirsint sa stáisiún é. Bhí cumhacht agus tionchar aige nár leasc leis a úsáid. Ba léir nár thaitin Aoife Nic Dhiarmada leis agus go raibh sé ag cur cogar nimhe fúithi i gcluasa Bhrenda de Barra. Mar sin féin, tugadh cuireadh d'Aoife agus Sal teacht isteach sa phríosún níos luaithe sa tráthnóna, rud a thug dóchas do Réamonn nach fada go mbeadh deis aige féin labhairt le hAoife ina aonar. Bhí sé ar bís a cuid tuairimí a chloisteáil faoi chás Shaoirse Ní Néill.

Teach brící dearga a bhí ar cíos ag Ní Néill ar Bhóthar an Choimín, den stíl a tógadh go forleathan idir an Gorta agus an Chéad Chogadh Mór. Bhí a lán daoine tógtha leis na tithe Victeoiriacha úd, mar a thuig Réamonn, ach b'fhearr leis féin go mór a árasán nua-aimseartha agus a spás páirceála sa charrchlós faoi thalamh. Bhí na tithe seo buailte ar a chéile, gan taobhgheata ná garáiste á scaradh. Rothair a bhíodh ag muintir an cheantair fadó, agus ar na saolta seo bhí an bóthar ag cur thar maoil le carranna na n-áitritheoirí.

Shiúil Réamonn anonn is anall chun a chosa a

théamh. Bhí báisteach ag bagairt ar feadh an tráthnóna. Lampa sráide deich méadar uaidh, solas fann á sholáthar aige. Cuirtíní tarraingthe in éadan an dorchadais, agus deatach ag éalú ó na simléirí. An spéir smúitiúil agus an bóthar ciúin, marbhánta.

Bhí an t-am ag éirí fada air. Thrasnaigh sé an bóthar agus scrúdaigh sé na tithe os a chomhair. Ní raibh idir é agus na seomraí tosaigh ach gairdíní bídeacha. Bhí sé in ann féachaint isteach an fhuinneog ar theach amháin. Bhí na cuirtíní ar oscailt agus radharc mealltach laistigh. Tolg dearg os comhair an tinteáin, lasair bhuí ón adhmad, seomra slachtmhar maisithe le pictiúir is le súsaí ildaite.

Sheas Réamonn i leataobh ón bhfuinneog, a shúile greamaithe den radharc. Bhí bean ina suí ar an tolg, a droim leis an bhfuinneog agus gloine ina lámh aici. Théaltaigh cat dubh is bán isteach sa seomra agus luigh go leisciúil cois na tine.

Tháinig cumha nimhneach ar Réamonn go tobann, cumha don saol seascair nach raibh á chaitheamh aige féin. Árasán fuar folamh a bheadh roimhe nuair a d'fhillfeadh sé abhaile i gcoim na hoíche. Bhí a ionad faire ag geata Shaoirse fuar, uaigneach mar a bhí a árasán. Bhí an oíche ag síneadh roimhe go doicheallach.

Thiontaigh an bhean a ceann i dtreo na fuinneoige agus chúlaigh sé de phreab. Mheas sé go bhfaca sé cheana í ach ní bhfuair sé faill í a aithint. Bhí mearbhall agus náire air. Nach iontach an gliondar a bheadh ar Enzo Lombard dá ndéanfaí gearán go raibh an Garda Seoighe ag gliúcaíocht ar dhaoine ina dteach féin?

D'fhill sé ar theach Shaoirse ach ní raibh sé in ann pictiúr an tseomra a ruaigeadh óna intinn. Shamhlaigh sé dó féin fear ag teacht isteach sa seomra suite. Leag an fear uaidh a ghloine agus chrom sé le póg a thabhairt dá stóirín. Bhíodar beirt chomh muirneach cíocrach chun a chéile gur chuma sa diabhal leo na cuirtíní a bheith ar leathadh oscailte. Theann sise an fear anuas uirthi go fonnmhar.

Bhí ceol bog siansach ag seinm sa seomra. Bhí lasracha na tine ag damhsa go meidhreach. Bhí na héadaí á stróiceadh acu dá chéile.

D'fháisc Réamonn a ingne i mbos a láimhe. D'ordaigh sé dó féin éirí as a chuid samhailtí damanta. Cén fáth go raibh sé gafa ag an sórt sin rámhaille nuair a bhí fiosrúchán dúnmharaithe ar bun agus é féin i gcroí na hoibre? An leigheas a bhí aige riamh anall ar an uaigneas ná é féin a thomadh san obair.

An cur síos oifigiúil ar chás Shaoirse Ní Néill ná "bás amhrasach". Níor cuireadh preasócáid ar siúl mar a ceapadh níos luaithe. Ina áit sin, thug an Ceannfort Ó Tiarnáin agallamh teilifíse a craoladh ar phríomh-nuacht an tráthnóna. Tugadh ainm an íospartaigh agus rinne an ceannfort comhbhrón le gaolta Ní Néill. Chaithfí gach féidearthacht a fhiosrú maidir lena bás anabaí, ar sé. Bhí súil le toradh ón scrúdú iarbháis faoi cheann lae nó dhó. D'fháilteodh na gardaí roimh gach cúnamh ón bpobal.

Cuireadh mórchruinniú ar siúl sa stáisiún sular imigh Réamonn amach ar a dhualgas gardála. Breis is fiche duine a bhí i láthair, idir bhleachtairí agus ghardaí faoi éide, cuid acu ó stáisiún Chill Mhaighneann agus an chuid eile ó Shráid Chaoimhín. Bhí an Ceannfort Ó Tiarnáin i gceannas ar an bhfiosrúchán agus an Cigire de Barra i mbun comhordaithe ar an obair ar an talamh. Mhínigh sí an méid a bhí ar eolas faoi na tosca báis.

Bhí marc ar chloigeann Ní Néill a thug le fios gur buaileadh í. Ach bhí seans ann nárbh é an buille sin a thug a bás in aon chor. Fuarthas buidéal plaisteach ina mála a raibh rian druga ann. Chaithfí mionscrúdú tocsaineolaíochta a dhéanamh ar an mbuidéal agus ar an gcorpán araon. Níorbh eol fós cén druga a bhí ann, ná cad as é, ná ar ghlac Saoirse Ní Néill dá deoin féin é.

Ceathrar a bhí ag obair sa phríosún tráthnóna Céadaoin. Duine acu ná an stiúrthóir sealadach, Úna Ní Mhaoláin, a chuir an seomra taispeántais agus príomhdhoirse an phríosúin faoi ghlas ag deireadh na hoíche. Chuaigh Janis Ní Bheirn agus treoraí eile, Pádraig Mistéil, thart ar an gcliathán thiar, á sheiceáil. Ba í Ní Bheirn a thriail doras an chillín idir 8.40 pm agus 8.45 pm, agus níor chorraigh sé, a dhearbhaigh sí do na gardaí. Bhí an treoraí eile fós sa phasáiste ag an am a thriail sí é. Bhí eochair amháin in úsáid d'fhormhór na gcillíní sa chliathán sin, agus bhí an fáinne eochracha ina sheilbh ag Mistéil ar feadh an tráthnóna.

Ní raibh eochair ag Saoirse Ní Néill don chillín, agus fiú dá mbeadh, níorbh fhéidir an doras a ghlasáil ón taobh istigh. Dúirt an stiúrthóir, áfach, go ndeachaigh dhá eochair amú ó oifig na foirne beagnach coicís roimh an ócáid, nuair nach raibh aon duine den fhoireann san oifig. Ceann acu ná eochair do chillíní an chliatháin thiar. Ceistíodh Saoirse Ní Néill i gcás gur thóg sise ar iasacht gan chead í, ach shéan sí go láidir gur leag sí súil uirthi. Fuarthas an dá eochair faoi bheartán páipéar san oifig an lá dar gcionn.

Chuir garda meánaosta ó Chill Mhaighneann a lámh in airde nuair a thost an cigire. "Má ghlacaimid le focal na mball foirne," ar sí, "is cosúil nár chuir aon duine acusan doras an chillín faoi ghlas aréir agus Saoirse Ní Néill laistigh. Más ea, tá cás dúnmharaithe idir lámha againn, agus caithfidh gurbh é an dúnmharfóir a ghoid na heochracha a d'imigh amú tamall ó shin."

Ach chuir bleachtaire ó stáisiún Shráid Chaoimhín tuairim eile chun cinn. Iomaíocht a bhí ar siúl idir foirne an dá stáisiún, dar le Réamonn, agus iad á gcruthú féin don cheannfort. "Abair gur bheartaigh Ní Néill lámh a chur ina bás féin," arsa an bleachtaire, "agus go raibh cúnamh aici ó dhuine eile? An socrú idir í agus an duine eile ná an doras a chur faoi ghlas uirthi ionas nach gcuirfí cóir leighis uirthi in am?"

"Ach cén fáth go ndéanfaidís an saol chomh casta orthu féin?" Enzo Lombard a d'easaontaigh le bleachtaire Shráid Chaoimhín. "Má bhí Ní Néill ag iarraidh lámh a chur ina bás féin, bhí sí in ann é a dhéanamh sa bhaile ar a suaimhneas." D'fhill sé a lámha ar a chliabhrach ar bhealach a chuir dreach toirtiúil air. "An pointe is suntasaí go dtí seo ná an gortú ar a cloigeann. Más buille ó dhuine eile seachas timpiste ba chúis leis, tá dúnmharfóir á lorg againn. Ach murab ea, tá an oiread teoiricí ar fáil is atá oifigigh sa seomra seo."

"Go raibh maith agaibh as an méid sin," arsa an ceannfort. D'fhéach sé go géar air. "Tá na cúinsí sa chás seo aisteach go leor, ach meabhraímis i gcónaí nach ionann cúiseanna amhrais agus ciontaíl."

Ba chuma cén plé a rinneadh ag an gcruinniú, áfach, ní raibh ach ainm amháin cloiste ag Réamonn ar bhéal a chomhghleacaithe. Ráfla ann faoi Mhel Mac Aogáin: go raibh sé ag ól go trom i dteach tábhairne áitiúil an oíche tar éis na hócáide. Scéal te bruite ag duine eile go bhfacthas Mac Aogáin agus Ní Néill ag suirí gan náire sa chillín an lá céanna sin agus cuairteoirí ag dul thar bráid. Garda eile fós a mhaígh nach raibh post ceart ag Mac Aogáin le fada agus é ag brath go mór ar a bhean chéile.

"Tagaim leis an gceannfort, gan amhras," a bhí á rá ag an gcigire. "Níl fianaise againn ón gcillín a chiontódh aon duine as dúnmharú ná dúnorgain ná fiú as an diabhal doras a dhúnadh, an dtuigeann sibh mé? Níl againn go dtí seo ach fianaise imthoisceach, agus maidir leis an eachtra a tharla ag Droichead Bhóthar na Siúire inniu, ní cruthú ciontaíola d'aon sórt é sin."

Ní dúradh mórán faoi eachtra na canálach ag an gcruinniú, agus b'éigean do Réamonn glacadh leis nach molfaí a ghníomhartha go poiblí, ná nach gcáinfí Lombard ach oiread as labhairt go borb le Mac Aogáin sular rith seisean suas an cnocán. Dhírigh sé aird ar phíosa cainte ó Bhrenda de Barra maidir le guthán a fuarthas i dteach tábhairne in Inse Chór. Bhí téacsanna ó Shaoirse ar an nguthán, agus cuireadh glao ar an ngléas ó ghuthán Mhic Aogáin maidin Déardaoin.

"Bhí an guthán thíos ar chúl suíocháin," a mhínigh de Barra. "An Nead a thugtar ar an áit. Ar maidin inniu a tháinig an tábhairneoir air nuair a chuala sé ag bualadh é. Ghlaoigh sé ar ais ar an uimhir a bhí ag bualadh ach níor freagraíodh an glao. Ghlac sé leis ansin go dtiocfadh an t-úinéir á lorg, rud nár tharla. Ansin chuala sé faoin ríra sa phríosún agus rinne sé teagmháil linne."

"An amhlaidh go raibh an guthán seo in úsáid ag Mel Mac Aogáin chomh maith leis an gceann a bhí ina ainm?" Garda ó stáisiún Shráid Chaoimhín a chuir an cheist, duine a bhí tugtha faoi deara ag Réamonn ar ócáidí eile roimhe sin. Bhí bealach ciúin éifeachtach aige a thaitin leis.

"Is teoiric í sin atá le deimhniú fós, a Tom," a d'fhreagair an cigire. Chonaic Réamonn an bheirt acu ag comhrá le chéile ar a slí isteach sa seomra cruinnithe. Tom Ó Mórdha ab ainm don fhear óg, mura raibh dul amú air. Seans gurbh fhiú aithne a chur air má bhí muinín ag an gcigire as. Bhí ceist eile á cur ag Ó Mórdha uirthi. "An raibh Mac Aogáin sa Nead le déanaí, más ea?"

"Bhí sé ann oíche Mháirt. Tá aithne ag lucht an bheáir air, agus bhí cluiche peile ar siúl a tharraing slua maith. Tá an guthán á scrúdú go mion, mar a thuigfeá."

"Cad eile a bhí ar an ngléas chomh maith leis na téacsanna ó ghuthán Ní Néill, agus pé freagraí a cuireadh chuici?"

"Cúpla cuntas ar líne le geallghlacadóirí, agus iad in úsáid go rímhinic."

"Bíonn Mac Aogáin i mbun gealltóireachta, de réir scéala," arsa bleachtaire ó stáisiún Chill Mhaighneann.

"An t-airgead a dháileann a *mhissus* air á bhronnadh go fial aigesean ar Paddy Power," arsa duine eile.

Lig an cigire osna a chuir a cuid mífhoighne in iúl. "Tá téacs amháin a seoladh ón nguthán seo a bhfuil spéis ar leith againn ann. Oíche Mháirt a cuireadh chuig Ní Néill é, is é sin an oíche roimh an ócáid seolta, agus is éard a dúirt an téacsóir ná go mbeadh sé in éineacht le Ní Néill sa chillín tar éis a hocht a chlog. 'Fan liom', a dúradh, agus nár ghá freagra a chur mar gur thuigeadar a chéile."

"Sin againn é, más ea," arsa an bleachtaire a labhair níos luaithe. "Is ar éigean a shocraíodar casadh le chéile ag a hocht a chlog ar maidin."

"Fan ort go fóill," a d'fhreagair an cigire go mear. "Níl a fhios againn go cinnte fós cé a chuir an teachtaireacht chuig Ní Néill, ná ar aontaigh sise leis an socrú, ná ar casadh ar a chéile iad sa chillín faoi mar a iarradh. Agus fiú más le Mac Aogáin an guthán a fuarthas, d'fhéadfadh sé a mhaíomh gur goideadh uaidh é oíche Mháirt agus gur sheol duine eile an téacs ina áit."

"Cá bhfuil fear mór an ghrá anois?" a d'fhiafraigh Lombard.

"Tá sé sa bhaile ina árasán, ag teacht chuige féin. Glacfaimid ráiteas iomlán uaidh amárach nuair a bheidh sé ábalta chuige sin."

"Mura gcrochann sé é féin idir an dá linn," arsa garda taobh le Réamonn faoina anáil.

"Mar a thuigeann sibh go maith," arsa de Barra go giorraisc, "ní ceadmhach dúinn daoine a ghabháil gan fianaise cheart ina n-aghaidh. Ní oireann sé dúinn amanna ach is amhlaidh atá an dlí."

"Agus áisiúil go leor," arsa Ó Mórdha, "beidh deis againn scrúdú maith a dhéanamh ar an ngléas fóin anaithnid idir seo agus maidin amárach, sula gcuirfear agallamh ar Mhac Aogáin."

"Beidh scrúdú le déanamh freisin ar an bpluaisín dorcha idir cosa an chorpáin," arsa Lombard go tur, "féachaint ar bhronn úinéir an ghútháin féirín réamhbháis ar a ghrá geal."

De ghuth tirim a d'fhreagair an cigire é. "Tá na pointí úd ar an liosta gníomhaíochta againn, ar ndóigh. Mar fhocal scoir don tráthnóna seo, d'éirigh linn súil a chaitheamh ar an scannán CCTV den slua ag fágáil an phríosúin." Ghliogáil sí ar a ríomhaire glúine. "Is éard a thaispeáin sé ná gur fhág Mac Aogáin an foirgneamh ag cúig nóiméad fhichead chun a naoi, daichead nóiméad níos déanaí ná a bhean chéile Róisín. Ach bhí cúigear nó seisear eile a d'fhág an áit níos déanaí fós."

Bhuail Réamonn a chosa faoin talamh agus é ag siúl suas síos Bóthar an Choimín. Bhí séideán fuar gaoithe ag dul go smior ann. Bhí dhá uair an chloig dá dhualgas faire fós amach roimhe, agus aiféala ag teacht air nach sa bhaile a bhí sé. Bhí sé socraithe aige a bheith istigh sa stáisiún go luath ar maidin nuair a thosófaí ar ráitis a ghlacadh ó lucht freastail na hócáide.

Tháinig carr ina threo ó chúinne an bhóthair. Sheas Réamonn amach ón gcosán go bhfaigheadh sé radharc air ach chúlaigh an carr go tobann. Isteach i mbéal an lána a chuaigh sé, an taobh céanna den bhóthar le teach Shaoirse. Tar éis nóiméad moille sa lána, tiománadh soc an chairr amach méadar nó dhó sular chúlaigh sé arís; agus ansin thug sé an dara sciuird amach ar an mbóthar faoi dheifir.

Rud éigin aisteach faoi. An tiománaí ag faire thart air, dar le Réamonn. Ní raibh sa ghluaisteán ach é, agus bhí a aghaidh faoi scáil. Cochall ar a cheann a chlúdaigh a chuid gruaige agus a chlár éadain. É glanbhearrtha, an méid sin feicthe ar a laghad. Carr dubh, a cláraíodh i mBaile Átha Cliath.

*U*air an chloig go leith ó shroich Réamonn Bóthar
an Choimín. An t-am á chur thart aige ag
cuimhneamh ar bhlúirí den stair áitiúil. Bhíodh
mainistir mhór ar thailte an Bhrú Ríoga sna
meánaoiseanna, nó b'fhéidir prióireacht, pé difríocht
a bhí eatarthu go baileach. Tobar beannaithe cáiliúil
sa cheantar freisin, a mbíodh na mílte móra ag triall
air, go háirithe Oíche Fhéile Eoin i lár an tsamhraidh.
Agus rith sé leis go raibh rian na staire ar an ainm
Bóthar an Choimín. Talamh féarach a mbíodh fáil ag
gach duine air ab ea coimín, mar a thuig sé óna chúlra
féin in oirthear na Gaillimhe. Rinne sé a dhícheall an
ceantar a shamhlú fadó: ainmhithe ag iníor san áit a
raibh sé ina sheasamh; glasraí ag fás ar shleasa na
gcnocán do phobal na seanchathrach; radharc oscailte
tuaithe ag síneadh i dtreo na sléibhte ó dheas.

Bhí teach Shaoirse ar Bhóthar an Choimín le breis
is céad bliain, mar a bhí na tithe brící dearga ar na
sráideanna uile máguaird. Luaigh duine éigin sa

stáisiún go raibh eolas teagmhála á lorg d'úinéirí an tí, lánúin a bhí lonnaithe i gCeanada de réir mar a thug na comharsana le fios. D'fhéach Réamonn isteach an fhuinneog tosaigh. Tríd an gcuirtín lása, rinne sé amach seomra suite beag. Bhí carnán leabhar ar bhord in aice na fuinneoige, ach ba bheag eile a bhí le feiceáil seachas an troscán. Bhí ríomhaire agus guthán póca Shaoirse faighte ag na gardaí ina mála sa chillín, ach chaithfí pé cáipéisí a bhí sa teach a scrúdú, féachaint cad a bhí le tuiscint uathu faoin saol a bhí aici agus aon bhagairt a rinneadh uirthi.

Bhí Réamonn ag tiontú ón bhfuinneog, nuair a chuala sé glórtha arda. Dheifrigh sé amach an geata agus chonaic sé triúr nó ceathrar bailithe le chéile ag cúinne an bhóthair. Bhí giodam míshocair fúthu: duine acu á bhrú in aghaidh balla go tobann, gach béic agus mallacht eatarthu. Óganaigh a chaitheadh an tráthnóna ag diúgadh beorach cois canálach, dar leis, gan club ná caifé ar fáil a mheallfadh ón díomhaointeas iad.

Tháinig carr timpeall an chúinne, a stop in aice leo. An déanamh céanna air, dar le Réamonn, is a bhí ar an gceann a chonaic sé níos luaithe, Volkswagen tréan cumhachtach. Thug sé spléachadh siar ar theach Shaoirse agus shiúil i dtreo an chúinne. Bhí sé ag iarraidh uimhir an chairr a thabhairt leis nuair a oibríodh na soilse, iad á méadú agus á maolú gach re seal.

Dhruid Réamonn isteach ar an gcosán agus ghéaraigh ar a chuid siúil. Bhí fuinneog an chairr íslithe agus lámh an tiománaí sínte amach. Phlódaigh na hógánaigh thart ar an bhfuinneog. Dhírigh Réamonn ceamara a ghutháin ar an eachtra. Díol drugaí, dar leis. An tiománaí chomh dalba ceanndána gur chuma leis go raibh garda aonair feicthe aige ag bun an bhóthair níos luaithe. Agus carr dubh, díreach mar a bhí ann cheana.

Bhí sé imithe ocht nó naoi dteach ó gheata Shaoirse. Thiontaigh sé ar ais ar feadh meandair. Bhí eagla air a dhroim a iompú seal rófhada. Bóthar caoch ab ea Bóthar an Choimín, ach bhí sé tugtha faoi deara aige go raibh slí isteach ann do choisithe ag a bhun.

Bhí soilse an Volkswagen fós ar lánlasadh. Rith Réamonn ina threo chun labhairt leis an tiománaí. Ach chúlaigh an carr go mear. Scréach an t-inneall agus é ag scinneadh amach ón gcúinne.

Bhí Réamonn á leanúint nuair a tharraing leaid amháin sonc ar a chompánach. Dorn sa smut an freagra a tugadh air. Déagóirí agus cultacha reatha orthu, ainmneacha mórpheileadóirí breactha ar a ndroim. Cailín ab ea duine amháin acu, bríste gearr agus riteoga ildaite uirthi siúd mar aon le buataisí troma go rúitín. Bhí a cuid béicíola níos aighneasaí ná an torann a tháinig ón mbeirt eile. Bhrúigh Réamonn ar a ghuthán chun glaoch ar scuadcharr an cheantair.

Bhí an bheirt ógánach i ngreim a chéile. Duine acu fionnrua, bricíneach, an duine eile chomh bearrtha le saighdiúir singil. Nuair a d'ordaigh Réamonn dóibh éirí as an troid, bhuail an cailín cic nimhneach ar a ioscaid.

"Focain tabhair aire do do focain gnó féin!" a bhéic sí air. *"Bleedin' culchie cop!"*

Thug Réamonn cúpla céim bhacach i leataobh uaithi. As eireaball a shúl chonaic sé an carr dubh á pháirceáil ar an gcéad tsráid eile. Bhí fonn air rith chomh fada leis ach níor fhéad sé Bóthar an Choimín a fhágáil. Bhí duine ag coisíocht ón gcarr, a dhroim aige leis an gcúinne, agus cochall ar a cheann.

Bhí lucht féachana ag bailiú ar Bhóthar an Choimín. Áitritheoirí ag oscailt doirse nó ag faire amach na fuinneoga. Bhí cathú ar Réamonn ligean leis na hógánaigh. Cén dochar dá maróidís a chéile? Ansin chuala sé clog rabhaidh an scuadchairr.

Thug an cailín na cosa léi ar an toirt, ag rith i dtreo theach Shaoirse. Tháinig fear toirtiúil amach ó cheann de na tithe ach theip air í a stopadh agus d'imigh sí as radharc ag bun an bhóthair. Rug Réamonn ar an mbeirt eile le cabhair ón bhfear toirtiúil. Bhurláil siad na déagóirí isteach sa scuadcharr nuair a stad sé in aice leo.

Bhí Réamonn ar buile leis féin. B'fhearr dó gan geata Shaoirse a fhágáil in aon chor. Má bhí fianaise luachmhar sa teach, chaithfí mionnú sa chúirt nár cuireadh isteach ar an bhfianaise sin ón uair a aimsíodh a corpán. Ach bhí sé i sáinn ag an achrann idir na hógánaigh. Dá ngortóidís a chéile go holc, dhéanfaí gearán go raibh garda lúfar ina staicín díomhaoin deich méadar uathu.

Ghlaoigh sé an stáisiún ach ní bhfuair sé freagra. Chinntigh sé go raibh geata Shaoirse dúnta agus an doras tosaigh faoi ghlas mar a bhí cheana. Bhí fiche nóiméad ar a laghad caite ó sheiceáil sé cúl an tí.

Shiúil sé ar ais go béal an lána, leathshlí idir teach Shaoirse agus an cúinne, an áit chéanna ar chúlaigh an carr dubh níos luaithe. Ag barr an lána sin, shroich sé an dara lána, a shín ar chúl na dtithe ar thaobh Shaoirse de Bhóthar an Choimín. An imní a bhí air ná gurbh fhéidir an dara lána a shroichint ón tsráid ar páirceáladh an carr uirthi le linn na troda.

D'fhéach Réamonn thart air. Bhí balla ard idir an lána agus na cúlghairdíní. Clósanna seachas gairdíní a bhí iontu, dáiríre, agus doras sa bhalla idir gach clós agus an lána. Damanta an rud é, ar sé leis féin arís eile, nach raibh an cúl-lána á ghardáil i rith an ama.

Shroich sé teach Shaoirse, an dara ceann ó bhun an lána. Teach dhá stór ab ea é, agus síneadh aon stór curtha leis ar thaobh amháin den chlós. An chistin agus b'fhéidir an seomra folctha sa síneadh, faoi mar a bhí feicthe ag Réamonn i dtithe eile. Bhí an lána dorcha ach bhí soilse ar lasadh i gcuid de na tithe.

Bhí leisce ar Réamonn an tóirse a thug sé leis a lasadh. Má bhí fear an chochaill ag póirseáil thart, b'fhearr gan foláireamh a thabhairt dó. Nuair a d'fhéach sé i gceart ar chúl an tí, chonaic sé scáil ag gluaiseacht trasna na fuinneoige thuas staighre. Cuirtín á tharraingt agus tóirse á lasadh laistigh, bhí sé beagnach cinnte de.

Bhí sé idir dhá chomhairle: filleadh ar gheata tosaigh

an tí nó dreapadh thar an mballa. Má bhí duine sa teach, bheadh air teacht amach arís ar ball. Bheadh Réamonn ag fanacht leis sa chúl-lána. Dheifrigh sé píosa ón teach agus ghlaoigh sé ar an stáisiún. Cuireadh tríd go tapa é an uair seo, agus cé go raibh Lombard chomh cantalach is a bhí cheana, dúirt sé go bhféachfadh sé leis an dara garda a chur chuig Bóthar an Choimín. Bhí beirt amuigh tinn, ar sé. Ba bhreá leis féin cúnamh a fháil leis an ualach oibre a bhí air.

D'fhill Réamonn ar dhoras an bhalla isteach go clós Shaoirse agus é fós ag cur is ag cúiteamh. Bhí an doras faoi ghlas, mar a thuig sé cheana. Ach ní bheadh sé deacair dreapadh thar an mballa, a bhí aimhréidh in áiteanna. Bhí an oíche scamallach, smúitiúil, agus gan aon duine eile thart.

Ní raibh sé lánchinnte go raibh fear an chochaill istigh sa teach. Scáileanna a chonaic sé, b'in uile. Ach bhí an baol ann go raibh fianaise luachmhar á scrios laistigh. Taom nua tagtha ar Mhel Mac Aogáin, scaoll air gur fhág sé rud éigin sa teach a chiontódh é? Nó an raibh fear an chochaill níos leithne, níos téagartha ná Mac Aogáin?

Ní raibh eochair ag Réamonn le dul isteach sa teach. Níor fhéad sé brath ar Lombard duine eile a chur chuige. Mhúch sé fuaim a ghutháin agus thug sé faoin dreapadh. Bhí an t-am ag sleamhnú agus b'éigean dó cinneadh a dhéanamh.

Bhí a ioscaid nimhneach ón gciceáil a thug an giobstaire de dhéagóir dó. Stró ar a lámh ón dua a ghlac sé air greim a choimeád ar Mhel Mac Aogáin. Ach chuirfeadh sé suas le gach pian. Bhí gliondar a chroí air dul sa bhearna bhaoil.

Bhí an clós dúdhorcha. Sceacha róis ag fás aníos ar bhalla an lána. Tharraing Réamonn muinchillí a léine aníos ar a lámha, ach theagmhaigh sé le géag draighneach mar sin féin. Ba bheag nár leag sé cathaoir mhiotail a bhí gar don bhalla agus é ag léim síos sa chlós. Boscaí bruscair sa spás cúng taobh le síneadh na cistine.

Bhí doras na cistine faoi ghlas. Chloisfí é dá mbrisfeadh sé an pána gloine in uachtar an dorais. D'amharc Réamonn thart air, a shúile ag dul i dtaithí ar an duibheagán. Bhí fuinneog na cistine róbheag dó. Ach bhí fuinneog eile in aice leis, fuinneog an tseomra i lár an tí a thug radharc ar spás cúng an chlóis.

Bhain Réamonn corraí as sais na fuinneoige. Chuir sé a lámh ar an adhmad go bog, a mhuinchille anuas uirthi ionas nach bhfágfadh sé méarlorg ina dhiaidh. Baineadh geit as. Bhí gearradh déanta ag bun an fhráma adhmaid. Gearradh nua, a rinneadh le siséal nó le huirlis eile.

Bhí an ceart aige. Bhí duine sa teach. Chuir sé téacs tapa chuig Lombard agus d'ardaigh sé sais na fuinneoige go cúramach.

I seomra bia a bhí sé. Cláir adhmaid faoina chosa agus cathaoir ina bhealach ar a shlí trasna an tseomra. Ghluais sé go mall, a chluasa ar bior.

Shroich sé an doras idir an seomra bia agus an halla. Bhí loinnir solais sa halla, a d'éalaigh isteach trí leathchiorcal fuinneoige os cionn an dorais tosaigh. Sheas Réamonn, ag éisteacht leis an gciúnas a luigh ar an aer.

Ciúnas, agus ansin siosarnach thuas staighre. Clic bog, doras á dhúnadh.

D'fhéach sé in airde. Ba mhaith leis a chéile comhraic a fheiceáil sula nglaofadh sé amach air. Ach más beirt a bhí roimhe sa teach, b'fhearr dó an doras tosaigh a oscailt go ciúin agus fanacht go dtiocfadh an dara garda ar an láthair.

Plab nó tuairt os a chionn. An dara plab, agus coiscéim chrua. Ghread Réamonn suas an staighre, a chroí ag cnagadh go tréan. Fuair sé spléachadh ar dhréimire adhmaid ar an léibheann. Cosa ar an dréimire, duine ag éalú suas san áiléar. Solas nó lonradh de shórt éigin.

Ghlaoigh Réamonn amach in ard a chinn. Ní raibh na focail as a bhéal nuair a las bladhm thine os a chomhair.

Stán sé in airde, a lámha trasnaithe os a chomhair mar chosaint dó féin. Thit an dara lasair bhuí ó bharr an dréimire. Phléasc maidhm dheataigh ina thimpeall. Chonaic sé súile dubha ag stánadh air tríd an gceo. Cloigeann cochallach, béal agus clár éadain clúdaithe, ach log na súl le feiceáil aige de gheit. Lasair neamhthrócaireach ag glinniúint sna súile sin.

Bhí an teach trí thine. Buidéal peitril caite anuas ón áiléar. Fianaise a bhain leis an dúnmharú á scrios. Nó Mel Mac Aogáin á chinntiú an uair seo go maródh sé é féin.

Phreab Réamonn síos an staighre ar luas an diabhail, lámh amháin ar a bhéal agus a thóirse á lasadh aige leis an lámh eile. Chonaic sé súsa mór ar urlár an tseomra suite agus rug sé air. Bhí an t-éadach trom ina sciath chosanta aige in aghaidh an deataigh. Bhuail sé an súsa faoi chéimeanna an staighre agus é ag iarraidh an tine a mhúchadh nó a mhoilliú.

D'fhéach sé in airde ar an áit ar éalaigh an fear cochallach suas san áiléar. Bhí an dréimire fós scaoilte anuas agus na céimeanna íochtair ag deargú ón tine. Chonaic sé na súile dorcha céanna ag stánadh anuas air. Nó an bhfaca? Mearbhall a bhí ag teacht air. Bhí clúdach ar bhéal an áiléir nach raibh ann cheana.

Bhí an t-aer tiubh le deatach. Shroich sé an chistin. Bhí báisín sa doirteal. Líon sé le huisce é. B'fhearr dó éalú amach an cúldoras ach mhoilleofaí an tine dá n-éireodh leis uisce a chaitheamh ar an staighre.

Bhí a ghlúine ag lúbadh faoi nuair a shroich sé an staighre an athuair. Bhí ciarsúr páipéir ina bhéal aige ach bhuail racht casachtaigh é agus ba bheag nár thit an báisín uaidh. Rinne sé neamhshuim den phian ina lámha agus ina chosa. Bhí an teas marfach, fíochmhar, uafásach.

Bhí sé leathshlí suas an staighre nuair a chuala sé doras tosaigh an tí á bhriseadh le fórsa. Bhí deatach ag éirí ón súsa a chaith sé ar an staighre. Bhí greadfach ina shúile agus míobhán ina cheann. Lasracha ag léim os a chomhair, lasracha ildaite a bhí ag damhsa suas is anuas an staighre.

Bhuail Réamonn a chosa síos ar an súsa agus chaith sé an t-uisce suas i dtreo an léibhinn. Chonaic sé an buidéal a raibh an peitreal ann ag rolláil ar an staighre. Chiceáil sé as an mbealach é. Bhí a shúile dallta ag an smionagar a bhí ag rince san aer. Ní raibh a fhios aige an raibh na lasracha ag dul i léig. Caithfidh go raibh an tine san áiléar freisin, agus fear an chochaill plúchta ina chnap.

Iarracht amháin eile a dhéanfadh sé. Airsean an locht go raibh an teach á scrios. D'fhág sé a phost faire, a déarfadh Lombard. Enzo damanta Lombard, a chaith go fonóideach leis nuair a d'éiligh sé an dara garda ó thús.

Shrac Réamonn a chasóg de. Chlúdaigh sé a chloigeann agus a ghuaillí leis. Theilg sé é féin ar na céimeanna os a chionn.

Bhí scréach bhodhar ina chluasa. An teach á shlogadh ag an tine. Shleamhnaigh sé síos cúpla céim. An chasóg ina púicín ar a shúile, gan radharc aige roimhe nó ina dhiaidh.

Bhí a scámhóga lán de dheatach. Bhí sé ag titim síos sa duibheagán. Scamall trom dubh á phlúchadh.

_B_hí an fear óg trí chéile. Nuair a chuir sé a ghloine lena bhéal, thug Aoife faoi deara gur shlog sé go craosach. Ní uisce a bhí á ól aige, dar léi, ach vodca agus líomanáid. Bhí sé gléasta don obair, i gculaith shlachtmhar dhorcha, ach dúirt sé nach raibh cos leagtha aige ina oifig.

"Ghlaoigh na gardaí orm aréir. Ní hea, go moch ar maidin, is dócha. Ní cuimhin liom go baileach. Bhí an teach fós trí thine ag an am."

Cormac Ó Néill a bhí ann, col ceathrair Shaoirse. Tháinig Sal air trí na meáin shóisialta tráthnóna Déardaoin agus chuir Aoife teachtaireacht chomhbhróin chuige. Tháinig scéal ar ais uaidh gan mhoill, ag iarradh casadh léi ag am lóin ar an Aoine. Seantábhairne cáiliúil, The Patriots, ag crosbhóthar Chill Mhaighneann a roghnaíodar. Chuir sé téacs eile chuici um meán lae, á dhearbhú go raibh sé fós ar fáil in ainneoin scéal na tine.

"Bhí sé go huafásach," ar sé. Bhí a chuid cainte ag

doirteadh uaidh ina díle. "Bhí slua comharsan ar an tsráid faoin am a shroich mé an teach. Ar éigean a chreid mé é. Dáiríre, ní chreidim fós go bhfuil Saoirse marbh, gan trácht ar an tubaiste nua seo."

"Ar inis na gardaí duit cé chomh holc is atá an scrios?"

"Chuaigh mé ar ais ann tamall ó shin. Tá boladh gránna san aer agus tá an díon agus na ballaí . . ." Stán Cormac síos ar an ngloine ina lámh. "Thuas staighre is measa, a dúirt siad. Tá gach rud dubh agus an troscán bunoscionn."

Shlog sé go fonnmhar arís. Bhí luisne allais ar a chlár éadain, agus scaoil sé a charbhat, amhail is go raibh teas na tine á róstadh go fóill. Nuair a dhearc sé arís ar Aoife, chonaic sí an tnúthán ina ghnúis. Mhothaigh sí go raibh sé ag impí uirthi na fadhbanna móra a bhí tite sa mhullach air a réiteach. Bhí sí féin trí chéile ag an scéal, agus leath na maidne caite aici ag cuardach eolais a chuirfeadh leis na tuairiscí nuachta.

"Cad faoin té a rinne é?" a d'fhiafraigh sí. "An bhfuil aon tuairim ag na gardaí cérbh é?"

"Tuairim dá laghad, go bhfios dom. Ach mór an trua nár loisceadh an bastard ina bheatha." D'fhéach Cormac uirthi agus bladhm feirge ina shúile. "Thugadar isteach madra bolaíochta ar maidin, ag ceapadh go mbeadh a chorpán thuas san áiléar, ach ní raibh rian ar bith de ann."

Bhlais Aoife braon uisce óna gloine féin. Bhí daoine eile thart orthu ag ordú ceapairí agus béilí ón mbeár, ach ní raibh a hintinn féin ar aon rud ach scéal na tine. Chuala sí faoin madra bolaíochta ó leas-eagarthóir nuachtáin a raibh sí cairdiúil léi. Nuair a mhínigh sise freisin go raibh an Garda Réamonn Seoighe san ospidéal, baineadh an-chroitheadh as Aoife.

"Bhí sé thuas san áiléar nuair a las sé an áit." Labhair Cormac pas ró-ard, gan smacht á choimeád aige air féin. Bhí an tábhairne measartha gnóthach agus chonaic Aoife cúpla duine ag féachaint orthu. "Chaith sé buidéal peitril síos an dréimire ón áiléar, an gcreidfeá é? Bhí an áit ina hifreann lasrach, ach ar shlí éigin nach dtuigim, caithfidh gur éirigh leis féin teacht slán."

Ní raibh Aoife riamh i dteach Shaoirse ach thuig sí an leagan amach a bhí ar fhormhór na dtithe Victeoiriacha. "Caithfidh go raibh bealach éalaithe ag an gciontóir ar an díon," ar sí le Cormac.

"Ach níl fuinneog san áiléar, a dúirt na gardaí. Níl ann ach spás faoin díon ina raibh roinnt seanbhoscaí."

Bhí Cormac chomh corraithe nár fhreagair Aoife é. Thóg sí peann amach as a mála agus d'oscail sí amach naipcín páipéir a bhí ar an mbord. B'fhéidir go gcabhródh sé leis an mbeirt acu labhairt faoi mhion-sonraí praiticiúla. Ní raibh scil líníochta aici ach tharraing sí pictiúr de dhíon an tí agus é ina dhá chuid. Bhí an chéad chuid os cionn na seomraí tosaigh agus an dara cuid os cionn na seomraí cúil; agus idir an dá dhíon, bhí gleann íseal a bhí comhthreomhar leis an mbóthar.

"Níl a fhios agam an bhfuilim á thaispeáint seo i

gceart," ar sí, "ach tá cónaí ar chairde liom i dteach den sórt seo, ina bhfuil dhá áiléar agus gleann nó spás ar nós 'V' eatarthu lasmuigh."

Thug Cormac súilfhéachaint ar an líníocht. "Níl a fhios agam an dtuigim i gceart . . ."

"Má tá an leagan amach seo ar an teach," arsa Aoife go réidh, "tá doras beag amach ar an díon ó cheann de na háiléir, a thug deis don chiontóir éalú ón teach agus fanacht i bhfolach sa spás 'V' a luaigh mé."

"Ach bhí na lasracha chomh hard leis an simléar. Nach loiscfí é, cuma istigh nó amuigh dó?"

Bhreac Aoife ar an naipcín arís agus d'fhéach Cormac níos cúramaí ar a léaráid. "Is dócha gur teach sraithe é," ar sí, "gan garáiste ná bearna idir é agus na tithe eile ar an dá thaobh. Agus más ea, ní raibh le déanamh ag an gciontóir ach cromadh ar a ghogaide sa ghleann thuas ar an díon agus a bhealach a dhéanamh ó theach go teach. Bhí sé imithe sular tháinig an bhriogáid dóiteáin nó na comharsana amach ag faire ar an tine, agus d'fhéadfadh sé dreapadh thar dhíon eile agus síos i gcúlghairdín."

"Caithfidh gur duine fíoraclaí é, ag imeacht leis ar an díon ar nós cait." Rug Cormac ar a ghloine, ach bhí a lámh ar crith agus tháinig na focail uaidh mar a bheadh seile á caitheamh aige. "Cad é an chéad rud eile a dhéanfaidh sé, an gceapann tú? Cén cleas a bheidh aige anois gur thug sé na cosa leis ó dhúnmharú agus ó thine?"

Leag Aoife uaithi an naipcín agus an peann. Ní

raibh freagra aici ar a cheist. Ba chosúil gur phleanáil an ciontóir an teach a chur trí thine, agus go raibh eolas aige ar an gcomharsanacht. An raibh fianaise chomh tábhachtach á scrios aige gurbh fhiú dó a bheatha a chur i mbaol?

Shuigh sí siar ar feadh nóiméid. Bhí sean-ghrianghraif d'fhoirgnimh agus d'eachtraí stairiúla an cheantair ar bhallaí an tábhairne agus lig sí dá dearc titim orthu fad a smaoinigh sí ar an gcor nua i scéal Shaoirse. Thuig sí óna cara an leas-eagarthóir go bhfuarthas Réamonn ina luí ar an staighre agus é sáraithe ag deatach na tine. Bhí glaoch curtha aici ar an ospidéal agus ní inseoidís di ach go raibh bail sheasmhach air. Bhí cónaí ar Réamonn in iarthar Chorcaí ar feadh cúpla bliain agus chuimhnigh sí ar an uair a thug sé Sal slán ó chontúirt a beatha, le linn dóibh a bheith gafa le scéal dúnmharaithe. Ghoillfeadh sé go mór orthu beirt dá mbeadh sé féin go dona tinn anois.

Thóg Cormac a ghuthán as a phóca, a intinn gafa ag a chúraimí féin. "Gabh mo leithscéal, a Aoife, ach caithfidh mé glaoch a chur ar Nua-Eabhrac," ar sé. "Agus ansin ba mhaith liom labhairt leat faoi cheist eile, má tá tamall fós saor agat?"

Faoiseamh a bhí ann sos ceart a fháil ón gcomhrá. Nuair a dhúisigh sí ar maidin, tháinig taom feirge ar Aoife le Saoirse – fearg mhíréasúnta go raibh an bhean óg tar éis trioblóid a tharraingt uirthi féin de bharr go raibh sí ceanndána nó méaldrámata. Cén fáth nach ndéarfadh sí amach ar an nguthán cad a bhí ag déanamh imní di? Cén fáth nár roghnaigh sí a caidrimh ghrá go stuama?

Ach thuig Aoife go luath gurbh ise a bhí míréasúnta. Ní raibh ina cuid feirge ach éalú ón ngeit agus ón mbrón a ghabh le bás tubaisteach. Bhí sí an-sásta freisin gur thoilígh Cormac casadh léi. Ina aonar a bhí sé ag plé leis na gardaí, de réir mar a thuig sí, agus ba mhaith léi cabhrú leis dá mb'fhéidir é, ní amháin ar a shon siúd, ach ar mhaithe le tuiscint níos fearr a fháil ar an bhfiosrúchán í féin. D'fhillfeadh a thuismitheoirí ón Iodáil laistigh de lá nó dhó; luaigh sé léi tráthnóna Céadaoin go raibh teach saoire acu i sráidbhaile sléibhe agus go raibh ticéid eitleáin acu le dul ann sular fógraíodh dáta an taispeántais.

D'fhair sí go ciúin é le linn dó a bheith gafa ar an nguthán. Bhí sé ard, dathúil, agus bhí bearradh faiseanta ar a chuid gruaige dorcha. Níor aithin sí déanamh a chuid spéaclaí ach thuig sí gur íocadh go daor as an mbranda chomh maith céanna leis na lionsaí. Mheas sí go gcaithfeadh sé seal maith os comhair an scátháin gach maidin. Bhí sé níos óige ná Saoirse, b'fhéidir cúig bliana is fiche d'aois, agus bhí sé ag titim chun feola cuid áirithe. Ba chuimhin léi gur luaigh sé freisin go raibh sé ag obair i gcúrsaí infheistíochta agus gur chaith sé dhá shamhradh i Nua-Eabhrac nuair a bhí sé ina mhac léinn, fad a bhí Saoirse ag obair ina cuntasóir thall.

Lean a ghlao tamall measartha agus thug Aoife a haird ar an saol lasmuigh de chuar na bhfuinneog. Bhí gnáthimeachtaí an cheantair i réim arís: turasóirí ag teacht i mbusanna agus de shiúl na gcos agus treoirleabhair ina nglaic acu; tuismitheoirí ag teacht faoi dhéin páistí ó naíonraí; lucht oibre ag déanamh ar chaiféanna agus tábhairní don lón. I mBaile Átha Cliath a chaith sí féin breis is daichead bliain dá saol, agus thaitníodh léi an callán agus na féidearthachtaí gan áireamh a bhraitheadh sí ag borradh thart uirthi. Ach thuirsigh sí den saol sin agus shantaigh sí timpeallacht de chineál eile ar fad cois cósta i mBéarra, áit a raibh ciúnas le fáil aici chomh maith le comhluadar bríomhar, agus cogar na gaoithe chomh maith le comhráití daonna.

Bhraith sí anois go raibh sí sáite i saol Chill Mhaighneann agus fós nár bhain sé léi. D'aithin sí duine a bhí ar an gcosán trasna na sráide: Harry Ó Tuathail a casadh uirthi i seomra an CCTV. Bhí sé ag cadráil le fear eile nach raibh le feiceáil de ach cloigeann dorcha agus seaicéad dubh leathair. Bhí gothaí an pholaiteora ar Ó Tuathail go smior: cluas chun dian-éisteachta aige, a cheann claonta go báúil, a lámh ar dhroim a chompánaigh. Rith sé léi gurbh fhiú di cupán tae a ól in éineacht leis agus tarraingt ar a chuid eolais. Seans, fiú, go gcuirfeadh sé in aithne í do dhaoine a chabhraigh le Saoirse an taispeántas a eagrú.

Bhí clabhsúr curtha ag Cormac ar a ghlao ach d'fhan sé ina shuí gan corraí ar feadh meandair, a shúile ar an bhfuinneog aige. Le máthair Shaoirse a labhair sé, ba dhóigh le hAoife.

"B'éigean piollaí suain a thabhairt di tráthnóna inné," ar sé ar deireadh. "Tháing racht millteanach uirthi nuair a dúradh léi go raibh Saoirse marbh. Sin an fáth nár fhéad mé glaoch uirthi go dtí anois."

"An bhean bhocht, tá mé cinnte go bhfuil sí croíbhriste."

"Mar sin féin, tá sí diongbháilte go dtiocfaidh sí anseo don tsochraid. Níl an tsláinte go maith aici ach caithfidh sí a híníon a fheiceáil, a deir sí."

"An bhfuil socrú ann fós, nó caint ar cén uair . . . ?"

"Níl tuairim faoin spéir agam, a Aoife, más ag fiafraí faoin tsochraid atá tú." D'fhéach Cormac uirthi arís agus é ag tnúth go mbeadh gach freagra aici, dar léi. "Cad a cheapann tú féin? An iad na gardaí a bheartóidh gach rud?"

"Ní fhéadfainn a rá, a Chormaic." Bhí trua ag Aoife dó agus an dreach caillte a bhí air. "Ach labhróidh mé leis na gardaí in éineacht leat, más cabhair duit é sin?" Lean sí uirthi go ciúin nuair nár fhreagair sé í. "Is féidir liom a rá freisin go ndéanfaidh lucht na marbhlainne a míle dícheall do Shaoirse. Beidh an corpán chomh nádúrtha agus is féidir."

Lig sí leis an tost a thit ar Chormac arís, go dtí gur chualadar guth ar a gcúl ag beannú go cuideachtúil. Sal a bhí ann, a lámh ar a béal agus leithscéalta aisti go faíoch nuair a d'aithin sí an doilíos san aer.

"Ní gá leithscéal a dhéanamh," arsa Cormac, tar éis

d'Aoife é a chur in aithne di. Sheas sé agus fústar ag teacht air. "Níor thuig mé go raibh sibhse gaolta le chéile. Bhí tusa ag an ócáid freisin, a Shal, nach raibh?" Thóg sé a ghloine ina lámh. "An ólfaidh sibh deoch?"

"Caife dubh, le do thoil," a d'fhreagair Sal. Rinne sí meangadh bog le Cormac agus thug Aoife faoi deara mar a d'fhan a shúile siúd ar a hiníon. Níorbh é an chéad uair di fear a fheiceáil ag cur spéise inti, ná Sal a fheiceáil ag freagairt don spéis sin. Bhain sí a cóta fada scuabach di go mall agus leag sí ar chúl cathaoireach é, gan ligean uirthi gur thuig sí go raibh súile Chormaic fós uirthi.

"Bheartaigh mé gan bacadh le mo rang teagaisc," ar sí. Bhí Cormac ag an mbeár ach thug sé spléachadh ar ais ar Shal, a lean ag comhrá lena máthair. "Tá brón orm nach raibh mé níos tuisceanaí nuair a tháinig mé isteach, ach bhí mé *just* ar bís le casadh lenár gcara nua. *Plus*, tá mé buartha faoi Réamonn bocht ó chuala mé an scéal faoi."

"Tá mise buartha freisin," arsa Aoife. "B'fhéidir go rachaimis isteach chuige san ospidéal ar ball? Beidh seans éigin againn eolas a fháil ansin, fiú mura ligtear dúinn é a fheiceáil."

"*Absolutely*. Agus ní bheidh scuaine cois leapa ag Réamonn ar aon nós, an mbeidh? Níl aige ach a bheirt aintíní, an fear bocht, ó maraíodh a thuismitheoirí i dtimpiste na blianta ó shin."

Nuair a d'fhill Cormac le tráidire deochanna, ba léir d'Aoife go raibh sé tar éis suntas a thabhairt dó féin i scáthán an bheáir. Bhí a charbhat socraithe agus a chuid gruaige slíoctha. Bhí sé níos socra ann féin freisin.

"An fáth gur ghlaoigh mé ort ar maidin, a Aoife," ar sé tar éis beagán mionchomhrá, "ná gur inis Saoirse dom go raibh sí ag iarraidh comhairle phráinneach a fháil uait."

Mhothaigh Aoife a cuisle ag luasú. "Ar inis sí duit cén chomhairle a bhí uaithi, a Chormaic?"

"Sin an diabhal rud atá do mo chrá. Ní raibh sí sásta é a mhíniú dom. Ach glacaim leis gur inis sí duitse é?"

Ar éigean a bhí Aoife in ann guaim a choimeád uirthi féin. Níor cheart di a bheith in amhras faoi Shaoirse. Bhí an focal "práinneach" ráite aici le Cormac freisin. D'fhéach sí thart uirthi ar an tábhairne geal, compordach, ar chustaiméirí a bhí ar suaimhneas le himeachtaí a saoil. Ba chóir di bheith ina suí anseo le Saoirse trí lá níos luaithe, agus pé tacaíocht a bhí ón mbean óg á tairiscint aici.

"B'fhéidir go bhfuil leisce ort labhairt faoi?" arsa Cormac léi. D'fhéach sé ar Shal, mar impí uirthi tacú leis. "Tá's agam nach bhfuil mórán aithne againn ar a chéile, ach geallaim duit go mbeidh mé discréideach faoi."

"Ní hé sin atá i gceist, a Chormaic," arsa Aoife go mall. "An fáth go bhfuilim i mo thost ná ná nach bhfuil a fhios agamsa ach oiread cad a bhí ag déanamh imní de Shaoirse. Ghlaoigh sí orm ceart go leor, ach dhiúltaigh sí rud ar bith a mhíniú sula gcasfaimis le chéile maidin inné."

Bhí an impí ag neartú i nglór Chormaic. "Cuireadh ina tost í sular scaoil sí a rún, más ea. Nach fíor dom é?"

"Níl a fhios againn cad atá fíor, a Chormaic." Bhí Aoife suaite ag tórmach mothúchán. Bheadh orthu a fháil amach cad a bhí fíor, ach mar a dúirt an fear óg, ar éigean a bhí aithne acu ar a chéile. Ná ní raibh aon tuairim acu cad a bhí ar eolas cheana féin ag na gardaí.

Chuir Cormac a ghloine lena bhéal ach leag sé uaidh arís í gan braon a ól. "Bhraith mé le déanaí go raibh rud éigin ag goilliúint uirthi. Ba chóir go n-inseodh sí dom é ach ba chosúil . . ."

Nuair a d'fhág sé an abairt gan chríochnú, thapaigh Sal an deis teacht sa chomhrá. "Mheas mise ar dtús gur dócha gur theastaigh comhairle iriseoireachta ó Shaoirse, ó tharla go raibh aithne aici ortsa mar iriseoir, a Mham." D'fhéach sí ó dhuine go duine. "Ach bhí an taispeántas eagraithe aici faoin am ar ghlaoigh sí ort, so therefore ní féidir go raibh sí buartha faoi chúrsaí poiblíochta ná a leithéid."

"Ní raibh mo chomhairle uaithi faoi chúrsaí staire ach oiread," arsa Aoife, "nuair nach staraí mé." Stad sí agus í ag déanamh a marana. "B'fhéidir nár bhain a glao leis an taispeántas ar chor ar bith," ar sí ansin. "Theastaigh uaithi casadh liom roimh an ócáid seolta, ach nuair nach raibh sin indéanta, bhí sí sásta go leor casadh liom maidin inné."

"*Suppose* go raibh sí buartha faoi chúrsaí teaghlaigh, nó a caidreamh nua, an dóigh leat . . . ?" Chuir Sal a bos lena béal go leithscéalach agus í ag féachaint ar Chormac. "Glacaim leis go raibh a fhios agat . . . ? Inniu a chualamar féin faoi, ach . . ."

"Mel Mac Aogáin, an ea?" ar sé go tapa. "Níor chuir sí in aithne dom é, ach ní raibh sé deacair a dhéanamh amach cérbh é féin."

"Conas sin?" a d'fhiafraigh Aoife.

"Bhuail mé isteach ar cuairt uirthi beagnach mí ó shin ar mo bhealach abhaile ó chruinniú oibre ar an taobh seo den chathair. Réitigh sí cupán caife dom agus seo léi ag damhsa thart ar an gcistin, ag gáire agus ag geabaireacht. 'Tá tusa an-sásta ionat féin,' arsa mise léi, agus ar sise go raibh an cinneadh ceart déanta aici filleadh ar Éirinn. 'Níl mo shaol ina lánstad anseo mar a bhí i Nua-Eabhrac,' a d'fhógair sí. 'Tá cúis agam éirí ar maidin. Cúpla cúis den scoth, d'fhéadfá a rá.'"

"Agus ghlac tú leis go raibh sí ag tagairt do Mhel Mac Aogáin?" a d'fhiafraigh Sal.

"Ní raibh aon deireadh lena cuid cainte faoi siúd an lá sin. Chomh healaíonta is a bhí an dearadh a rinne sé ar an taispeántas. A spéis sa scéal staire. Mar a sháraigh sé ar dhúshláin ina shaol féin, é ar an gcéad duine dá mhuintir a chríochnaigh a chuid oideachais scoile, a chuaigh ar coláiste, a rinne go maith dó féin." Chroith Cormac a cheann. "Nuair a casadh orm é ag an ócáid, ar éigean a chreid mé gurbh é an duine céanna é, agus gan mórán le rá aige dó féin."

"Bhí a bhean chéile i láthair ag an ócáid," arsa Aoife, "agus ní dóigh go raibh sé ar a shuaimhneas faoi sin." Bhí aiféala uirthi nár labhair sí féin le Mac Aogáin an tráthnóna úd. Chuimhnigh sí siar ar an méid a dúirt Cormac. "Bhí Saoirse an-sásta mí ó shin, mar sin, ach dúirt tú go raibh rud éigin ag goilliúint uirthi le déanaí. Cén uair a tharla an t-athrú, dar leat?"

Bhain Cormac a chuid spéaclaí de agus chuimil sé a shúile le droim a láimhe. "Nílim cinnte," ar sé go mall. "Níor chaith Saoirse mórán ama liom le roinnt seachtainí anuas, sin í an fhírinne." Shocraigh sé na spéaclaí air féin go cúramach. "Bhíomar an-mhór le chéile i Nua-Eabhrac, nuair a bhí mé ar lóistín ina hárasán. B'in a chreid mé, pé scéal é, ach nuair a tháinig sí go hÉirinn, bhraith mé nach raibh fáilte aici roimh mo chomhluadar. Agus pé rud a bhí ag goilliúint uirthi, ní inseodh sí dom é."

Bhí Sal ag breathnú air go cineálta. "Ach níl a fhios agat cad a bhí i gceist?

Chas Cormac a dhearc i dtreo na fuinneoige agus é gafa lena chuimhní. Thit léas gréine ar a chuid spéaclaí, ag glinniúint ar an bhfráma caol lonrach orthu. "Bhí cúpla argóint eadrainn i Nua-Eabhrac, faoi rudaí amaideacha dáiríre. Bhí mise ar bís le saol iontach na cathrach a bhlaiseadh go hiomlán ach dúirt sise go raibh mé ag caitheamh airgid go róghasta. Ansin chuir sí i mo leith gur dhiúltaigh mé airgead a fuair mé ar iasacht uaithi a aisíoc." D'ól sé an bolgam deireanach dá dheoch agus é corraithe arís. "Dá gcuirfeadh sí a muinín ionam, b'fhéidir go mbeadh sí beo inniu."

"Cén uair dheireanach a casadh ort í?" a d'fhiafraigh Aoife go bog. "Roimh an ócáid seolta, atá i gceist agam."

"Bhí lón againn le chéile deich lá ó shin. Mise a rinne an socrú ach níor ith Saoirse mórán agus d'fhiafraigh mé di an raibh sí buartha faoin taispeántas. D'inis sí dom go raibh sí ag smaoineamh ar an rud ar fad a chur ar athló. Bhí an iomarca ag tarlú ina saol, a dúirt sí."

"Thart ar an tréimhse chéanna sin a ghlaoigh sí ormsa, más ea," arsa Aoife. "Ach níor chuir sí an taispeántas ar athló, mar is eol dúinn."

Bhí tost eatarthu triúr ar feadh cúpla nóiméad. Bhí na ceisteanna ag méadú go tiubh, dar le hAoife, agus gan tásc ar na freagraí. Ba í Sal a bhris an tost. "Más mian linn a thuiscint cad a tharla do Shaoirse," ar sí, "beidh orainn an taispeántas a thuiscint ar dtús. B'fhéidir nach bhfuil baint aige lena bás, ach fiú más féidir linn an méid sin a bheartú, beidh dul chun cinn déanta againn."

Bhuail guthán Aoife. Uimhir gan ainm a bhí ar an scáileán ach ghlac sí leis an nglao. An Sáirsint Lombard a bhí ann. Ní raibh aon scéal nua aige faoin nGarda Réamonn Seoighe, ar sé, ach bhí gach dóchas go mbiseodh sé laistigh de sheachtain nó dhó. Idir an dá linn, ba mhaith leis féin casadh le hAoife. Go príobháideach seachas sa stáisiún, a dúirt sé, ar son comhrá neamhfhoirmeálta. D'fhreagair Aoife go nglaofadh sí ar ais air níos déanaí. Ní raibh sí cinnte fós cá fhad a bheadh sí i mBaile Átha Cliath, ar sí mar leithscéal.

"An Sáirsint Lombard?" arsa Cormac, nuair a mhínigh sí an scéal. "Chas mé leis ar maidin ag teach Shaoirse. Níor thaitin sé liom, caithfidh mé a rá."

"Bhí sé cairdiúil ar an nguthán," arsa Aoife, "ach, dáiríre, b'fhearr liom labhairt le Réamonn seachas leis siúd."

Bhrúigh Cormac uaidh a ghloine fholamh. "Maidir leis an taispeántas . . ." Ba léir go raibh sé idir dhá chomhairle. "Mar a tharlaíonn sé, caithfidh mé labhairt le stiúrthóir an phríosúin faoi. Ba mhaith le máthair Shaoirse é a fheiceáil nuair a bheidh sí in Éirinn." Sheas sé go tobann. "Níl fonn ar bith orm siúl isteach sa diabhal áit inar daoradh Saoirse chun báis. Bheinn fíorbhuíoch díbhse, mar sin, dá dtiocfadh sibh trasna na sráide liom chuig an bpríosún."

Ollen Cassidy a chonaiceadar rompu nuair a shiúladar isteach sa seomra taispeántais. Bhí smúit liath ghráinníneach ar an bpictiúr, ach bhí a pearsantacht láidir le haithint air mar sin féin. Grianghraf príosúin a bhí ann, den sórt a ghlactaí de gach príosúnach ó na 1860idí i leith.

Bean óg dhathúil ab ea í, a cuid gruaige dorcha agus a súile gléineach. Bhí sí ag stánadh roimpi go doicheallach mar a dhéanadh príosúnaigh riamh agus iad sáinnithe ag an gceamara. Casóg gharbh an phríosúin uirthi, a cuid gruaige tarraingthe siar go teann faoi bhoinéad beag, a lámha trasnaithe ar a chéile ar a hucht. Bean cheanndána, anamúil, a déarfaí.

"Bhí cosúlacht ag Saoirse léi, an bhfeiceann tú é?" De chogar a labhair Sal lena máthair.

"An dóigh leat é?" Sheas Aoife siar coiscéim nó dhó ón bpictiúr. "Sea, is fíor go raibh gruaig an-dorcha acu beirt, agus craiceann an-gheal."

"Agus féach na súile, a Mham. Bhí an *look* céanna sin ag Saoirse an oíche cheana, *kinda* 'ná ceap go gcuirfear mise faoi smacht' á rá aici."

Chrom Aoife le foscríbhinn an phictiúir a léamh. "Seo mar a bhí Ellen an lá a tugadh isteach sa phríosún í. N'fheadar an raibh sí chomh ceanndána sin tar éis na seachtainí fada a chaith sí anseo?"

"Tá iontas orm go raibh craiceann chomh geal uirthi," arsa Sal. "Is cuimhin liom seanghrianghraif a chonaic mé sa Leabharlann Náisiúnta uair amháin, a thaispeáin mná bochta in iarthar na hÉireann sa naoú haois déag. Bhí a gcraiceann siúd cosúil le seanleathar, ó bheith amuigh faoin aer an t-am ar fad, nó plúchta istigh i mbotháin bheaga gan simléar ná fuinneoga."

"Ach conas a tharla sé go raibh craiceann Ellen chomh mín? Nach raibh a muintir féin bocht, agus iad plúchta ag an deatach ina mbothán?" Choimeád Aoife a guth íseal. Bhí Úna Ní Mhaoláin, stiúrthóir an phríosúin, ag comhrá le Cormac ag an doras agus mhothaigh Aoife nach róshásta a bhí sí gur iarradar féachaint arís ar an taispeántas. Thóg sé leathuair an chloig orthu cead na ngardaí a fháil dul isteach sa seomra in aon chor.

"Ní raibh muintir Ellen *so totally* bocht go dtí gur theip na barraí orthu in 1877," a d'fhreagair Sal, agus a guth chomh ciúin céanna. "Bhí léamh agus scríobh ag Ellen chomh maith le Tadhg, rud a chiallaíonn go raibh sí in ann dul ar scoil ar feadh roinnt blianta."

"Ach dúirt Saoirse an tráthnóna cheana go bhfuair

tuismitheoirí Ellen bás i dteach na mbocht? Tháinig athrú mór ar an saol a bhí acu, mar sin?"

"Go hiomlán." Thug Sal spléachadh ar Chormac, a bhí fós i mbun comhrá ag an doras, sular lean sí lena scéal. "Díbríodh an teaghlach ón talamh a bhí ar cíos acu in áit darb ainm Cill Mac Taidhg agus bhí an t-athair ina oibrí feirme ar feadh tamaill. Ach buaileadh tinn é agus ní raibh cearta ná cúnamh dá laghad ann do spailpíní dá shórt."

"Agus cad faoi Chonradh na Talún, nach raibh siadsan ag cabhrú le tionóntaí a díbríodh?"

Rinne Sal comhartha láimhe lena thabhairt le fios go raibh an t-eolas ar fad ar na painéil sa taispeántas. "*So* níor bunaíodh Conradh na Talún go dtí 1879, a Mham, an bhliain chéanna a fuair Ellen bás," ar sí. "Agus, dáiríre, ní rabhadar ag díriú ar na sclábhaithe pá, na daoine gan tionóntacht ar bith. De réir mar a thuigimse é, bhí b'fhéidir trí mhíle duine á ndíshealbhú gach bliain agus, ar ndóigh, bhí sin go dona ar fad. Ach ag an am céanna, bhí na céadta mílte daoine isteach is amach as tithe na mbocht gach bliain, gan eagras mór ar bith ag troid ar a son."

Dhruid Aoife go dtí an chéad ghrianghraf príosúin eile. Denis Treacy a bhí ar taispeáint, fear caol, cnámhach a raibh féasóg ghortach air. Bhí an pictiúr smeartha ach bhí doicheall ina shúile siúd freisin, mar aon le tréith nach raibh Aoife in ann a chur i bhfocail go beacht. Cúthaileacht nó b'fhéidir slítheántacht? Nó an imní a bhraith sé roimh an gceamara agus roimh údaráis an phríosúin? Scaoileadh saor é coicís tar éis bhás Ellen agus d'imigh sé leis go Meiriceá.

Thiontaigh sí le ceist eile a chur ar Shal. Ach bhí sise imithe sa treo eile, áit a raibh painéil eolais agus íomhánna faoi shaol Bhaile Átha Cliath sa tréimhse inar lonnaigh an triúr as Contae Shligigh sa chathair. Thug Aoife faoi deara go raibh stiúrthóir an phríosúin imithe agus Cormac ag siúl i dtreo Shal. Bhí a charbhat á shocrú aige in ainneoin nach raibh sé as alt an uair seo. Lig Aoife leo agus níorbh fhada go bhfaca sí go rabhadar cromtha isteach chun a chéile ag comhrá go díograiseach.

D'fhéach sí ar an tríú grianghraf mór os a comhair. Tadhg, deartháir Ellen, a taispeánadh, agus cuma níos sine air ná mar a bhí ar an mbeirt eile. I Nua-Eabhrac a tógadh an pictiúr, deich mbliana tar éis dó na cosa a thabhairt leis as Éirinn. Ina sheasamh a bhí sé, a lámha crochta lena thaobh, a ghnúis chomh righin is a bhí bóna a léine, agus culaith olla air a thug le fios go raibh rath ar a shaol i Manhattan. Ní cultacha dá sórt a chaitheadh bochtáin na linne Domhnach ná dálach, ná ní bhíodh airgead le spáráil acu ar áis nua-aimseartha na grianghrafadóireachta.

Bhí cruatan agus ainnise an tsaoghail d'ár leanamhaint innár g-conndae féin agus bhí obair uainn go geur. Ach bhí cúiseanna eile leis an aistear fada a rinneamar chun na catharach. An dóchas a chailleamar nuair a d'imigh ár n-athair is ár máthair bhocht ar shlighe na fírinne i dteach dochraideach an ríogh, dhúisigh an dóchas sin ionainn as an nú ar thrasnadh na Sionainne dúinn. Bheudh daoinne sa gcathair a thiúrfadh éistiocht dúinn.

Ó chuntas a scríobh Tadhg in 1891 a tháinig bunús an scéil sa taispeántas. Bhí Gaeilge acu triúr, dála breis is tríocha míle duine i gContae Shligigh san am, agus d'fhoghlaim seisean scríobh na Gaeilge nuair a d'fhreastail sé ar ranganna a bhí ar siúl i Nua-Eabhrac. Níor chuir sé críoch leis an gcuntas, áfach, ná níor mhínigh sé cuid de na nithe a dúirt sé ann.

Theastaigh ó Aoife mionsonraí an scéil a bhreith léi sula bhfillfeadh an stiúrthóir ar an seomra. Ach baineadh stangadh aisti nuair a shroich sí painéal a thaispeáin leathanaigh lámhscríofa ó chlár Phríosún Chill Mhaighneann sa naoú haois déag. Tábla néata a bhí ar gach leathanach: ainm, slí bheatha, coir, tréimhse sa phríosún, aois agus áit chónaithe gach príosúnach a chaith oiread is oíche amháin san áit. Fir agus mná, buachaillí agus cailíní, lucht an mhí-áidh agus an ghátair, daoine bochta dearóile nach raibh só saolta acu riamh. *Patrick Lacey, labourer, stealing peas from a field, 3 months and hard labour, age 17. Matthew McCarthy, messenger, illegal possession 3 pints of milk, 14 days and 20/-s fine, age 20. James Brady, throwing stones, 7 days and 10/-s fine, age 12. Elizabeth Farrell, felony of a ham, 3 months and hard labour, age 24. Catherine Caffrey, prostitute, drunkenness, 6 days, age 26. Catherine Gallagher, prostitute, assault William Marlow, 1 month, age 19.*

Ba iad seo na daoine a bhí mar chomhluadar ag Ellen agus ag Denis sa phríosún. Mionchoireanna agus gearrthréimhsí príosúin a luadh lena bhformhór: gadaíocht, meisce agus ionsaithe ar dhaoine aonair; téarma príosúin tuillte freisin as caint gháirsiúil nó dhiamhaslach. Cuid acu, bhíodar i bpríosún den chéad nó den dara huair; cuid eile, bhí suas le fiche nó tríocha seal príosúin déanta acu. Bhí na focail *drunkenness* nó *prostitute* luaite lena bhformhór sin, agus bean bhocht amháin, Bridget Needham, gan aici ach tríocha bliain d'aois agus galar an alcóil uirthi go follasach, tar éis 113 tréimhse príosúin a dhéanamh faoin mbliain 1879.

Ar an gcéad phainéal eile, léigh Aoife an taifead a rinneadh i gCill Mhaighneann ar Ellen agus ar Denis:

Ellen Cassidy, servant, drunk and disorderly, theft of a watch, 3 months, aged 18.

Denis Treacy, stable hand, disorderly behaviour, sent to court, aged 19.

De réir an chuntais a thug Tadhg, áfach, cuireadh striapachas i leith Ellen nuair a tugadh os comhair na cúirte í den chéad uair, agus dúirt na póilíní gur ghoid sí an t-uaireadóir ó chustaiméir sráide. Dhiúltaigh Tadhg glan do na líomhaintí, ach bhí Ellen marbh agus bhí seisean ar a theitheadh ón tír sular cuireadh triail uirthi.

Bréug a bhí ann. Ní rabh baint ag Ellen leis an saoghal sin. Ní rabh gadaitheacht deunta aice. Bhí sí ionnraic, láidir, diongbhálta, agus ní dheunfadh sí a leithid.

Ba í Ellen a spreag an triúr acu an turas a dhéanamh go Baile Átha Cliath, a dúirt sé. Bhí teipthe ar Thadhg obair a fháil i gceantar Bhaile an Mhóta, áit a raibh Ellen agus Denis fostaithe. Agus bhí fonn orthu gníomhú in aghaidh an tiarna talún a dhíbir a muintir óna ngabháltas, Robert Bryant. Ba thiarna talún de chineál nua é: Caitliceach meánaicmeach a cheannaigh sealúchas ar phraghas íseal tar éis an Ghorta Mhóir agus a chuir leis le linn tréimhsí géarchéime ina dhiaidh sin. Dlíodóir ab ea Bryant freisin agus spéis aige sa pholaitíocht: an bhliain chéanna sin, 1879, bhí súil aige ainmniúchán a fháil mar iarrthóir toghcháin do pháirtí náisiúnach Pharnell. Chreid Ellen go raibh a thionchar róláidir sa réigiún le go n-éistfí le haon ghearán faoi, ach d'agair sí go n-éireodh leo teagmháil a dhéanamh le daoine ardaicmeacha, báúla i mBaile Átha Cliath a nochtfadh don saol mór an drochrath a bhí ar na bochtáin a díbríodh ó eastát Bryant.

De réir mar a bhí le tuiscint ó Thadhg, ní bhfuaireadar an deis cúnamh a fháil sular gabhadh Ellen agus Denis. Agus bhí a thuairim féin aige cén fáth gur tharla sin:

Bhí feallaire inár measc a chuir i gcarcair Chill Mhaidhne í. A leannán mídhílis Denis a bhí ann.

Dheifrigh Aoife ó phainéal go painéal. Ghlacfadh sé seachtain uirthi an scéal a thuiscint, dar léi. Má bhí Denis ag iarraidh saol nua saor ó thrioblóid a dhéanamh dó féin, cén fáth gur gabhadh é féin le linn achrainn? Cén bunús a bhí leis an scéal go raibh Ellen ina striapach? Chaith Aoife a súil ar phainéal maidir leis na deacrachtaí a bhain le fianaise staire ar cheisteanna striapachais. De réir thaifid na bpóilíní sna 1870idí, bhí breis is deich míle bean in Éirinn ina striapach: mná bochta, dearóile den chuid is mó, nár fhág taifead ina ndiaidh a léireodh cé acu an ocras, ólachán, iompar clainne lasmuigh den phósadh nó cúiseanna eile a thug orthu obair ar na sráideanna. De réir thaifid na bpríosún, ba é "striapach" an tslí bheatha ba mhinicí a luadh leis na mná a bhí faoi ghlas. Ach de réir mar a tháinig an meon Victeoiriach i réim agus gur leathnaigh tionchar na hEaglaise Caitlicí in Éirinn, níor tráchtadh go hoscailte ar an striapachas sna cuntais oifigiúla ná sna tuairiscí nuachtán ar chásanna cúirte.

Ag an ócáid seolta, thrácht Saoirse ar a teoiric féin faoi bhás Ellen Cassidy: go raibh comhcheilg ar siúl idir an tiarna talún Robert Bryant agus an feallaire Denis Treacy. Ba é Bryant a d'íoc Denis as í a mharú, dar léi, de bharr go raibh eagla ar Bryant faoi na fírinní salacha ba mhian léi a chraobhscaoileadh. Ach ní raibh cruthú ag Saoirse ar an teoiric agus mhaígh sí gurbh é sin ba mhealltaí ar fad faoin scéal: nach raibh réiteach ar mhistéir na tragóide. An cheist a chuir Aoife uirthi féin ná cén fáth go raibh Saoirse imníoch faoin taispeántas: an amhlaidh gur thuig sí ina croí istigh gur chóir di freagraí a lorg ar an mistéir staire, nó an é go raibh sí faoi bhrú mór ag fadhbanna nár bhain leis an stair in aon chor?

Ní pictiúir agus téacs ar fad a bhí le feiceáil sa seomra. Bhí earraí ar taispeáint freisin: caipín agus naprún de chuid Ellen a thug Tadhg leis go Meiriceá; cóip de leabhar Gaeilge ónar fhoghlaim sé léamh agus scríobh a theanga dúchais, a raibh *Easy Lessons or Self-Instruction in Irish* mar theideal air; agus an trunc mór adhmaid a thug sé leis as Éirinn nuair a d'fhág sé an tír faoi dheifir. Bhí dornán cáipéisí i mbun an trunca aige; ina measc, bhí fógra faoi chruinniú úd Chonradh na Talún ar fhreastail sé féin agus Denis Treacy air i mbaile Shligigh, agus gearrthóga ó nuachtáin áitiúla faoi aighnis talún agus ceisteanna eile. Sa trunc céanna a stóráil sé a chuntas ar scéal a dheirféar, istigh faoin gcanbhás a bhí mar líneáil air.

Chonaic Aoife Sal ag druidim ina treo agus flosc chun cainte uirthi. "Mór an trua nár labhair mé le Saoirse mí ó shin," ar sí. "*Just* ba bhreá liom dá mbeinn tar éis a cuid taighde a phlé léi."

"Mór an trua a lán rudaí," arsa Aoife go duairc. "Níl leath na bpainéal seo léite agamsa fós."

Shín Sal a méar trasna an tseomra. "Fan go bhfeicfidh tú pictiúr Denis ar lá a phósta! *Imagine*, ní raibh sé ach trí mhí i Nua-Eabhrac nuair a phós sé cailín óna cheantar féin. *So* ní raibh sé *exactly* croíbhriste faoi Ellen, an raibh?"

"An ndeirtear cá bhfuair Tadhg an grianghraf?"

"Seanchomharsa le Tadhg a thug dó é, measaim. Ach deir Cormac go raibh gach rud trí chéile in áiléar a mhamó nuair a fuair sise bás in aois a nócha bliain. Bhí cuid de na grianghraif istigh le cinn a tógadh caoga bliain níos déanaí, agus murach go raibh dátaí orthu, ní bheadh a fhios againn cé a bhí iontu."

"Cé chomh fada eile atá againn anseo, an dóigh leat?"

Thiontaigh Sal chuig Cormac, a bhí tagtha anall chucu. "Deich nóiméad eile, nach ea, sula dtiocfaidh an stiúrthóir ar ais?"

"Cúig déag, a déarfainn," ar sé. "Ach beidh deiseanna eile . . ."

"Bhí cúpla smaoineamh againn faoi sin," arsa Sal lena máthair go tapa. "Míneoimid duit iad ar ball, ach measaimse gur chóir dúinn féachaint ar an bhfíseán faoi scéal Ellen a taispeánadh ag an ócáid. Is cuimhin liom gur léirigh sé an scéal go maith."

Bhí Aoife sásta ligean léi an cinneadh a dhéanamh. Chuireadar an scáileán beag ar siúl agus chualadar guth aisteora a casadh orthu ag an ócáid seolta. Íomhánna den phríosún a taispeánadh ar dtús. An príomhdhoras mór doicheallach a raibh cúig nathair chraosacha greanta os a chionn. Doras an chillín ina gcoimeádtaí príosúnaigh a bhí le crochadh lá arna mhárach, a raibh poll faire ar leith ann a d'úsáideadh an crochadóir chun airde an phríosúnaigh agus fad an rópa a thomhas. Díon gloine an chliatháin thoir a raibh solas na bhflaitheas ag doirteadh anuas go trócaireach uaidh ar na cimí a pheacaigh in aghaidh Dé, faoi mar a chreid lucht riartha an phríosúin i ré Victoria.

Chonaic Aoife an cliathán thiar ar an scáileán ansin, an dorchla gruama céanna a raibh sí ann an lá roimhe sin. Istigh i gcillín Ellen, bhí bean ina suí ag an mbord beag agus bíobla á léamh aici. Bhí claochlú digiteach ar an bpictiúr ionas go raibh dath geal an aoil ar na ballaí mar a bhíodh sa naoú haois déag. Bhí an tocht rolláilte go néata ar an leaba, agus an phluid os a chionn.

In íoslach mór an phríosúin a bhí Ellen ar lá a báis, a dúradh, sa seomra níocháin a raibh fir agus mná araon ag obair ann an lá áirithe sin. Bhí íomhánna staire agus scáthchruthanna á dteilgean ar bhallaí tréigthe an íoslaigh sa chuid seo den scéal. Braillíní agus pluideanna ina gcarnáin, seantrealamh níocháin, fuadar agus gal na hoibre. Taom lagair ag teacht ar Ellen, deoch nó cógas á shíneadh chuici ag lámh anaithnid. Cead aici filleadh ar a cillín, bairdéir in éineacht léi ar a slí trí chathair ghríobháin na bpasáistí agus na staighrí. Ceol sa chúlra ag cur le gruaim an scéil.

Istigh sa chillín, chonaiceadar aisteoir i bpáirt Ellen ag síneadh siar ar a leaba chúng. An eochair á casadh sa ghlas. Agus tamall níos déanaí, dochtúir an phríosúin lasmuigh den chillín in éineacht leis an mbairdéir. A scáil ar an doras agus é ag féachaint isteach tríd an bpoll faire. An bairdéir ag oscailt an dorais, an dochtúir á leanúint isteach, scáil ag titim ar urlár an phasáiste ar a chúl. Ellen ina luí faoi phluid thanaí, a cuid gruaige ag sileadh óna caipín, gan puth anála óna béal.

Tugadh sliocht ó thuairisc oifigiúil an phríosúin: *an untimely death brought about by the prisoner's weak health.* Agus sliocht ó chuntas Thaidhg: *Bhí Denis sa teach nigheacháin an lá úd. Ghlac sí an deoch mharbhthach uaidh. Laudanum a mheasg sé ann, oiriod a chuirfeadh capall ina shuan.*

Ar a slí amach as an bpríosún a mhínigh Cormac na smaointe a luaigh Sal ar ball. "Tá ríomhaire Shaoirse ag na gardaí," ar sé, "agus tá ábhar uile an taispeántais ar an ríomhaire. Ach, mar a tharlaíonn sé, tá cóip chúltaca agamsa freisin, a chuir Saoirse chugam le déanaí."

D'fhéach Aoife ó dhuine go duine. Bhí rud éigin ar a hintinn a chonaic sí ar an bhfíseán ach a shleamhnaigh thairsti sula bhfuair sí greim air. Nó b'fhéidir gur ar cheann de na painéil a bhí sé agus gur mheabhraigh an físeán di é. Bhí sí ag déanamh iontais freisin gur thug Saoirse cóip dá cuid comhad do Chormac, má bhí teannas eatarthu mar a dúirt seisean. Ach ní raibh dlúthchairde ag an mbean óg in Éirinn, agus dhiúltaigh Aoife féin casadh léi mar a bhí iarrtha aici.

"Inseoidh mé do na gardaí go bhfuil an chóip chúltaca agam," arsa Cormac. Bhí sé níos socra ann féin ná mar a bhí san óstán. "Ach ní gá dom a mhíniú dóibh go ndéanfaidh mé cóip eile de, ionas gur féidir libhse féachaint ar an ábhar freisin." Tháinig luisne air agus rith sé le hAoife go raibh seisiún staidéir á eagrú aige féin is ag Sal cheana féin. "Ba bhreá liom na cúrsaí seo a phlé libh arís, tar éis gur thug sibh an oiread cúnaimh dom inniu."

"Beimid in ann na nótaí taighde go léir a scríobh Saoirse a scrúdú," arsa Sal go sásta. "Agus rinne stiúrthóir an phríosúin moladh eile le linn a comhrá le Cormac: go gcuirfí ócáid chuimhneacháin do Shaoirse ar siúl *right* anseo sa seomra nuair a bheidh an tsochraid thart."

"Bhí sí an-chuiditheach, dáiríre," arsa Cormac. "Beimid in ann an taispeántas a thógáil anuas nuair a bheidh an searmanas sin thart."

"An-phlean atá ann," arsa Aoife. "Tabharfaidh sé deis dúinn go léir teacht le chéile san áit ina bhfacamar Saoirse den uair dheireanach."

D'fhanadar ag comhrá ar an tsráid ar feadh cúpla nóiméad. Thug Aoife faoi deara mar a leag Sal a lámh go héadrom ar ghualainn Chormaic agus í ag fágáil slán aige. D'éist sí féin leis na teachtaireachtaí gutháin a bhí faighte aici fad a bhí sí istigh sa phríosún.

Óna fear céile Pat a bhí dhá cheann acu agus é ag iarraidh labhairt léi. Óna cara an leas-eagarthóir nuachtáin an tríú ceann, agus fiú sular léigh sí é, bheartaigh Aoife go gcasfadh sí léi laistigh de lá nó dhó chun an cás a phlé.

Abairt amháin a bhí sa téacs uaithi: *Ráfla ón scrúdú iarbháis, moirfín ina cuid fola, trúig bháis meastar ach gan deimhniú.*

Bhain Aoife taca as balla tréan an phríosúin. Bhí eolas ag cách ar mhoirfín mar dhruga a bhí in úsáid go coitianta in ospidéil agus i dtithe altranais na tíre. Pianmharfóir cumhachtach ab ea é, agus ba chuimhin le hAoife an faoiseamh a fuair sí féin uaidh tar éis obráide na blianta roimhe sin. B'éigean a bheith an-chúramach leis i gcás othar a bhí á ghlacadh go rialta, áfach, de bharr go raibh sé gaolta le héaróin, agus an baol ann go n-éireodh na hothair tugtha dó.

Ní le héaróin amháin a bhí moirfín gaolta, áfach, ach le ládanam. Scimeáil Aoife go mear ar an idirlíon. Ar óipiam a bhíodar go léir bunaithe, agus i gcás an ládanaim, bhíodh alcól measctha leis freisin. Bhíodh sé ar díol go forleathan i gcaitheamh an naoú haois déag, agus é de cháil air go mbíodh idir shaibhir is bhochtáin tugtha dó. Maidir le moirfín san aonú haois is fiche, bhí rialacha dochta ag baint leis an soláthar leighis. Má bhí mistéir ann faoin ládanam a tugadh d'Ellen Cassidy, ba mhó go mór an mhistéir faoin soláthar moirfín a ghlac Saoirse, dá deoin nó dá hainneoin.

Teas fíochmhar fiuchta ina chloigeann. Lasracha ag léim ar a chraiceann. Lasracha dearga, buí-dhearga, bána.

Bhí duine ar an taobh thall den tine. Gáire briosc, dóite aige, a gháire á shlogadh sa tine. Chonaic Réamonn a chuid fiacla gránna. Fiacla bána idir beola dearga. Bhí an t-aer trí thine, an t-aer idir é agus an duine a dhoirt na lasracha anuas ón áiléar.

Bhí an teas marfach. An staighre ag titim, nó Réamonn ag titim ar an staighre. An t-adhmad briosc, dóite. An torann á bhodhrú, a chasachtach féin á bhodhrú. Bhí bior nimhneach an deataigh ina shúile. Shín sé amach a lámh agus é ag iarraidh breith ar ráille an staighre. Ach ní raibh roimhe ach folús an aeir.

Chiúnaigh an tine de réir a chéile. Chiúnaigh an torann bodhar in intinn Réamoinn. De réir a chéile thosaigh a anáil ag éirí is ag titim go réidh. Chodail sé. Chodail sé go socair tamall.

Bhí sé sínte ar leaba ospidéil. Pian ina scamhóga ón

gcasachtach. Allas ag sileadh uaidh le gach taom fiabhrais a tháinig air. Bhí gléasra ceangailte leis ar gach taobh. Ráta a chroí á thomhas, agus leacht ag sileadh trí phíobán isteach ina chuid féitheacha, uisce agus salann agus siúcra mar chúiteamh ar an allas. Pianmharfóir trí phíobán eile, a chuir múisc air ó am go chéile.

Roimh mheán oíche Déardaoin a tugadh isteach san ospidéal é. Chaith sé an chéad lá eile ag guairdeall ar an bhfearann míshocair idir codladh agus dúiseacht. Bhí a intinn gafa ag an tine. Chonaic sé scáil ag léim i measc na lasracha, duine nach raibh sé in ann breith air.

Súile dorcha. Log na súl á slogadh siar sa tine. Malaí dorcha agus clár éadain téagartha. Béal agus srón clúdaithe, gan fiacla ná smig le feiceáil.

Shín Réamonn a lámh in airde ach theip air breith air. Aer agus deatach a bhí roimhe. Bhí an duine cochallach ag rince ar bharr na lasracha. Deamhan a bhí ann, a d'imigh gan tásc ar an aer marfach. D'aithin Réamonn a gháire dóite mar sin féin. Mel ab ainm dó. Deamhan ab ea Mel a d'imigh gan tásc nuair a bhí na gardaí sa tóir air.

Labhair banaltra le Réamonn. D'ordaigh sí dó an fhírinne a insint. Bhí na lasracha ag glacadh seilbhe ar a intinn athuair. Bhí an buidéal peitril ina lámh.

Ní raibh sa teach ach é féin. Eisean a bhí ciontach as an tine. Ba í an Cigire Brenda de Barra a labhair leis. D'inis sí dó gur theip air mar gharda. In áit an teach a ghardáil chaith sé buidéal peitril síos an staighre.

Bhí an cigire ina suí in aice leis san ospidéal. Folt liathbhán agus éide dhúghorm uirthi. D'aithin sé í ach níor thuig sé í. Cnaipí lonracha ba ea na focail a thit as a béal, iad cosúil leis na cnaipí ar a héide néata dhúghorm. Thit siad as a radharc a luaithe a scaoil an cigire as a béal iad. Shamhlaigh Réamonn carnán focalchnaipí ag bailiú ar cholbha na leapa.

Bhí an seomra rógheal. Báine na mballaí agus loinnir na gréine ar na cnaipí snasta á ghortú. Tine ba ea an ghrian a loiscfeadh agus a scriosfadh é.

Dhún sé a shúile agus rinne sé a dhícheall éisteacht léi. Thuig sé focail anseo is ansiúd. An tine. An duine. An té a bhí ann.

Mel, a dúirt sé léi. Má dúirt. Ní raibh a fhios aige ar éirigh leis focal ar bith a rá. Bhí a ghuth lag, piachánach ón deatach.

D'imigh caint an chigire i léig. D'oscail Réamonn a shúile go mall. Tháinig banaltra isteach sa seomra. Báine a héide a d'aithin sé, báine iarnálta údarásach. Labhair sí féin agus an cigire de chogar. D'fhág Brenda de Barra an seomra. Shleamhnaigh Réamonn síos faoin bpluid, síos sa lochán pianmharfóirí a bhí á bhá.

Bhí an t-ospidéal ciúin nuair a chorraigh sé an chéad uair eile. Solas slándála os cionn an dorais agus léas buí ón gclós lasmuigh ag scoilteadh an dorchadais.

Bhí an fiabhras a chuir speabhraídí air níos luaithe sa lá ag maolú. Ach bhí aer tirim an tseomra ag priocadh a chraicinn agus a scornaigh. Bhí sé ceangailte le píobáin. Bhí an phluid os a chionn róthrom.

D'imigh a intinn ar strae i seomraí iomadúla a osclaíodh faoi choim na hoíche. Bhí tine ar lasadh i seomra deas cluthar. Bladhmanna buí ag léim i dtreo an tsimléir. Tolg os comhair an tinteáin agus lampa ag soilsiú go bog sa chúinne.

Tháinig fear isteach sa seomra agus chrom sé le póg a thabhairt dá stóirín a bhí ar an tolg. Tharraing sé de a chasóg agus luigh sé ar an tolg fial. Bhí a anáil ag teacht leis go mear. Phléasc bladhm bhuídhearg ar an tine go fíochmhar, gliondrach.

Bhí an fear ina luí go trom ar an tolg. Bhí a anáil milis, mealltach. Tharraing Réamonn chuige é go fonnmhar, an teas ag pléascadh ina chuislí. An Garda Tom Ó Mórdha a bhí ann.

Chorraigh Réamonn de gheit istigh in áras a intinne. Leath scaoll ann agus é ag cúlú ón radharc ar an tolg. Bhí fuarallas ar a chraiceann. Luigh sé sa dorchadas agus a shúile ar lánoscailt.

Uair amháin ina shaol a bhí sé in éineacht le fear. I bhfad ó shin a tharla sé. Bhí blianta measartha ann freisin ó bhí caidreamh aige le bean, ach nuair a shamhlaíodh sé duine eile ina luí ina bhaclainn, bean a bhíodh sa phictiúr. Ní minic a cheadaíodh sé samhailtí dá leithéid dó féin, áfach. Ba mhó a chuiridís leis an uaigneas a bhíodh ag síorghoilliúint air ná a mhalairt.

I seomra lom snasta a bhí sé. Chuir sé uafás air a bheith in ospidéal. Tháinig cuimhne chuige go tobann. Cuairt ospidéil ar a athair nuair a bhí sé ina dhéagóir. Drochghortú a tharla dá athair le linn taom ólacháin.

Fad a bhí a mháthair ag plé leis an dochtúir, d'iarr a athair air buidéal uisce beatha a thabhairt isteach chuige. Bhí sé truamhéileach, mar a d'impigh sé air é.

Tháinig cuimhní eile chuige de réir a chéile. Dúnmharú i bpríosún. Staighre trí thine. Súile dorcha folaithe ag néalta deataigh.

Ní raibh tuairim dá laghad aige cé chomh fada a bhí caite aige i ngéibheann an ospidéil. Bhí bindealán ar a lámh chlé, á cheangal agus á shrianadh. Bhí rud éigin fáiscthe ar a cheann freisin. Bhí a chosa i bhfad ón gcuid eile dá chorp.

Ba mhaith leis a bheith gan aithne gan urlabhra. Gach cuimhne agus mothúchán a chur ar neamhní. Níor leor an codladh. Ní raibh gardaí cosanta a intinne in ann smacht a choimeád ar na samhailtí a thagadh chuige sa tír aduain sin. Ba mhaith leis luí chomh socair le corpán.

Nuair a dhúisigh Réamonn maidin Shathairn, bhraith sé go raibh turas fada déanta aige. Trí thollán dorcha i mbolg sléibhe a thaistil sé, dar leis. Bhí an fiabhras agus an chasachtach agus an tine fágtha ina dhiaidh. Bhí sé in ann a shúile a oscailt agus féachaint amach ar ghile an lae.

D'fhill cuimhní scaipthe air de réir a chéile. Mearbhall agus brionglóidí aisteacha. Tom Ó Mórdha agus cnaipí lonracha an chigire. Bhí eagla air gur labhair sé amach os ard nuair a bhí Brenda de Barra cois na leapa.

Ghluais banaltra óg go héadrom ina threo. Go cineálta, séimh a labhair sí leis, mar a labhrófaí le páiste. "Fan go deas socair anois, agus popálfaimid an teomhéadar i do bhéal." Ansin, "Conas mar atáimid inniu?", nuair a bhí an teocht léite aici. "Níos fearr ná inné, tá mé ag ceapadh?"

Níor fhreagair Réamonn í. Conas mar *atáimid*, ar sé leis féin, amhail is go raibh an ainnir óg a dúirt é soiprithe istigh sa leaba leis. Leaba chúng a bhí ann, a thug sé faoi deara, gan compord inti do dhuine amháin gan trácht ar bheirt.

Chrom sí isteach chuige, agus tháinig an boladh úr a ghabh léi isteach ina pholláirí. Shocraigh sí na piliúir mhóra ar a chúl agus chuir sí a lámh faoina ascaill chun cabhrú leis é féin a ardú. B'fhéidir gur labhair sí le gach othar ar shlí a choisc orthu í a shamhlú mar chéile leapa.

"Beidh cuairteoir againn go luath," ar sí go suairc. "Tháinig sí isteach inné ach ní rabhamar rómhaith ag an am, an raibh anois?"

Siúd léi go seolta anonn go dtí an báisín agus nigh sí a lámha. D'imeodh sí léi agus d'fhágfaí Réamonn ina chime sa seomra lom. Trealamh ospidéil ag ceann na leapa mar a bheadh bairdéirí príosúin, píobáin á cheangal mar a bheadh téada. Banaltraí faoi éide á cheistiú is á rialú de réir mar a d'oir dóibh féin.

"Gabh mo leithscéal," ar sé. Bhí air labhairt sula

bhfágfadh sí an seomra. "Ba mhaith liom a fháil amach cé chomh dona is atá . . . ?"

"Tiocfaidh na dochtúirí isteach chugat níos déanaí." Bhí a guth séimh agus údarásach in aon turas.

"Ach an bhféadfása . . . ?" Bhí a ghuth féin íseal, fuarchaointeach, dar le Réamonn. "An bhfuil mo lámha dóite? Agus an bhfuil cnámh ar bith . . . ?"

"B'fhearr gan a bheith ag déanamh imní faoi na cúrsaí sin. Más maith leat, cuirfidh mé an teilifíseán ar siúl go dtí go bpopálfaidh do chuairteoir isteach, cad faoi sin?"

Sraithchlár Meiriceánach a bhí ar siúl. Dhún Réamonn a chluasa ar an tormán. Níor thug an bhanaltra an cianrialtóir dó. Nuacht a shantaigh sé seachas giob geab siamsaíochta. Toradh drámatúil ón scrúdú iarbháis. Mel Mac Aogáin i ngéibheann. Agus garda a gortaíodh sa tine ag teacht chuige féin ar a chompord san ospidéal.

Spéir liathbhán a chonaic sé ón bhfuinneog. Dhearmad sé fiafraí den bhanaltra cén lá é. Cá bhfios nach raibh an fiosrúchán thart cheana féin?

Bhí néal ag titim air nuair a tháinig an Cigire de Barra isteach sa seomra. Shuigh sí ar chathaoir cois leapa. Miotal a chuir a súile liathghorma i gcuimhne dó, tíotáiniam nó alúmanam gléineach.

"Tháinig mé isteach," ar sí go socair, "lena fháil amach cad is féidir leat a insint dúinn faoin tine."

Níor fhreagair sé láithreach í. Bhí a chuid brionglóidí fós ag cur mearbhaill air.

"Pé rud a thagann chugat i d'fhocail féin," ar sí.

"D'éalaigh an fear suas san áiléar. Chonaic mé a shúile. Ní raibh agam ach soicind nó dhó."

"Agus cá raibh tú féin ag an am?"

Bhí scornach Réamoinn tirim agus chuir sé buidéal uisce lena bheola go cúramach. "Ag barr an staighre. Chaith sé buidéal peitril nó a leithéid síos ar an léibheann."

"Tabhair cur síos dom ar a shúile."

"Dorcha. Iad slogtha siar ina cheann." Dhún Réamonn a shúile féin agus an pictiúr uafar os a chomhair arís. Ach bhí sé sásta gur labhair an cigire leis mar a bheadh duine fásta ann. "Bhí a aghaidh cnámhach, ceapaim, agus log na súl mar a bheadh dhá pholl dhorcha."

"Tóg do chuid ama, a Réamoinn." Níor chuimhin leis gur labhair an cigire leis as a ainm riamh cheana. Bhraith sé cineáltacht gan choinne nuair a chuala sé uaithi é. "Nuair a tháinig mé isteach inné, ní raibh tú ar fónamh in aon chor. Ach, mar a thuigeann tú, tá práinn leis an ngnó."

"An bhfuil sé beo fós?" a d'fhiafraigh Réamonn go tapa. "Ar éalaigh sé ón áiléar? Agus cad faoin bhfiosrú . . . ?"

"Ceist amháin san am," ar sí go réidh. Ní raibh miotal a cuid súl chomh crua, dobhogtha is a mheas sé ar dtús. "Is cosúil gur éalaigh sé, ceart go leor." Stad sí agus rinne a machnamh ar an méid a bhí ráite. "Ach deir tú gur fear a bhí ann?"

"Chonaic mé a chosa ar dhréimire an áiléir. Bróga fir a bhí air."

"Aon rud eile?"

"Bhí cochall ar a cheann. É dúghorm, nó b'fhéidir dubh. Agus bhí a bhéal clúdaithe le scairf." Bhí Réamonn in amhras an raibh sé ag cuimhneamh ar íomhánna na tine nó ar a chuid brionglóidí. Bhí eagla air nach raibh fiúntas ina chur síos. "Bhí deatach san aer agus ní raibh am agam . . ." Smaoinigh sé go tréan. "Ach chonaic mé carr níos luaithe." Bhí sé ar a mhíle dícheall sonraí de shórt éigin a sholáthar. "Carr dubh. Volkswagen mór. Passat, measaim. Agus bhí cochall ar a cheann ag an tiománaí."

"Cad faoin uimhir chláraithe?"

Chroith Réamonn a cheann go mall. "Cláraíodh i mBaile Átha Cliath é dhá bhliain ó shin. An chéad uimhir ná '5' agus ansin b'fhéidir '4'. Las an tiománaí na soilse i mo shúile . . ."

"Tá sé ceadaithe a rá nach bhfuil tú cinnte, a Réamoinn." Bhí smid chineáltachta i nglór an chigire arís, a thug sólás as cuimse dó. Chrom sí agus thóg sí mála néata dubh ón urlár. "Rachaimid siar ar an gcomhrá seo i gceann lae nó dhó. Ach n'fheadar an aithneofá an té a bhí sa teach dá bhfeicfeá arís é?"

Lig Réamonn a cheann siar ar an bpiliúr. Bhí sé tuirseach, spíonta tar éis dóibh comhrá simplí a dhéanamh. D'fhéach sé sna súile stuama a bhí ag feitheamh le freagra uaidh.

"Níl a fhios agam," ar sé go leamh.

Thóg sí ríomhaire beag amach as a mála agus ghliogáil sí air cúpla uair sular thaispeáin sí an scáileán dó. Grianghraf a chonaic sé, a raibh cuid de clúdaithe. Súile agus srón a bhí ar taispeáint. An aghaidh tanaí, dar leis, agus an craiceann mín, óigeanta.

"Glac do chuid ama," ar sí.

Bhí na súile beagán dorcha ach ní raibh an pictiúr ag freagairt dá chuimhní. Bhí na malaí i gceart, dar leis, ach fós bhí an duine seo rógheal. Nó an raibh an deatach ag imirt cleasanna ar a shúile an oíche sin? Dhiúltaigh sé don chathú a tháinig air bréag a insint ar mhaithe le cinnteacht.

"An é seo Mel Mac Aogáin?"

Lig Brenda de Barra osna chiúin. "Ná bac go fóill cé atá ann, ach abair liom an bhfuil cosúlacht aige leis an té a chonaic tú arú aréir?"

"Ní dóigh liom é," arsa Réamonn go mall. "Ní fhéadfainn seasamh os comhair cúirte . . ."

Chuir de Barra an ríomhaire i leataobh. A guaillí ag titim le teann díomá – nó b'fhéidir gur faoiseamh a bhí uirthi? Má bhí Mel freagrach as an tine, bheadh daoine ag gearán nár ordaigh an cigire é a ghabháil tar éis eachtra na canálach, pé fianaise ba ghá chuige sin.

D'fhreagair sí an cheist nach raibh curtha os ard ag Réamonn. "Deir Mac Aogáin gur fhan sé sa bhaile ina árasán tráthnóna agus oíche Dhéardaoin. Choimeádamar súil ar an áit fad a bhí a bhean Róisín amuigh ar cuairt ar an ospidéal. Ach ní féidir linn a mhionnú nach ndeachaigh seisean amach níos déanaí sa tráthnóna, nuair a bhí sise ina luí."

"Agus maidir leis an dúnmharú – más é sin a bhí ann?"

"Táimid ag glacadh leis gur dúnmharaíodh Saoirse Ní Néill. Bhí druga ina cuid fola agus, lena chois sin, cuireadh an doras faoi ghlas uirthi."

"Cad faoin mbuille ar a cloigeann?"

"De réir thuairisc an phaiteolaí, níor tugadh buille do Shaoirse Ní Néill in aon chor." Sméid de Barra a ceann nuair a chonaic sí an t-iontas ar ghnúis Réamoinn. "Is é is dóichí ná gur bhuail sí a cloigeann in aghaidh chuaille na leapa sula bhfuair sí bás. Bhí an druga a ghlac sí ag dul i bhfeidhm uirthi, ar ndóigh, agus ceann de thionchair an druga ná go dtiocfadh taom nó tritheamh uirthi agus go mbeadh sí ag greadadh ina timpeall i ngan fhios di féin."

"Fad a bhí sí gan aithne gan urlabhra?"

Chuir an cigire a ríomhaire ar ais ina mála ach d'fhan sí ina suí. "Cuireann an druga codladh uafásach trom ar an duine," ar sí, "agus i gcás den sórt seo, moillíonn ráta an chroí go dtí go stopann sé agus go dteipeann ar an análú. Is féidir leis an duine caitheamh aníos beagán freisin, rud a rinne Ní Néill." Ba léir gur thug sé sásamh éigin di na sonraí teicniúla a aithris. "Folmhaíodh a lamhnán freisin," ar sí, "nó, lena rá ar bhealach eile, rinne sí a mún le linn don taom a bheith uirthi."

Bhí Réamonn ar a mhíle dícheall cuimhneamh ar

cheisteanna. Lón aigne ba ea na freagraí don tréimhse a bhí amach roimhe san ospidéal. "An bhfuil sé deimhnithe gur moirfín a bhí i gceist?"

"Níl na torthaí tocsaíneolaíochta ar fad againn. Ach tá gach cosúlacht ar an scéal gur ghlac sí druga atá gaolta le moirfín, ach é dhá oiread chomh láidir leis. Ocsacódón an t-ainm leighis atá air, agus tugtar Oxynorm ar an gcógas a dháiltear mar leacht. I gcás ailse, is gnách gur táibléid a ghlacann na hothair, ach más gá an druga a chur díreach isteach sa bholg ar chúiseanna ar leith, is é an leacht a ghlactar, agus pionna agus tiúb in úsáid chuige sin."

"Agus táimid ag fiosrú cé a bhí in ann teacht ar an druga seo?"

"Tá go deimhin." D'éirigh an cigire agus d'fhéach sí anuas ar Réamonn, a beola fáiscthe ar a chéile ar feadh soicind nó dhó. "Mar a tharlaíonn sé, is é an druga céanna seo, Oxynorm, a ghlacann máthair chéile Mhel Mhic Aogáin. Ach ní cruthú ciontaíola é sin, gan amhras."

Bhí Réamonn traochta ach lean sé leis na ceisteanna. "Seachas muintir Mhic Aogáin, an eol dúinn aon duine eile a raibh fáil acu ar an druga?"

"Cúpla duine. Ina measc, tá fear a bhfuil gnó aige in Inse Chór ag soláthar cúramóirí do dhaoine aosta." Rinne sí meangadh tirim. "Is Iaráiceach é, Faisal al-Jamil, ach arís eile, ní nod ciontaíola d'aon sórt é go bhfuil a ainm á lua agam sa chomhthéacs seo."

Chuir de Barra a cathaoir ar ais in aice an bhalla

go néata. Bhí áthas ar Réamonn go raibh an fiosrúchán á phlé acu. Sular tháinig sí isteach sa seomra, bhí eagla air go lochtódh sí é as dul isteach i dteach Shaoirse ina aonar.

"Agus maidir leis na fiacha a dúradh a bhí ar Mhac Aogáin?"

"Is leor an méid atá ráite agam," ar sí go socair. "Cloisfidh tú na scéalta ar fad nuair a bheidh tú in ann filleadh ar an obair."

Thosaigh Réamonn ag casachtach arís díreach nuair a tháinig an bhanaltra óg isteach sa seomra. Chuir sí cupán uisce lena bhéal. "Beidh na dochtúirí isteach chugainn ar ball," ar sí. "Bhí beirt bhan istigh ag cur do thuairisce, ach dúramar leo nach raibh tú ábalta d'aon chuairteoir eile inniu." D'fhéach sí go crua ar an gcigire, a bhí ag dul i dtreo an dorais. "B'fhearr gan a thuilleadh stró a chur ar do ghuth."

"Cérbh iad féin?" Bhí eagla ar Réamonn gur tháinig a bheirt aintíní go Baile Átha Cliath gan scéala a chur chuige roimh ré.

"Aoife rud éigin agus a hiníon." Chroch an bhanaltra mála nua leachta ar an ngléas ag ceann na leapa. "D'fhágadar cárta duit ag an deasc. Tabharfaidh mé chugat ar ball é."

Thiontaigh de Barra ag an doras, a súile liathghorma ag faire ar ais air. "Sin rud a chuir díomá orm, a Réamoinn, mura miste leat mé á rá. Is cosúil nach bhfuil Aoife Nic Dhiarmada sásta plé go hoscailte linn. Labhair an Sáirsint Lombard léi agus bhí sí an-doicheallach ina meon, a dúirt sé. Go deimhin, bhraith mé féin an doicheall sin uaithi nuair a casadh orm í."

Chuach Réamonn é féin faoin bpluid nuair a fágadh ina aonar é. Thiocfadh dochtúirí i gcótaí bána chuige, duine sinsearach agus scata mac léinn á leanúint go maolchluasach. Bheadh cogar mogar eatarthu i mbéarlagair na saineolaithe. Scagadh agus anailís acu ar an tinneas samplach a bhí rompu sa leaba. Ba ghráin le Réamonn daoine a bheith ag stánadh air, ach d'fhreagródh sé go béasach, umhal iad. Is acusan a bhí an chumhacht agus bhí seisean ag brath orthu é a leigheas.

Is ag Enzo Lombard a bhí an chumhacht sa stáisiún. Ciorcal dílseoirí aige mar lucht leanúna, agus a stiúir féin acu ar na fiosrúcháin mhóra. Bhí an Ceannfort Ó Tiarnáin agus an Cigire de Barra i gceannas ar an obair, ach ní i gCill Mhaighneann a bhí siadsan lonnaithe, agus bhí Lombard is a chairde in ann iad a láimhseáil mar a d'oir dóibh. Pé seans a bhí ann go mbeadh nod fiúntach le roinnt ag Aoife Nic Dhiarmada leis an bhfoireann, bhí an sáirsint ag coimeád smachta air dó féin.

Ach níorbh fhéidir le Réamonn géilleadh don éadóchas. Bhí sé smachtaithe, sáinnithe san ospidéal, ach bheadh air rud éigin a dhéanamh a chuirfeadh leis an bhfiosrúchán.

Bhí seomra aonair ag Maria Furlong in Ospidéal San Séamas. Suas an staighre mór cuartha ón halla fáilte, casadh a ghlacadh ar chlé agus díreach ar aghaidh as sin go dtí an doras ag bun an halla uachtaraigh. Ón deasc fáilte a fuair Réamonn an treoir, nuair a ghlaoigh sé orthu ar a ghuthán póca. Bhí ainm Mharia, máthair Róisín Mhic Aogáin, ar eolas aige ón bhfiosrúchán agus lig sé air gur dhuine dá comharsana é. Níorbh í Maria ba spéis leis, áfach, ach Mel.

Tráthnóna Luain a bhí ann agus bhí Réamonn fós ina othar tar éis ceithre lá is oíche san áit. Bhí a ghualainn chlé nimhneach, na matáin agus na teannáin brúite, gortaithe, agus bindealán cosanta air go fóill. Ach ní raibh sé ag casachtach a thuilleadh. Ní raibh cnámh ar bith briste. Bhí bindealán ar a lámh chlé freisin ach bhainfí de i gceann lae nó dhó eile é, go gcneasódh a chraiceann dóite faoin aer. Bhí sé in ann siúl thart ar a chonlán féin.

I gcaifé thuas staighre san ospidéal a bhí sé, ag

féachaint amach ar an halla mór ard i gcroí an fhoirgnimh. Bhí bealach siúil crochta mar a bheadh balcóin ar thrí thaobh den halla uachtarach, ó bharr an staighre ar an taobh thall chomh fada le doirse na mbardaí uachtaracha, agus as sin go dtí an caifé ina raibh sé. Bhí droichead siúil idir barr an staighre agus an caifé, agus radharc den scoth ón droichead sin ar na daoine a bhí ag dul thar bráid thuas agus thíos.

Theastaigh uaidh féachaint idir an dá shúil ar Mhel agus freagra críochnúil a fháil ar cheist an chigire. Ní raibh an t-údarás aige a bheith ag faire air, ach níor leor dó a phictiúr a fheiceáil sa nuachtán ná a bheith ag brath ar a chuimhne ar an bhfear a chonaic sé ar loc na canálach. Cinnte, bhí an baol ann go n-aithneodh Mel é siúd freisin, go háirithe dá mba é a bhí ciontach as an tine, ach b'éigean dó an seans sin a ghlacadh. B'fhearr leis míle uair dul i gcontúirt ná a bheith ina luí go díomhaoin á sciúrsadh féin de bharr gur theip air freagra ceart a sholáthar. Pictiúir na tine ag greadadh ina cheann. Súile folmha ag glinniúint anuas air ó bhéal an áiléir, ag glinniúint le drochmheas agus le caithréim an scriosta.

Fiche chun a naoi. Spéir na hoíche spréite ar an díon mór gloine os cionn an halla. Am cuairte thart agus plód daoine ar a slí abhaile. Faoiseamh le haithint ar chuid acu, agus cumha ar chuid eile.

Bhí nuachtán aige ach ní raibh sé á léamh. Ní raibh mórán ann faoi chás Shaoirse. An lomábhar céanna á athchúrsáil arís is arís eile. Ba bhreá le Réamonn a fháil amach cad a bhí á rá i measc iriseoirí, ach dá n-iarrfadh sé ar Aoife teacht ar cuairt air, bhí an baol ann go siúlfadh an sáirsint nó an cigire isteach ag an am céanna. Sa deireadh, chuir sé téacs chuici ar an Domhnach, ag gabháil buíochais léi as an gcárta dea-ghuí agus á rá go mbeadh sé i dteagmháil a luaithe a scaoilfí abhaile é. Freagra cairdiúil ach pas giorraisc a fuair sé – iontas uirthi, dar leis, nach gceadófaí cuairteoirí dó san ospidéal más amhlaidh go raibh sé ag teacht chuige féin.

Mar a tharla sé, áfach, ní raibh an Domhnach fadálach, aonarach mar a shamhlaigh sé a bheadh. Ní amháin gur thug a aintín agus col ceathrair leis cuairt air san iarnóin, ach tháinig beirt ghardaí ó stáisiún Shráid Chaoimhín isteach an tráthnóna sin, rud nach raibh coinne dá laghad aige leis. Ní raibh mórán aithne aige ar Tom Ó Mórdha ná ar an ngarda eile, Ultán, ach roinneadar blúire eolais leis a chuirfeadh smóilíní ag sclimpireacht i gcroí gach eagarthóir nuachta in Éirinn dá gcloisfidís é.

"Bhíomar ag dul thar bráid," arsa Tom go neafaiseach. "Ní fhanfaimid i bhfad."

"Bhí cuid de na leaids ó Chill Mhaighneann ag caint fút," arsa Ultán. "Bhíomar ag obair le chéile ar an gcás inniu."

D'fhan an bheirt acu ina seasamh go míshocair ar feadh nóiméid. Chuimhnigh Réamonn go tobann ar an mbaoth-bhrionglóid a bhí aige agus dheargaigh sé go bun na gcluas. Mhol sé go tapa go siúlfaidís síos an pasáiste ar mhaithe le haclaíocht dó féin. Bhí suíocháin i leathchiorcal cois fuinneoige, ar sé.

"Tá Mac Aogáin ag comhoibriú linn go dtí seo," arsa Tom ar ball. Bhí blas Bhaile Átha Cliath ar a chuid cainte, rud nach gcloistí ag mórán gardaí. "Cheadaigh sé dúinn a ríomhaire agus a ghuthán a scrúdú."

"Ach níl mórán le rá aige ar a shon féin, an bhfuil?" arsa Ultán, agus meangadh aige le Tom. "Ní cuimhin leis cén t-am a d'fhág sé an príosún an oíche cheana, ná cé eile a chonaic sé ar a shlí amach."

"Tá a lán béime ag an gCig ar an deis a bhí ag an dúnmharfóir doras an chillín a chur faoi ghlas," a mhínigh Tom. "Agus tá's againn go raibh fios na slí ag Mac Aogáin ar fud an phríosúin, tar éis dó a bheith ag obair ansin ar feadh cúpla seachtain. Bhí mé féin ag déanamh staidéir ar léaráid den phríosún, agus tá an leagan amach casta go leor."

Bhí Réamonn fíorshásta a bheith ag comhrá le gardaí a bhí ar comhchéim leis féin. "An amhlaidh go gceaptar gur mharaigh Mac Aogáin Saoirse Ní Néill chun a phósadh féin a thabhairt slán? Agus má bhí fiacha móra air, an é go raibh sé ag súil go nglanfadh a bhean chéile dó iad luath nó mall?"

"Teoiric éigin dá leithéid," arsa Tom. "Tá airgead ag Maria, an mháthair chéile, rud a chiallaíonn nach fada eile go mbeidh Róisín Mhic Aogáin go maith as. Ach dá sceithfeadh Ní Néill scéal an chaidrimh léi, d'fhágfaí Mel bocht ar an trá fholamh."

Bhain Réamonn úsáid as céadainmneacha na bhfinnéithe mar a rinne Tom. "An bhfuil Mel fós á mhaíomh nach raibh sé istigh sa chillín le Saoirse ag am ar bith an tráthnóna sin?"

"Go huile is go hiomlán," a d'fhreagair Ultán. "Ach tá fíric nua ar fáil nach mbeidh éasca dó a shéanadh."

"Táimid ag fanacht ar an toradh DNA," arsa Tom. "Ná bímis ag déanamh talamh slán de chúrsaí ag an bpointe seo, mar a mhúineann an Cig dúinn de shíor." Go lándáiríre a dúirt sé é, ach bhris meangadh éadrom air ansin. "Caithfear a chinntiú ar dtús gurb é siúd an t-athair, tá's agat."

"Bhí sí ag iompar clainne?"

"Bhí go deimhin. Sé nó seacht seachtaine torrach, sin uile." Tháinig luisne leithscéalach ar Tom agus é á rá. "Ní haon chúis mhagaidh é, gan amhras, ach cuireann sé casadh spéisiúil sa scéal."

D'fhan an bheirt ag comhrá deich nóiméad eile. Bhíodar ag dul ag ól cúpla pionta, ar siad, tar éis dóibh lá fada a chaitheamh i mbun comparáide idir na teachtaireachtaí ar ríomhaire Shaoirse agus iad siúd ar ríomhaire Mhic Aogáin. Bhí Réamonn in éad leo agus iad ag imeacht agus eisean ag filleadh go bacach ar a sheomra.

Bhí cuid de shoilse an chaifé múchta agus an fhoireann ag réiteach chun é a dhúnadh. Bhí a shúile greamaithe ag Réamonn de dhoras ag ceann na balcóine, ach bhí eagla air nárbh é sin an t-aon bhealach amach. Ghlac sé cúpla coiscéim go dtí an droichead siúil. Bhí cóta oíche á chaitheamh aige ionas go dtuigfeadh Mel gur othar é – má bhí Mel san fhoirgneamh ar chor ar bith. Bhí an halla thíos staighre ag ciúnú agus formhór na gcuairteoirí imithe abhaile.

Thiontaigh sé a amharc ar ais ar dhoras na mbardaí. Bhí duine ag siúl ina threo, ag útamáil le rud éigin ina lámh. Duine tanaí agus folt geal gruaige air. A cheann cromtha agus é ag gliogáil go díocasach ar a ghuthán. A threabhsar crochta ar a chromáin, barr ildaite a fhobhríste le feiceáil.

Mel a bhí ann. Go streachlánach a shiúil sé, gan stiúir iomlán ag a intinn ar a ghéaga. Stad sé agus d'fhéach i dtreo an chaifé. Bhí a nuachtán ardaithe ag Réamonn. Dá n-imeodh Mel síos an staighre, bheadh air deifriú ina dhiaidh.

Ach thrasnaigh Mel an droichead agus shuigh sé gar do Réamonn. Níor bhac sé le bia ná deoch a cheannach. Bhí sé gafa ag a scáileán. Rómhall sa lá do rásaí capall in Éirinn nó i Sasana, ach bheadh pócar ar líne ar fáil de ló is d'oíche. Bhí a lámha fáiscthe aige ar a ghuthán mar a bheadh ar leanbh a bhí i mbaol a bháite.

Bhí glib ghruaige ag titim anuas ar a shúile. Ní

raibh sé dathúil, shíl Réamonn: a mhuineál scrogallach agus a sheaicéad gearr ag titim go róscaoilte óna ghuaillí corracha. Ach ba léir gur éirigh leis mná córacha a mhealladh, mar sin féin.

Uair na cinniúna. Sheas Réamonn agus leag sé uaidh a nuachtán. Gheobhadh sé radharc ceart ar shúile Mhel nuair a labhródh sé leis.

"Tá brón orm cur isteach ort," ar sé. "Ach tharla dom thú a fheiceáil agus . . ."

"*For fuck's sake!*" Phlab Mel a ghuthán ar an mbord agus stán sé ar Réamonn. Chorraigh sé a chosa agus tháinig eagla ar Réamonn go n-ionsódh sé é.

"Níl uaim ach fiafraí díot . . ."

"Níl uaimse ach tamall dom féin!" Chuir Mel a lámh in airde, á thabhairt le fios gurbh é siúd a bhí faoi ionsaí. "Níl spéis ar bith agam i do chomhluadar."

Thuig Réamonn nár aithin an fear eile é. B'fhiú dó labhairt leis. "Is mise a bhí i mo sheasamh ar an loc leat cúig lá ó shin," ar sé go ciúin, "nuair a bhí tú i mbaol titim san uisce."

"*So* is garda *so-called* síochána thú? *Have-a-go fuckin' hero* atá ag ligean ort gur othar bocht san ospidéal thú chun gur féidir leat teacht anseo ag spiaireacht orm? In ainm Dé!"

Shuigh Réamonn síos in aice leis. Bhí malaí tiubha ar Mhel, a chuir le báine a chraicinn. B'in a bhí neamhghnách, na malaí dorcha ar dhuine fionn, ach rith sé leis go raibh dath curtha ag Mel ina chuid gruaige. Ní raibh a shúile dorcha, pé scéal é. Dath bánghorm a bhí ar an dá imreasc, agus thairis sin, bhíodar leamh, marbhánta, fiú agus é ag labhairt go feargach. Bheadh Réamonn in ann freagra cinnte a thabhairt ar an gcigire anois.

Tharraing sé siar imeall an bhindealáin ar a lámh chlé agus thaispeáin sé beagán dá chraiceann briste do Mhel. "Is othar anseo san ospidéal mé, geallaim duit é," ar sé. "Nílim ag obair ar an bhfiosrúchán anois, ach nuair a chonaic mé anseo thú, theastaigh uaim fiafraí . . ." Bhí sé in amhras go dtí sin cad a déarfadh sé. "An cheist is mó atá do mo chiapadh faoin eachtra ag an loc ná an raibh tú i ndáiríre faoi tú féin a mharú?"

Bhí Mel ag faire air go tostach, drochmheasúil. D'fhéach sé síos ar a ghuthán cúpla uair, ach sa deireadh, d'fhreagair sé é. "Tá mé dubh dóite de," ar sé. "Mo shaol ina chac agus gach focar san áit ag stánadh orm. Má labhraím leatsa, osclóidh mé ceann de na páipéir lofa amárach agus feicfidh mé mo chuid focal i riocht bréige."

"Is mise a bheadh i dtrioblóid dá dtarlódh sin," arsa Réamonn go mear. "Comhrá eadrainn féin atá ar siúl againn, tugaim m'fhocal duit faoi sin. Is ar mo shon féin atá sé."

D'athraigh gnúis Mhel ar éigean. Beartaíocht nó gliceas le feiceáil air, dar le Réamonn. Eolas á lorg aige dó féin mar mhalairt ar pé rud a déarfadh sé.

"Cé mhéad duine atá faoi amhras agaibh?" a d'fhiafraigh sé. "Duine amháin nó scata?"

"Nílim páirteach san fhiosrúchán, mar a dúirt mé.

Ach tá mé lánchinnte go bhfuil liosta daoine faoi amhras."

Choimeád Mel a shúile air, mar a bheadh cat ag faire ar éinín. "Agus cé mhéad acu sin a cheistigh sibh faoi thrí?" Tuin na cathrach go láidir ar a chuid cainte, agus a ghuth sách tanaí, éadrom, ar aon dul le dreach a choirp.

"Bhí tú an-suaite ag an gcanáil," arsa Réamonn. "Ba bhreá liom dá n-inseofá dom . . . ?"

"An fáth nár inis mé duit é ná nach bhfuil focain tuairim agam cad a bhí ar m'intinn an tráthnóna sin. An é go gceapann sibhse go mbíonn fáth maith ann i gcónaí le gach rud a dhéantar?"

Rug Mel ar a ghuthán an athuair agus ghliogáil sé air go mear. Ach nuair a bhraith sé Réamonn fós ag faire air, d'fhéach sé in airde arís ar feadh nóiméid. "Bhí saol breá agam, tá's agat. Sular chaill mé mo phost dhá bhliain ó shin, níor chreid mé go mbeinn riamh gann ar airgead. Nuair a phós mé mo bhean chéile, chreid mé go mbeimis sona sásta go brách. Agus anois féach mar atá, agus Saoirse ina luí marbh . . ."

Thapaigh Réamonn an deis le ceist nua a chur air. "Cad a bhí ina teach ag Saoirse, an dóigh leat, gurbh fhiú do dhuine éigin é a chur trí thine?"

"Cá bhfios? Ní raibh mise ina teach le coicís anuas, tar éis do *Biddy busybody* trasna an bhóthair a bheith ag gliúcaíocht orainn."

"An dóigh leat go raibh eagla uirthi go mbrisfí isteach sa teach?"

Chroith Mel a cheann. "Ní bhíonn deireadh le bhur gceisteanna riamh, an mbíonn? *No dice*, níl an freagra agam."

"An labhair sí faoi dhaoine óga ag tabhairt trioblóide ar an mbóthar?"

Thug Mel neamhaird air ar feadh fiche soicind agus é ag cló ar an nguthán lena dhá lámh. Ansin leag sé uaidh an gléas agus d'fhéach sé thart air, in ainneoin nach raibh aon duine eile sa chaifé. "Bhí sí imníoch faoi dhream *scumbags* sa cheantar ceart go leor," ar sé faoina anáil. "Drugaí á ndíol ar an mbóthar, an sórt sin ruda."

"Agus cén bhaint a bheadh aige sin leis an tine?"

"D'iarr sí orm féachaint san áiléar, *right*? Bhí eagla uirthi go raibh duine acu tar éis drugaí a chur i bhfolach ann."

"Cén fáth go ndéanfaidís sin?"

Chroith Mel a ghuaillí caola. "Tusa Sherlock, ní mise. Chuala sí torann thuas ar an díon oíche amháin, a dúirt sí liom. Agus má bhí soláthar mór faighte acu le díol, *pretty obvious* go mbeadh orthu é a choimeád i bhfolach."

"An ndeachaigh tú suas san áiléar, mar sin?"

Thug Mel súilfhéachaint dó a raibh gliceas ann arís. "*Trick question,* Sherlock. Má deirim anois go raibh mé san áiléar, an chéad rud eile a déarfaidh tusa ná gur mise mé féin a chuir na drugaí ann. Níor cheart dom mo bhéal a oscailt faoi ar chor ar bith."

"Ach chabhraigh tú léi, mar sin féin? Tuigim go bhfuil sé deacair duit faoi láthair . . ."

"Ní thuigeann tú *fuck all*." Chlúdaigh Mel a shúile le lámh amháin agus stán sé ar an mbord. Go searbh a labhair sé ar ball. "Is éard a rinne mé ná dhá choiscéim a thógáil isteach san áiléar. Chonaic mé go raibh an doras beag ón áiléar amach ar an díon briste agus dheisigh mé di é. *Which means* nach raibh na *scumbags* in ann teacht isteach arís ón díon." D'fhéach sé arís ar Réamonn. "Ach níl *clue* agamsa arbh iad an dream céanna a las an tine ar mhaithe le pé fianaise a d'fhágadar san áit a scrios."

"Ar chuardaigh sibh san áiléar?"

"Bhí an áit lán de bhoscaí agus *crap* eile a bhain leis na húinéirí. Bhí rudaí eile le déanamh againn lenár gcuid ama."

"Agus ar inis tú an méid seo cheana?"

"*You mean*, do do chairde sa stáisiún atá ar bís le mé a ghabháil agus a chaitheamh sa Joy?" Rug Mel ar a ghuthán agus chuir sé síos ina phóca é. D'fhan Réamonn ina thost agus é ag faire air.

"Abair liom seo anois," arsa an fear eile go tobann. "Cad chuige go maróinnse Saoirse Ní Néill?" Siosadh cainte a bhí aige de réir mar a d'éirigh sé suaite. "Chuala tú na ráflaí faoin am seo, tá mé *bloody* cinnte? Go raibh sí leagtha suas agam agus páistín le bheith aici dom? Agus cad a rinne mé, dar libhse, ach í féin agus an páistín bocht a mharú? *Christ Almighty!* Agus anois ba mhaith leat a thuiscint cén fáth go mbeadh fonn orm léim sa chanáil an chéad tráthnóna eile?"

D'airigh Réamonn a chuid fuinnimh ag trá. Bhí craiceann na fírinne ar scéal Mhel ach d'fhéadfadh sé a bheith á insint ar mhaithe leis féin freisin. Níorbh é siúd a chuir an teach trí thine ach d'oirfeadh sé dó aird a tharraingt ar dhaoine eile a raibh trioblóid ag Saoirse leo, má b'fhíor.

"Tá mise ag imeacht liom sa diabhal," arsa Mel. "Tá mé tinn tuirseach den chaint seo ar fad."

"Tá mé an-bhuíoch díot," arsa Réamonn go leamh. Ní raibh a fhios aige an raibh buntáiste faighte aige ar Mhel nó a mhalairt. D'fhéach sé air agus é ag siúl trasna an droichid, a cheann crochta agus a chosa á dtarraingt aige faoi mar a bheadh meáchan mór iontu. An raibh sé in ísle brí de bharr go raibh brú míréasúnta á chur ag na gardaí air, nó de bharr a chiontaíola sa dúnmharú?

"Cén t-am a shocraigh tú casadh le Réamonn, a dúirt tú?"

"Cén fáth? An é gur mhaith leat teacht in éineacht liom, má imíonn Cormac go luath?"

"Cén fáth nach bhfreagraíonn tusa ceist amháin, a Mham, sula gcuireann tú dhá cheann eile orm?" Bhí Sal ag doras a seomra codlata, tuáille mór fillte timpeall ar a cabhail agus a cosa nocht. Bhí daichead nóiméad caite aici cheana á réiteach féin, ó d'fhill sí ón gcoláiste agus an scéal aici d'Aoife go raibh Cormac Ó Néill ag teacht ar cuairt orthu.

"Am ar bith tar éis a hocht, a dúirt Réamonn," arsa Aoife. "Ar ndóigh, tá mé ag súil go mór le comhaid Shaoirse a fheiceáil, ach más fearr leat go rachainn amach níos luaithe . . . ?"

"*Honestly,* n'fheadar cad atá á rá agat?" Chuimil Sal tuáille beag dá cuid gruaige, a bhí fliuch fós. "Tá's agam gur ghlaoigh Cormac orm cúpla uair ag an deireadh seachtaine agus gur aontaigh mé casadh leis ar feadh leathuaire inné. Ach tá sé cúig bliana níos sine ná mé, agus geallaim duit nach é mo *type* é, más é sin atá á chur in iúl agat. *I mean, please,* tá sé ag obair i gcúrsaí airgeadais, *so how boring is that,* abair liom?"

Chuaigh Sal isteach ina seomra nuair a bhí a ráiteas déanta aici, agus chuala Aoife tarraiceáin á n-oscailt is á ndúnadh. Tráthnóna Máirt a bhí ann, ceithre lá ó casadh Cormac orthu ar dtús. De réir mar a thuig sí ó Shal, bhí a thuismitheoirí fillte ón Iodáil, bhí máthair agus deartháir Shaoirse ag eagrú eitiltí le teacht go hÉirinn, agus bhí socruithe iomadúla ar bun don tsochraid. Ach ba léir nár dhearmad sé a gheallúint maidir le taifid ríomhaire Shaoirse a thaispeáint dóibh.

Bhí Aoife sásta gur shocraigh sí féin casadh le Réamonn níos déanaí an tráthnóna céanna, áfach. Bhí beagnach seachtain caite aici in aontíos le Sal agus bhíodar ag éirí crosta le chéile. Rinne Aoife a míle dícheall gan a ladar a chur i gcúrsaí a hiníne, agus d'fhógair Sal go rialta go raibh fáilte roimh a máthair a rogha rud a rá. Ach bhí teannas ag fás eatarthu mar sin féin, iad beirt ag faire ar gach focal agus gníomh ón duine eile.

Bhí an teach cúng agus thapaigh Aoife gach deis a fuair sí dul amach. Thug sí cuairt ar shean-chomharsana léi i nGlas Naíon, áit ar chuir sí aithne ar Shaoirse ar dtús. Bhí lón aici le beirt iriseoirí a d'inis di go raibh fíorbheagán sonraí á sceitheadh ag na gardaí. D'éirigh léi teagmháil a dhéanamh le cara Shaoirse Tara, a d'fhreastail ar an ócáid mar aon lena cuid mac léinn. Shocraigh sise go gcasfadh Aoife leis na mic léinn níos déanaí sa tseachtain; cúigear acu a bhí in éineacht léi, a dúirt sí, agus ní raibh a fhios aici cérbh iad an bheirt bhan eile a raibh na caillí Muslamacha orthu ag an ócáid.

D'éirigh le hAoife casadh le Harry Ó Tuathail freisin. Fuair sí tuairisc roimh ré air ó dhuine de na hiriseoirí: an-ghnaoi ag an bpobal air, a dúirt sí, é dúthrachtach i gcónaí ag éileamh áiseanna don cheantar agus lámh aige ina lán cumann spóirt is carthanachta. Bhí airgead ag a mhuintir ó ghnó crua-earraí agus chaith sé formhór a chuid ama leis an obair dheonach. An leithscéal a thug Aoife dó ná gur iarr muintir Shaoirse cuntas uaithi ar an saol a bhí aici i gCill Mhaighneann agus na daoine ar chuir sí aithne orthu. Ach bhraith Aoife gur chreid Harry, mar a chreid Janis, go raibh sí ag ullmhú le haltanna a scríobh do na nuachtáin faoi bhás a seancharad. Bhí an-chuimhne aige ar a cuid iriseoireachta, ar sé go moltach, go háirithe na scéalta a nocht sise agus daoine eile faoin drochphleanáil sa chathair.

I gcaifé an Bhrú Ríoga a bhíodar, i seomra fada stuach san íoslach. Thug sé sonraí teagmhála di do choiste áitiúil an taispeántais agus dúirt go raibh an pobal an-mhíshuaimhneach toisc nár gabhadh aon duine as an dúnmharú. Bhí aithne aige ar chuid de ghardaí Chill Mhaighneann, ar sé, ach ní raibh ráflaí á scaipeadh acu go fial. An imní a bhí air ná go mbeidís i liombó fiosrúcháin ar feadh seachtainí nó míonna fada.

"Cad faoi bhfear a bhfuil gach duine ag trácht air, Mel Mac Aogáin?"

Mheasc Ó Tuathail spúnóg siúcra ina chuid tae go mall. Fear é a bhí dathúil tráth, dar le hAoife, agus a rian sin fós ar a aghaidh óigeanta. "Chuala mé go bhfuil finné amháin ar a laghad a chonaic Mac Aogáin lasmuigh den chillín tamall tar éis a hocht a chlog," ar sé. "Ní fianaise láidir í ach is cinnte go bhfágann sé Mac Aogáin faoi amhras. Mar sin féin, más é atá ciontach, caithfidh gur thuig sé go nochtfaí a rún maidir leis an gcaidreamh idir é agus an bhean óg."

Lean Aoife uirthi go comhráitiúil. "Agus conas mar a d'éirigh leat leis na daoine eile a chonaiceamar ar an CCTV? Beirt fhear gnó, nárbh ea? Is cuimhin liom go raibh duine acu bacach."

"An fear ón Meánoirthear?" Chroith Harry a cheann. "Níor éirigh liom labhairt leis fós, faraor. Bhuail mé isteach chuige faoi dhó ach dúradh liom go raibh sé as láthair. Agus níl a fhios agam . . ." Bhí an éiginnteacht sin ina bhealach cainte a thug Aoife faoi deara cheana. "Bhuel, pé scéal é, beidh na gardaí tagtha suas leis faoin am seo. Go bhfios dom, tá sé ag obair anseo go dleathach agus níl cúis ar bith aige a bheith faichilleach faoi na húdaráis."

"Tuigim," arsa Aoife. Bhí sí ar tí ceist a chur faoin bhfear eile gan ainm ar an CCTV, an bainisteoir óstáin a luaigh sé. Ach bhí bean ag dul thar bráid a stad nuair a d'aithin sí Ó Tuathail. Bhí achainí éigin aici faoi chúrsaí páirceála sa cheantar, a phléigh sí go cuimsitheach. Bhí sí fós ag an mbord nuair a tháinig fear scothaosta anall chucu agus ticéid chrannchuir á ndíol aige do chlub dornálaíochta don aos óg. Rinne Harry meangadh le hAoife agus cheannaigh sé leabhrán ticéad. Cheannaigh Aoife féin cúpla ticéad in ainneoin nár thaitin an dornálaíocht léi. Bheadh uirthi casadh le Harry Ó Tuathail lasmuigh dá thoghlach feasta, ar sí léi féin.

"Is costasach an gnó í an pholaitíocht," ar sé agus meangadh air nuair a bhí an bord fúthu féin arís. "Bíonn lucht na meán ag síorghearán faoin airgead mór a íoctar linn, ach ní luaitear riamh na fortúin a bhíonn orainne a chaitheamh ar gach carthanas sa cheantar." Chuir sé na ticéid i bpóca a sheaicéid agus thug sé spléachadh ar a uaireadóir. "Beidh orm imeacht gan mhoill," ar sé, "ach tá cuimhne tagtha chugam anois agus muid ag trácht ar chúrsaí airgid. Bhí comhrá beagán aisteach agam le Saoirse, a bhain le brú airgid a bheith uirthi."

"An mar sin é?" arsa Aoife. Mheabhraigh sí di féin arís gan gothaí an iriseora a bheith uirthi. "Shíl mé nach raibh mórán aithne agat uirthi?"

"Níor labhair mé léi ach dhá nó trí huaire, faraor. An ócáid áirithe seo, bhí sí i dtábhairne ar Bhóthar Emmet in éineacht le grúpa ón gcoiste a bhí ag cabhrú léi. Bhuail mise isteach ar mo shlí abhaile ó chruinniú agus d'ól mé deoch leo. Tharla dom a bheith i mo shuí in aice le Saoirse agus thosaíomar ag comhrá faoin bpríosún. Is cuimhin liom go ndúirt mé léi gur bhreá liom go mbeadh drámaí agus ceolchoirmeacha ar siúl ann arís mar a bhí cúpla uair cheana, agus go raibh sise an-tógtha leis an smaoineamh go ndéanfaí dráma de scéal Ellen Cassidy. Bhí pearsantacht Ellen ag dul i bhfeidhm go mór ar a cuid samhlaíochta, a d'inis sí dom."

"Ach cad a bhí chomh haisteach faoin gcomhrá, mar sin?"

"Bhí sí measartha súgach, leis an bhfírinne a rá, agus níos mó vodca ná sú oráiste ina gloine, déarfainn. Dúirt sí liom go raibh deontas faighte aici don taispeántas, ach go raibh airgead dá cuid féin caite aici freisin. Ansin thiontaigh sí isteach chugam agus ar sí nach mbeadh pingin fágtha aici do dhráma ná eile, dá leanfadh sí mar a bhí. Bhí sí róbhog lena cuid airgid, a d'fhógair sí. Thug mise freagra an-ghinearálta uirthi, mar go raibh an comhrá níos pearsanta ná mar ba mhaith liom. Ach lean sí uirthi agus dúirt go raibh airgead á éileamh uirthi ag duine áirithe agus nach dtabharfadh sí a thuilleadh dó." Stad Harry agus d'fhéach sé ar Aoife. "N'fheadar arbh é an t-ól a bhí ag caint, ach ba chóir dom an méid a dúirt sí a lua leis na gardaí, ar eagla go mbeadh tábhacht ar bith leis."

Ba é an liombó a luaigh Harry Ó Tuathail a bhí ag déanamh tinnis d'Aoife faoi thráthnóna Máirt. Ghlaoigh a fear céile Pat uirthi ag am tae, á rá nach dtiocfadh sé féin ná a mac Rónán chuig an tsochraid.

Bhí fonn air a bheith ann ach bheadh an turas rófhada dóibh. Bhí sé ag freastal ar chuairteoirí ina dteach aoíochta i mBéarra, bhí imeachtaí éagsúla ar siúl ag Rónán le linn shaoire na Samhna ón scoil agus, mar ab eol d'Aoife cheana féin, bhí obair mhór le pleanáil agus le cur i gcrích i gcistin an tí. Dá luaithe a d'fhillfeadh sí abhaile, ba ea ab fhearr é. Ní raibh de fhreagra ag Aoife ach go raibh súil aici filleadh tar éis na sochraide. Níor inis sí dó go raibh sí ar a míle dícheall nod éigin a fháil cad ba chúis le bás Shaoirse. Ba bhreá léi an cás a phlé leis, a dúirt sí léi féin, ach bheadh sé ródheacair sin a dhéanamh ar an nguthán.

Bhí an seomra a bhí aici i dteach Shal an-bheag agus b'éigean di a mála éadaí a choimeád i gcófra sa halla. Bhí sí ag póirseáil ann nuair a chuir Sal a cloigeann amach doras a seomra codlata. "Má tá tú díomhaoin," ar sí go leithscéalach, "ba mhór an cúnamh é dá gcuirfeá slacht éigin ar an áit thíos staighre? Ar mhiste leat? Níor bhac na daoine eile, *usual story.*"

Seanteach i gCill Mhaighneann a bhí ar cíos ag Sal mar aon le beirt mhac léinn eile. Bhí déanamh neamhghnách air: teach aon stór a bhí le feiceáil ón tsráid, ach bhí an tsráid thuas ar ard os cionn ghleann abhainn na Camóige, agus teach dhá stór a bhí ann ar cúl. Laistigh den doras tosaigh, bhí staighre géar síos go dtí an t-íoslach, áit a raibh seomra suite chomh maith le cistin a d'oscail amach chuig an gclós. Thuas ar urlár na sráide a bhí na seomraí codlata ag Sal agus a cairde, ach cuireadh síneadh leis an teach dhá nó trí huaire freisin, gan mórán caoi ar an obair, agus bhí seomra amháin amach ó léibheann leathshlí síos an staighre. Is sa seomra sin a bhí leaba Aoife.

Bhí sí ag mallachtú faoina fiacla fad a bhí an chistin á slachtú aici. Ní duine an-slachtmhar a bhí inti féin agus ba bheag an fonn a bhí uirthi glanadh suas don dream óg, rud a bhí déanta aici faoi thrí ag an deireadh seachtaine. Ba cheart di lóistín eile a shocrú, ar sí léi féin. Rófhada a bhí sí sa teach cheana féin. Bhí cairde agus gaolta aici i mBaile Átha Cliath a thabharfadh leaba di ar feadh cúpla oíche.

Chuala sí cloigín an dorais thuas staighre á bhualadh. Thriomaigh sí a lámha agus d'fhan sí ag bun an staighre. Bhí monabhar guthanna os a cionn, agus cosa Shal le feiceáil aici, iad gléasta i mbróga ísle bándearga. Glacadh coiscéim isteach chuig a hiníon agus chonaic Aoife na bróga dubha snasta a bhí ar Chormac. Gan ach cúpla orlach idir é agus Sal agus iad i mbun comhrá.

Ar bhord beag os comhair an toilg a bhí an ríomhaire. Mheas Aoife go mbeadh níos mó compoird acu ag bord na cistine ach choimeád sí a béal dúnta nuair a d'fhógair Sal go suífeadh sí féin agus Cormac ar chuisíní ar an urlár. Ba léir d'Aoife go raibh Sal gléasta go feiliúnach chuige sin: luiteoga dubha ar a cosa, a shín sí amach go cruthúil ar an urlár; léine ildaite go mására os a gcionn; agus crios mór a léirigh a com caol chun feabhais. Rinne Cormac leithscéal go raibh culaith oifige á chaitheamh aige féin, agus ba ríléir ar a ghothaí coirp nach raibh sé de nós aigesean suí ar urlár. B'éigean d'Aoife féin bualadh fúithi ar an tolg agus féachaint thar ghualainn Shal ar an scáileán.

"An raibh pasfhocal in úsáid ag Saoirse?" a d'fhiafraigh Sal de Chormac, nuair a bhí an maide cuimhne a thug sé di curtha sa ríomhaire aici.

"Bhí, ach d'éirigh liom a oibriú amach cad é féin."

"Abair linn."

"Tribeca a seacht." Bhí Cormac ag faire ar Shal ag clóscríobh. "Tribeca is ainm don cheantar i Nua-Eabhrac ina raibh cónaí ar Shaoirse an chéad samhradh a chaith mé thall ansin."

"Agus thomhais tú an pasfhocal mar gheall air sin?"

"Níor thomhais, dáiríre. Bhíomar ag caint ar Nua-Eabhrac mí ó shin agus luaigh sí gur úsáid sí Tribeca agus ainm ceantair eile, Gramercy, mar phasfhocail. Bhí orm uimhreacha difriúla a thriail ansin."

Ghliogáil Cormac ar íocóin an mhaide cuimhne ar an scáileán. Bhí sé ard agus téagartha, ionas go raibh sé deacair dó a chosa a shocrú go sásúil le taobh an bhoird. Bhí óigeantacht ag baint leis, dar le hAoife, mar a bheadh ag buachaill scoile a bhí ag ligean air go raibh sé fásta suas. Mar sin féin, bhí féinmhuinín le sonrú air anois a bhí in easnamh ceithre lá níos luaithe.

Taispeánadh ceannteidil na gcomhad a fuair Cormac ó Shaoirse: *Fís, Fuaim, Ginearálta, Socruithe, Taighde.* Ghliogáil sé ar an gceann deireanach agus chonaiceadar liosta nua cáipéisí, a léirigh réimsí éagsúla den taighde staire: ina measc, *Ellen, Tadhg agus Denis; Conradh na Talún i gCo. Shligigh; Cúinsí oibre ag cailíní aimsire;*

Saol an phríosúin; Striapachas sa 19ú haois; an Ghaeilge sna SA. Bhí comhaid eile ann a bhain le foinsí eolais na staire, ar nós irisí, ábhar cartlainne, suímh idirlín agus an cuntas scríofa a d'fhág Tadhg Cassidy. D'oscail Cormac roinnt cáipéisí agus fuaireadar spléachadh ar shleachta cóipeáilte mar aon leis na nótaí a bhreac Saoirse fúthu. Bhí míreanna ina measc nár bhain go díreach leis an taispeántas: thug Aoife faoi deara comhad dar teideal *Tiarnaí talún i bPáirtí Home Rule,* agus ceann eile maidir le *Mná Éireannacha i Nua-Eabhrac sa 19ú haois.* Thuigeadar nach in aon tráthnóna amháin a léifidís na cáipéisí uile.

"Téigh ar ais go dtí an chéad leathanach," arsa Sal ar ball. Leag sí a méar ar an scáileán. "Sea, féach an teideal *Ginearálta.* Is faoi theidil den sórt sin a chuireann a lán daoine na comhaid is suimiúla a bhíonn acu."

Lean Sal uirthi ag gliogáil agus í ag sciorradh trí cháipéisí éagsúla. *Airgeadas, Lóistín, Sláinte, Socruithe* agus *Taifead Ama* na teidil a thug Aoife léi. Liosta nascanna idirlín a bhí ar an gcéad leathanach faoi *Airgeadas,* agus uimhreacha nó pasfhocail ar an gcéad leathanach eile. Bhí trí nó ceithre cháipéis faoin teideal *Lóistín,* ina measc, cóip den chonradh a bhí ag Saoirse le húinéirí an tí i gCill Mhaighneann, agus liosta óstán agus óstallán i mBaile Átha Cliath.

"An bhfanadh Saoirse le do mhuintir nuair a thagadh sí ar cuairt ar Bhaile Átha Cliath?" a d'fhiafraigh Sal de Chormac.

"D'fhanadh de ghnáth. Ach bhí lóistín eile aici an chéad uair a tháinig sí anseo ag fiosrú scéal Ellen Cassidy, agus b'fhéidir gur chuige sin a bhí na liostaí seo." Réitigh Cormac a spéaclaí ar a shrón agus é ag féachaint arís ar cháipéis an lóistín. "Bhí mo thuismitheoirí san Iodáil ag an am, agus bhí cúrsa ar siúl agamsa i Londain ar feadh cúpla lá."

Shuigh Aoife siar agus í ag iarraidh a bheith compordach ar an tolg. "Cén uair a tharla sin?"

"Timpeall bliain go leith ó shin, um Cháisc. Dúramar léi go raibh fáilte roimpi sa teach ar aon nós, ach bhí an smaoineamh seo aici gur theastaigh uaithi blaiseadh d'atmaisféar an cheantair seo."

"Thart anseo a d'fhan sí, mar sin?"

Scrúdaigh Cormac an liosta arís. "Ní cuimhin liom ainm an óstáin, ach is cinnte nárbh é an Hilton é. Bhí sé gar go leor do Stáisiún Heuston, sílim, agus ar thaobh Chill Mhaighneann den abhainn. Óstallán a bhí ann, creidim, seachas óstán, ach d'inis sí dúinn go raibh a seomra féin aici."

Bhí faobhar beag míshásaimh ar an méid a dúirt Cormac, dar le hAoife. "An bhfaca tú le linn an turais sin í, mar sin? Is dócha gur ag an am sin a chinn sí an taispeántas a eagrú."

Thug sé súilfhéachaint thar a ghualainn uirthi. "D'fhan sí linn ar feadh lae nó dhó ag deireadh a turais. Ach bhraith mé uaithi nach rabhamar chomh mór le chéile is a bhíodh i Nua-Eabhrac."

Chroith Sal a ceann leis go báúil. Bhí sise fós ag dul

siar agus aniar ar na comhaid ar an scáileán. "Níl mórán anseo seachas an t-ábhar taighde, an bhfuil?" ar sí. "Cad faoi ríomhphostanna Shaoirse, agus a cuntas Twitter, agus a cuid ceoil? Ní fheicim rian ar bith díobh."

"Thug mé liom gach rud a fuair mé uaithi." Leag Cormac a lámh ar an méarchlár agus chonaic Aoife mar a theagmhaigh a chraiceann geal le craiceann dorcha a hiníne. Tar éis meandar ciúnais, thiontaigh Cormac chuig Aoife. "Ar mhaith libh gloine fíona a ól?" ar sé. "D'fhág mé buidéal sa chistin agus . . ."

D'éirigh Aoife ón tolg go tapa. "Go raibh míle maith agat, ba chóir dúinn é a thairiscint duit níos luaithe, a Chormaic."

Thosaigh Sal ag éirí freisin ach dúirt Aoife go raibh fonn uirthi a cosa a shíneadh. Bhain sí amach an chistin agus d'aimsigh sí gloiní i gcófra. Tháinig sí ar bhrioscaí agus ar cháis freisin. Uisce a d'ólfadh sí féin go fóill, cé gur chuir an lipéad Iodálach ar bhuidéal Chormaic cathú uirthi. Bhí cuma chostasach ar an lipéad, mar a bhí ar an mbosca beag seacláidí a bhí ar an mbord freisin. Béasa agus airgead araon ag Cormac, ar sí léi féin, agus spéis ina hiníon freisin. Ní raibh sí in ann a dhéanamh amach cad a bhraith Sal faoi siúd – ach pé rud a bhí ar siúl, bhí sí féin ina seanchailleach ina gcomhluadar.

Nuair a d'fhill sí ar an seomra suite, bhí an bheirt eile ag scrúdú an scáileáin, gan focal eatarthu. Leag Aoife síos an tráidire bia agus deochanna ar an urlár. Ní cumha do shaol na mac léinn a d'airigh sí ag an nóiméad sin, ach cumha dá saol seascair sa bhaile i mBéarra.

"Thángamar ar liosta ainmneacha a bhí ag Saoirse," arsa Sal go beoga. D'éirigh sí ar a glúine chun dhá ghloine a thógáil ó Aoife agus iad a líonadh. "Na daoine a fuair cuireadh chuig an ócáid atá ar an liosta, a mheasaimid. Sa chomhad Excel ar a dtugtar *Socruithe* a bhíodar."

Ní ainmneacha amháin a bhí ar an scáileán ach uimhreacha gutháin. Bhí nóta breactha in aice le gach ainm freisin: teideal eagrais a raibh baint ag an duine leis, nó cur síos ar nós *Coiste Áitiúil*, *Iriseoir* nó *Pobal Áitiúil*. I gcásanna áirithe, tugadh an focal *Pearsanta* mar chur síos.

Bhí Cormac ag diúgadh go tréan óna ghloine. "Níor choimeád Saoirse dialann ar a ríomhaire, mór an trua, ach b'fhéidir go gcabhróidh na hainmneacha seo linn ar shlí éigin."

"Ní dóigh liom go bhfuil gach ainm ar an liosta." D'amharc Aoife go grinn ar an scáileán. "Níl na daltaí scoile anseo, feicim, ná Róisín Mhic Aogáin ach oiread."

"Tá an ceart agat," arsa Sal. Scrollaigh sí ar dheis. "Fan soicind, tá colún eile ar imeall an leathanaigh."

Chrom sí féin agus Cormac isteach chuig an scáileán. "Sea, féach air seo," ar seisean. Shín sé a mhéar chuig líne a raibh an t-ainm Mel air, agus '+2' breactha ina dhiaidh. "Caithfidh gur nod é seo go raibh beirt eile le teacht in éineacht le Mel?"

"*Yeah,* sin é. Féach ar Tara, cara Shaoirse, tá '+5' scríofa ina colún siúd, do na mic léinn a thug sí léi óna cúrsa."

"Rud a chiallaíonn," arsa Aoife, "gur inis Tara an fhírinne dom faoin mbeirt bhan eile a raibh caille orthu. B'fhéidir go bhfuil Réamonn tar éis a chloisteáil cé hiad féin."

Bhí Sal ag marcáil na n-ainmneacha a d'aithníodar. "Táimid ag glacadh leis gur mná iad an bheirt acu. Ach d'fhéadfadh fear é féin a cheilt faoi ghléasadh den chineál sin, nach fíor dom é? Agus ná dearmad go bhfacamar fear féasógach in éineacht leo ar an CCTV, pérbh é féin."

Bhí Aoife i mbun machnaimh. Bhí sonraí teagmhála aici anois nach raibh ar fáil di cheana. Ach ní raibh sí róthógtha leis an leithscéal a thug sí do Harry Ó Tuathail agus daoine eile maidir le cuntas a thabhairt do mhuintir Shaoirse ar na daoine a chuir aithne uirthi. Is éard a bhí uaithi ná leithscéal nua.

"An bhfuil socrú déanta don searmanas cuimh- neacháin sa phríosún, a Chormaic?" a d'fhiafraigh sí. "Nó ar bheartaigh sibh fós cé a gheobhaidh cuireadh chuige?"

Tháinig cuma bhuartha air agus é á freagairt. "Sochraid phríobháideach a theastaíonn ó mháthair Shaoirse, rud a thuigimid go léir. Ach maidir leis an searmanas, b'fhearr le stiúrthóir an phríosúin go mbeadh sé ann ar an Déardaoin seachas ar an Satharn. An deacracht ná nach bhfuil againn ach dhá lá idir seo agus an Déardaoin . . ."

Chonaic Aoife printéir ar an urlár i gcúinne an tseomra. Dá nglacfadh Cormac leis an moladh a bhí aici, dhéanfadh sí cóip den liosta láithreach.

"Más mian leat é, is féidir linne cabhrú leat," ar sí leis. "An réiteach is simplí ná cuireadh a thabhairt do gach duine atá ar an liosta seo. Agus tá mise sásta glaoch orthu, más maith leat . . ."

Ghearr Sal isteach uirthi. "An-áisiúil, a Mham. Glaofaidh tú orthu agus ansin, *by the way,* déanfaidh tú comhrá beag faoi Shaoirse agus an sórt *vibe* a fuaireadar uaithi sna seachtainí deireanacha? Sin atá i gceist agat, nach ea?"

"Go raibh míle maith agat, a Aoife," arsa Cormac go tapa. "Ach nach bhfuil contúirt áirithe ann, mar sin féin? Tá seans láidir ann go bhfuil an dúnmharfóir ar an liosta seo." Bhí greim súl aige ar Shal. "Níor mhaith liom go mbeadh aon duine anseo i mbaol . . ."

"Tá mise sásta na glaonna ar fad a dhéanamh," a d'fhreagair Aoife. "Tuigim an rud atá á rá agat ach beidh mé ceart go leor nuair atá leithscéal agam don ghlao. Míneoidh mé go bhfuil tusa gafa le cúraimí eile, a Chormaic. Agus beidh tusa gnóthach sa choláiste, a Shal."

Bhí an socrú á stiúradh ag Aoife mar a d'oir di féin. B'fhearr go mór duine amháin i mbun na nglaonna ná triúr. Bhí Sal in ann a bheith béalscaoilte, agus maidir le Cormac, mheas sí nach raibh sé an-aibí ann féin.

Bhí sí cromtha ag an bprintéir nuair a chuala sí a guthán ag bualadh sa chistin. Chuaigh sí sa tóir air agus chonaic sí go raibh teachtaireacht fágtha ag Réamonn di. Leithscéal a bhí á dhéanamh aige go raibh sé spíonta tuirseach agus go mbeadh air cuairt Aoife a chur ar athló. Bhí an-bhrón air, ar sé faoi dhó, ach bhí súil aige socrú eile a dhéanamh laistigh de chúpla lá.

Shuigh Aoife ag bord na cistine. Mallacht agus damnú ar Réamonn. An amhlaidh go raibh sé spíonta i ndáiríre, nó an raibh cluiche de shórt éigin á imirt aige? Duine iomaíoch ab ea é agus b'fhéidir gur bhraith sé go raibh Aoife ag bagairt ar a chuid talún i gCill Mhaighneann. Nó arbh é an Sáirsint Lombard a choisc air labhairt le hAoife? Bhí cúpla glao faighte aici ó Lombard agus gan socrú déanta aici casadh leis fós. Ba chuimhin léi go maith go ndúirt Cormac léi go raibh Lombard sotalach leis siúd oíche na tine.

B'fhéidir go raibh Réamonn traochta, mar a dúirt sé. Chuaigh Aoife go dtí an leithreas agus í ag meabhrú conas an tráthnóna a chaitheamh. Bhí dul chun cinn beag déanta acu ó d'aimsíodar an liosta teagmhála, agus ba mhaith léi leathuair an chloig eile a chaitheamh ar na comhaid. Ina dhiaidh sin, ba chóir di dul amach ag féachaint ar óstáin sa cheantar. Thug sí suntas sa scáthán do na rútaí liatha ina folt gearr rua. Bhí sí meánaosta, ní raibh aon dul as, agus a dóthain aici de chomhluadar na mac léinn.

Nuair a thrasnaigh sí an halla, thug sí faoi deara nach raibh fiú monabhar cainte le cloisteáil ón mbeirt eile. Mhoilligh sí ar a céim agus stad sí ag doras an tseomra. Bhí Sal agus Cormac fillte, cuachta ina chéile agus iad ag pógadh go fíochmhar. Bhí an bord brúite as an mbealach, Sal sínte siar in aghaidh an toilg agus Cormac ar a ghlúine á fháisceadh féin chuici. Bhíodar beag beann ar an doras á oscailt aici go bog.

Chúlaigh sí ar a barraicíní agus suas an staighre go dtí a seomra féin. Shac sí cúpla ball éadaigh síos ina mála agus suas léi go dtí an doras tosaigh. Chuirfeadh sí seomra óstáin in áirithe agus ansin sheolfadh sí téacs chuig Sal. Bheadh deis aici féachaint ar na comhaid lá eile. Tharraing sí uirthi a cóta agus dhún sí an doras tosaigh ina diaidh.

Sheas sí faoi lampa sráide, ag deimhniú ainmneacha na n-óstán sa cheantar ar a guthán. Ní óstallán a bhí uaithi mar a roghnaigh Saoirse, ach compord agus príobháideachas tar éis a seala i dteach a hiníne. Tráthnóna ciúin tostach a chaitheamh ina haonar, b'in an taom a bhí tagtha uirthi.

Shiúil sí i dtreo an Hilton. Mura mbeadh costas as cuimse ar an seomra, is ann a d'fhanfadh sí go dtí deireadh na seachtaine. Bhí an liosta teagmhála a chóipeáil sí ón ríomhaire ina lámh aici ó d'fhág sí an seomra suite an chéad uair. Chuirfeadh sí tús leis na glaonna ar a sáimhín só ina seomra féin.

*Á*rasán lom, simplí a bhí ag Réamonn. Seomra cónaithe a raibh an chistin mar chuid de, seomra codlata, seomra folctha, agus halla ina raibh spás stórála. Bhí tolg beag agus teilifíseán sa spás suite mar aon le tine gháis agus leabhragán, agus balla deighilte idir é agus an spás cistine. Thug doras mór gloine slí amach ar bhalcóin chúng agus bhí an t-aon bhord amháin sa seomra gar don doras sin. Ní raibh ar na ballaí go fóill ach dhá phictiúr bheaga, grianghraif a ghlac sé féin, agus é in amhras an rabhadar sách maith le crochadh, agus bhí planda amháin ar an gcuntar a thug duine dá aintíní dó.

Bhí ceithre chathaoir ag gabháil leis an mbord, iad socraithe go néata ar an urlár snasta adhmaid. B'annamh an dara cathaoir in úsáid, gan trácht ar na ceithre cinn. I mí Iúil a cheannaigh sé an t-árasán, agus ó shin i leith, ní raibh cuairteoirí aige ach ar thrí ócáid. Ach anois, tráthnóna Máirt agus é díreach tagtha abhaile ón ospidéal, bhí beirt a d'iarr teacht ar cuairt air.

Ghoill sé air roghnú eatarthu. Ba í Aoife Nic Dhiarmada a chuir sé ó dhoras, áfach, agus bhí imní air go raibh stuaic uirthi dá bharr. Ceart go leor, mhol sí dó sos maith a ghlacadh, ach bhí sé in amhras an le teann caradais nó searbhais a dúirt sí e. Bhí bearna aoise eatarthu, agus lena chois sin, ní raibh sé riamh ar a chompord léi go hiomlán: bhí pearsantacht láidir, teanntásach aici a d'fhágadh lagmhisneach air uaireanta faoina chuid tuairimí féin. Ag an am céanna, bhí sé buartha go n-imeodh sí abhaile go Béarra sula gcasfaidís le chéile; agus bhí sé an-bhuartha go raibh síol nimhe curtha ag Enzo Lombard ina hintinn maidir leis féin.

Ba bheag nár léim sé as a chathaoir nuair a buaileadh cloigín an árasáin. Bhrúigh sé ar an gcnaipe idirchumarsáide agus chuala sé guth íseal a chuairteora thíos i halla an bhloc árasán. Ar an tríú hurlár a bhí a árasán, a mhínigh sé, uimhir a tríocha is a dó. D'fhéach sé thart air go tapa ach bhí an áit chomh néata, sciomartha is a bhí cúig nóiméad níos luaithe. Carnán beag irisí brúite faoin tolg aige agus duilleog fheoite bainte den phlanda. Paicéad brioscaí ar chuntar na cistine, agus bainne úr sa chuisneoir mar aon le buidéil bheorach. B'annamh a d'óladh sé alcól sa bhaile ach seans go ndéanfadh sé eisceacht anocht.

"Tá súil agam nach bhfuilim ag cur isteach ort?" an chéad rud a dúirt Tom Ó Mórdha ag doras an árasáin. Fuair Réamonn téacs uaidh ag a seacht a chlog, ag tairiscint bualadh isteach ar cuairt chuige má b'fhíor don scéala gur saoradh ón ospidéal é. Bhí Réamonn ar tí téacs leithscéil a sheoladh ar ais de bharr an tsocraithe a bhí aige le hAoife, ach ghlan sé na focail agus chuir sé téacs buíochais ina áit. Ba mhó go mór an méid eolais a bheadh ag Tom ná ag Aoife, a dúirt sé leis féin. Agus bhí sé róthuirseach le freastal ar bheirt chuairteoirí in aon tráthnóna amháin.

"Árasán deas," arsa Tom agus é ag dul i dtreo an dorais dhúbailte. Ba é an radharc ar an gcathair an chuid ba mhealltaí den árasán agus ní dhúnadh Réamonn na dallóga riamh. "Ag féachaint ó dheas ar na sléibhte, glacaim leis?

"Ceart agat." D'fhéach Réamonn amach sa treo céanna, ar mhaithe le rud éigin a dhéanamh. Mósáic na mbruachbhailte a bhí ag síneadh amach uathu, Rialto agus Cromghlinn agus as sin go Ráth Fearnáin. "An bhfuil cónaí ort féin sa cheantar?"

"Faraor nach bhfuil. Éad a chuireann sé orm áit mar seo a fheiceáil." Thug Tom súilfhéachaint ghasta ar Réamonn agus chuir sé strainc air féin. "Sa bhaile le Mamaí agus Daidí atá an buachaill seo. Bhí árasán agam ar feadh dhá bhliain ach ardaíodh an cíos agus ní bhíodh cent agam ag deireadh na míosa."

Thug Réamonn faoi deara arís an blas cathrach a bhí ar chaint Tom. Ba chóir go mbeadh na céadta garda de bhunadh na cosmhuintire ag saothrú don phobal, dar leis, ach ní mar sin a bhí. "Tá cúrsaí cíosa go dona," ar sé. Bhí sé fiosrach faoi chúlra Tom ach níor mhaith leis a léiriú gur ag tóraíocht leideanna a bhí sé. "Is dócha . . . Is dócha gur thóg sé tamall ort dul i dtaithí ar bheith sa bhaile arís? An mbíonn turas fada le déanamh agat anois?"

"Turas sách fada, sea. I gCluain Dolcáin atáimid." Chlaon Tom a cheann i dtreo shoilse na cathrach lasmuigh. "Ní fheicfeá ón taobh seo den bhloc é. Amuigh ar imeall thiar theas na cathrach atá m'áit dúchais, má tá eolas ar bith agat air?"

"Níl dáiríre, seachas an t-ainm a chloisteáil."

Rinne Tom meangadh bog. "Is baile stairiúil é Cluain Dolcáin," ar sé, "agus baile mór freisin a bhfuil meascán maith de phobail agus d'aicmí ann. Ach an cúinne áirithe ina bhfuilimse, is minicí gardaí ag gabháil dailtíní agus lucht coiriúlachta ann ná ag filleadh abhaile chuig a leaba féin."

Ní raibh freagra ar bharr a theanga ag Réamonn agus sheasadar gan tada a rá. Bhí mála ríomhaire leagtha ag Tom ar an mbord agus chomharthaigh Réamonn dó suí síos. Chuimhnigh sé ansin ar dheoch a thairiscint. Gloine uisce a d'iarr Tom, agus thairg sé na gloiní a fháil ón gcistin mar gheall ar an mbindealán ar lámh Réamoinn. Bhí siar is aniar eatarthu ar feadh nóiméid, gach duine níos béasaí ná a chéile, ach ar deireadh thug Réamonn dhá thuras go dtí an doirteal. Thug sé spléachadh air féin sa scáthán beag sa chistin ar a shlí. Bhí marc fós ar a chlár éadain san áit ar thit sé ar an staighre, agus deargadh nimhneach ar a ghrua a d'fhág nár bhearr sé é féin le cúpla lá anuas. Ach níorbh aon dochar é sin, ar sé leis féin, mar go raibh a chraiceann róbhog, mín ó nádúr, agus eagla air i gcónaí go gceapfaí go raibh sé i bhfad níos óige ná mar a bhí.

Faoin am a d'fhill sé leis an uisce, bhí an ríomhaire oscailte ag Tom agus leabhar nótaí á thógáil amach aige.

"Tá mé an-bhuíoch díot," arsa Réamonn. "Ní raibh aon choinne agam . . ."

"Ná bac sin. Is leithscéal maith domsa é machnamh arís ar an rud ar fad." D'fhan Tom go dtí go raibh Réamonn ina shuí. Bhí an bord róbheag, dar leis-sean, agus an bheirt acu ag síneadh na gcos faoi. "D'fhéadfainn roinnt ríomhphostanna agus téacsanna idir Saoirse Ní Néill agus Mel Mac Aogáin a thaispeáint duit, más maith leat? Nó inis tusa dom cad ba mhaith leat a chloisteáil?"

"Is dócha . . . Láthair na coire, b'fhéidir, agus pé fianaise atá againn faoin méid a tharla sa chillín?" Rinne Réamonn meangadh leithscéalach. "Níl tada cloiste agam ó bhí tusa agus Ultán istigh liom san ospidéal arú inné."

"Bhuel, ceann de na ceisteanna móra ná conas mar a tugadh an druga do Shaoirse Ní Néill. N'fheadar ar chuala tú faoi sin?" Nuair a chroith Réamonn a cheann, lean Tom ar aghaidh. "Bhí deoch dá cuid féin aici ina mála, sú torthaí a raibh sí an-tógtha leis, de réir mar a dúirt a cairde linn. Ní sú oráiste a bhí ann ach sú mangó. Chreid sí go raibh vitimíní ar leith ann nó pé rud é."

"Agus tugadh buidéal nua den sú áirithe sin di, ach go raibh an druga ann?"

"Tugadh, is cosúil, agus ní amháin sin ach creidimid gur istigh sa chillín a tharla sin idir leathuair tar éis a seacht agus a hocht, fad a bhí seisear nó seachtar san am ag brú isteach sa chillín. Chuaigh breis is tríocha duine go dtí an cliathán thiar chun an cillín a fheiceáil agus ní admhaíonn aon duine acu go bhfaca siad na buidéil á malartú."

"Nárbh fhéidir an buidéal nimhe a fhágáil sa chillín níos luaithe sa tráthnona? Nó na buidéil a mhalartú thuas sa seomra taispeántais?"

Rinne Tom meangadh gruama. "Sin mar a cheap mise ar dtús. Ach níor luaigh aon duine an dara buidéal agus, go deimhin, dhearbhaigh duine den fhoireann nach raibh ann ach ceann amháin. Bhí mála láimhe Ní Néill ar an urlár gar don doras agus deir an bhean seo gur bhrúigh sí féin isteach faoin leaba é ar eagla go seasfaí air."

"Agus cén uair a rinne sí sin?"

"Deich chun a hocht, b'fhéidir cúig chun, a deir sí. Fuaireamar a méarlorga . . ." Sheiceáil Tom sonra ina chuid nótaí. "Sea, Ní Bheirn an sloinne atá uirthi, agus bhí a méarlorga ar an mála."

Bhí Réamonn ar tinneall agus é ag éisteacht, a lámh nimhneach leagtha aige ina lámh eile. Bhí aidreánailín na fiosrachta ag brúchtaíl aníos ann, an t-aon druga a shantaigh sé féin riamh. "Ach conas is féidir a rá nár ól Ní Néill ón mbuidéal nimhe thuas sa seomra taispeántais? Agus conas nár aithin sí go raibh blas nó dath aisteach ar an deoch nimhe?"

"Ceisteanna fiúntacha," arsa Tom go héadrom. "Más Oxynorm a tugadh di, mar a chreidimid, is druga é a bhfuil an dath oráiste céanna air is atá ar an sú mangó. Is cosúil go mbíonn blas sách searbh air mar dhruga, ach caithfidh gur mhúch blas an mhangó é." Scrúdaigh Tom a leabhar nótaí arís. "Maidir le cúrsaí ama, deir na saineolaithe go dtógann sé idir deich agus fiche nóiméad don Oxynorm dul i bhfeidhm ar an íospartach. Anois, chuaigh an chéad dream isteach sa chillín díreach roimh 7.30 pm, agus luaigh cúpla duine gur dhiúg Ní Néill óna buidéal sú ag an am sin. Ach ag 8.00 pm, bhí sí fós ina seasamh seachas a bheith sínte leathmharbh ar an leaba, rud a chiallaíonn nach raibh nimh sa chéad slogadh a ghlac sí. Luaigh beirt eile, áfach, gur ól sí óna buidéal sular fhág siadsan an cillín roimh 8.05 pm. Agus má bhí an buidéal nua ina mála faoin am sin, ní foláir go raibh an tinneas á lagú faoi 8.15 pm."

"Ach nach bhfuil féidearthacht eile ann: gur tháinig Mel Mac Aogáin ar cuairt uirthi sa chillín ag 8.15 pm agus í fós i mbarr na sláinte, agus gur thug seisean an buidéal nua chuici? Ansin dúirt sé léi go raibh air imeacht ar feadh tamaillín – agus amach leis agus chuir sé an doras faoi ghlas uirthi?"

Rinne Tom meangadh arís. Súile dorcha a bhí aige, agus fiacla deasa bána. Folt néata dubh agus bricíní éadroma ar a chraiceann geal. "Feicim gur garda thú nach ndéanann talamh slán d'aon rud," ar sé. "Is maith leat gach cosán a shiúl sula dtugann tú do bhreithiúnas, déarfainn!"

"An bhfuil fianaise ar bith ann go raibh Mac Aogáin istigh sa chillín?" a d'fhiafraigh Réamonn go tapa. Bhí beagán luisne air ón méid a dúirt Tom, nó b'fhéidir ón áthas a chuir sé air a bheith ar an eolas faoin dúnmharú. Bhí cúthail áirithe ag baint le Tom ach fós bhí sé istigh leis féin ar bhealach a chuir éad ar Réamonn.

"Tá's againn go raibh Mac Aogáin lasmuigh den chillín lena bhean chéile. Agus b'fhéidir go raibh mála Ní Néill sách gar don doras ar feadh tamaill gur éirigh leis a lámh a shíneadh chomh fada leis, nuair is seomra bídeach é an cillín. Ach ní raibh a mhéarlorga ar an mbuidéal sú a fuarthas sa mhála, ná lorga duine ar bith eile seachas cuid Ní Néill féin."

"Agus cad faoina bhean chéile Róisín?"

"Ní dheachaigh sí isteach sa chillín, a deir sí. Tá an pasáiste sách leathan, ach bhí scuaine fada ann agus is cosúil go raibh argóint idir í agus a fear céile, mar go raibh deifir abhaile uirthise. Sa deireadh, d'fhág sí féin agus Mel an pasáiste roimh 8.00 pm agus shiúil sé chomh fada leis an músaem in éineacht léi. Ach nuair a cuireadh brú air, d'admhaigh sé gur fhill sé ar an gcillín cúig nóiméad déag ina dhiaidh sin, agus tá finné eile againn a thacaíonn leis an méid. Ar ndóigh, deir Mac Aogáin go raibh doras an chillín dúnta go docht faoin am sin."

"B'fhiú tráthchlár a scríobh amach, is dócha, a thaispeánfadh cá raibh gach duine de na haíonna sa tréimhse uair an chloig sin, idir 7.30 pm agus 8.30 pm?"

Bhí Tom ag scrúdú scáileán a ríomhaire arís. "B'fhiú. Ghlac cúpla duine grianghraif ach níl Mel le feiceáil laistigh den chillín in aon cheann acu. Agus an gnáthscéal: ní raibh daoine ag faire ar an gclog ná ag faire go róchúramach ar a chéile ach oiread."

D'ól Réamonn bolgam uisce. Bhí an ceo deataigh a bhí ina luí ar a shaol le cúig lá anuas ag glanadh agus a intinn ag preabadh ó smaoineamh amháin go chéile. "Cad faoin bhfear gnó sin, Faisal? Luaigh an Cigire de Barra liom go bhféadfadh seisean teacht ar an druga de bharr a chuid oibre. An bhfuil a fhios againn an raibh sé istigh sa chillín?"

"Deir sé féin go raibh, mar a bhí formhór na n-aíonna. Níl ach cúigear déag nach raibh thíos sa chliathán thiar ar chor ar bith. Ina measc, bhí scata aisteoirí agus ceoltóirí a d'imigh go luath go dtí ócáid eile, agus beirt bhan a bhfuilimid fós ag iarraidh teacht suas leo. Bhí caille ar a n-aghaidh siúd agus tá's againn gur fhágadar an príosún ag 7.20 pm. Bhí fear féasógach in éineacht leo, a d'fhan san fhoirgneamh ar feadh tamaill ach nach raibh sa chliathán thiar."

"Maidir le Faisal – tá brón orm, ní cuimhin liom a shloinne – an bhfuil cúis amhrais ar bith eile faoi siúd?"

"Al-Jamil an sloinne atá air," arsa Tom. "Tháinig sé go hÉirinn roinnt blianta ó shin ina theifeach ón Iaráic.

Fan go bhfeicfimid . . ." Ghliogáil Tom ar a ríomhaire agus léigh sé nóta ar an scáileán. "Sea, tá sé agam anseo. Tá cúis bheag amhrais againn faoina ráiteas, sin uile. Dúirt sé ar dtús nach raibh aithne aige ar an mbeirt bhan úd a raibh an caille orthu, ach tamall níos déanaí, d'admhaigh sé go mbíodh duine acu ag obair dó tráth. Cuireadh brú air faoi seo, gan amhras, agus ní raibh de mhíniú aige ach nár thuig sé an cheist an chéad uair. Bhí daoine eile den tuairim go raibh sé gaolta leis na mná, mar go bhfacthas é ag comhrá go poiblí leo."

D'ól Tom suimín óna ghloine agus é ag machnamh. Duine ab ea é nár ghá dó gach tost a líonadh, dar le Réamonn, rud a thaitin leis. Tar éis roinnt staidéir ar a ríomhaire, d'fhéach sé ar ais ar Réamonn. "Is dócha go bhfuil beagnach dhá chéad leathanach de ráitis againn faoin ócáid cheana féin, agus níl ansin ach a thús."

D'fhéach Réamonn amach ar na bruachbhailte agus ar ais arís ar a chompánach. "Tá sé soiléir go raibh plean leagtha amach ag an dúnmharfóir roimh ré, nach bhfuil? Bhí a fhios aige cén deoch a thaitin le Ní Néill, agus cé mhéad den druga a mharódh í, agus cén t-am ba ghá an cillín a chur faoi ghlas."

"Is fíor sin, agus bhí an soláthar moirfín réitithe aige roimh an ócáid freisin."

Rinne Réamonn a mhachnamh ar an méid a bhí á rá acu beirt. "Ag an am céanna, nach aisteach an rud é go raibh sé lánchinnte go n-ólfadh Ní Néill an deoch nimhe istigh sa chillín? Abair go raibh duine eile sa chillín in éineacht léi? D'fhéadfadh Mac Aogáin a bheith ann más amhlaidh nárbh é siúd an ciontóir, agus an deis aige glaoch ar chúnamh sula mbásódh sí?"

"Ach bhí an doras faoi ghlas faoin am sin, agus gan éalú ag Mac Aogáin ach oiread."

"Ach má bhí ciontóir eile i gceist, conas a d'éalódh Mac Aogáin as an gcillín?"

"Seans go raibh an ciontóir sásta é siúd a mharú freisin, dá n-ólfadh sé cúpla bolgam."

"Tá an ceart agat. Agus mura marófaí Mac Aogáin, bhí go breá freisin mar go bhfaighfí sa chillín é in éineacht leis an gcorpán, ionas go gcuirfí a mhilleán as an marú air."

"Ach cén fáth go lochtófaí é má bhí sé laistigh i rith an ama?"

Bhí Tom chomh tógtha leis an tuairimíocht is a bhí Réamonn. "D'fhéadfaí a cheapadh gur ghlasáil duine de na treoraithe an doras de dhearmad, agus gan de mhisneach aige nó aici é a admháil nuair a tuigeadh cad a bhí tarlaithe."

"Is éard atá uainn, is cosúil, ná finné a mhionnaíonn go bhfaca sé nó sí an eochair á casadh sa doras? Agus buidéal ar dhath oráiste á chur isteach i mála Shaoirse ag an am cuí?"

Bhí meangadh ar bhéal Réamoinn agus é á rá, agus d'fhreagair Tom mar an gcéanna é. "Ná dearmad go bhfuil finné uainn freisin a chonaic eochair an chillín á goid roimh an dúnmharú. Is cás breá mall é seo, is ríchosúil, agus gan le déanamh againn ach cloí leis go foighneach."

Ghéill Réamonn don tost a thit eatarthu arís. Ní raibh an fiosrúchán thart ná baol air. Bheadh na gardaí ag bailiú agus ag scagadh fianaise ar feadh míonna, b'fhéidir, sula mbeadh cás láidir acu in aghaidh Mhic Aogáin nó aon duine eile. Bheadh foireann ón dá stáisiún ag comhoibriú le chéile, fiú dá laghdófaí ar líon na foirne le himeacht ama. D'fhéach sé amach ar an saol soilseach ar an taobh thall den doras gloine, agus ar scáil an té a bhí le feiceáil sa ghloine. Níorbh í tóraíocht na fírinne amháin a bhí tábhachtach, ach a bheith ag obair le daoine ar réitigh tú leo agus nach mbíodh ag sárú ar a chéile ar mhaithe lena gcumhacht féin.

"An ólfaimid buidéal beorach?" Go tobann a bheartaigh Réamonn go raibh tart air. Ba chuma faoin bpian ina ghualainn, ná faoin tuirse, ach an tráthnóna a choimeád ag imeacht.

"Maidir le Mel Mac Aogáin . . ." Bhí Tom tosaithe ag labhairt an soicind céanna. Rinneadar gáire agus an uair seo ní raibh aon chur is cúiteamh ann faoi cé a shiúlfadh cúpla coiscéim trasna na cistine. D'aontaíodar gan bacadh le gloiní, agus nuair a chuimhnigh Réamonn ar an mbindealán ar a lámh, thug sé an t-osclóir buidéil leis chuig an mbord. "Maidir le Mac Aogáin," arsa Tom arís agus na buidéil á n-oscailt aige, "d'admhaigh sé gur leis siúd an guthán a fuarthas sa tábhairne, rud a chiallaíonn nach gá dúinn cruthú fadálach a lorg air sin. Bhí an guthán in úsáid aige dá chuid gealltóireachta ar líne le sé mhí anuas, agus is dócha go raibh sé áisiúil do na téacsanna agus ríomhphostanna idir é féin agus Ní Néill."

"Dúirt tú go dtaispeánfá sleachta éigin dom?"

"Dúirt, go deimhin." Chomharthaigh Tom do Réamonn a chathaoir a tharraingt níos gaire don ríomhaire. D'ól sé ón mbuidéal agus é ag scrolláil ar an scáileán. "Feicfidh tú anseo nach caidreamh socair a bhí ann ó thús."

Cnuasach teachtaireachtaí a bhí curtha i dtoll a chéile ag Tom, a léirigh gur las an splanc idir Saoirse agus Mel i lár mhí Mhéan Fómhair, tar éis dóibh seachtain nó dhó a chaitheamh ag obair le chéile. Bhíodar díocasach, drúisiúil chun a chéile ar feadh tréimhse, ach d'éirigh aighneas eatarthu a lean ar feadh deich lá, ón 23 Meán Fómhair go dtí 3 Deireadh Fómhair, nuair nár seoladh focal eatarthu. Thosaíodar ar an mbéal bán an athuair ansin agus phléasc bladhmanna paisin uathu tar éis dóibh casadh le chéile ar an deichiú lá den mhí. Seachtain níos déanaí arís, áfach, bhíodar ag caitheamh amhrais ar a chéile: Mac Aogáin á chur ina leith go raibh fear eile aici agus Ní Néill á fhreagairt go raibh bean chéile aigesean sa bhaile agus nach mbeadh sí ar fáil mar bhodóinseach. Ar 22 Deireadh Fómhair a bhí an ócáid seolta ar siúl.

Rinne Réamonn a dhícheall an t-ábhar a léamh go

fuarchúiseach, gairmiúil ach chuaigh sé dian air. Teachtaireachtaí príobháideacha a bhí iontu agus anois bhí sé féin agus gardaí eile á gcíoradh is á ngliúmáil faoi sholas láidir an bhreithiúnais. Ní amháin sin, ach bhí Saoirse agus Mel an-oscailte faoi na gaiscí gnéis a tharla eatarthu.

"Tá dhá lá caite agam leis an stuif seo," arsa Tom go ciúin. Ansin dúirt sé amach an rud a bhí in intinn Réamoinn cheana. "Tá súil agam nach mar seo a scríobhfainn féin litreacha grá."

D'fhill amharc Réamoinn ar an scáileán. Mel chuig Saoirse i lár Mheán Fómhair: *Mé idir braillíní fuara anocht. Níos fuaire ná mar a bhí an cillín inniu, geallaim duit. Bhí leaba Ellen crua ach is mise atá crua anois. Chomh crua crua le clocha an phríosúin agus mé fós chomh bog tais leis na cuimhní atá agam ort agus do chosa spréite go fial chugam . . .*

Saoirse á fhreagairt: *Braithim do mhéara geala míne orm agus do nóta á léamh agam, d'fhág tú dinglis go domhain istigh ionam, a Mhel, a dhiabhail, nuair a bhíomar thíos san íoslach as radharc ón saol mór. Agus is tú a bhí damanta cliste, mar a mheall tú mé le do chuid cainte ar an bpaisean idir Ellen agus Denis, mé ag dul ar mire le dúil ag éisteacht leat. Caithfidh tú teacht chugam sa teach, tar anocht, tar pé uair is mian leat, táim nimhneach ag fanacht le do theacht.*

Ach bhris binb eatarthu a bhí chomh tréan leis an maothchaint. Ní raibh seachtain de chaidreamh eatarthu nuair a chuir Mac Aogáin fainicí uirthi: *Beidh sí féin sa bhaile go luath. An tráthnóna caite aici ag peataireacht ar a máthair mar is gnách. Is duine dílis í R, dílis agus fíochmhar, chomh dílis is a bhínnse tráth. Ná bí ag brath orm, a Shaoirse, níl aon gheallúint agat uaim agus ní bheidh. Bloody hell, thar aon rud eile, ná cuir brú orm.*

Ag Saoirse a bhí na fainicí seachtain níos déanaí: *Nílim in ann do cheisteanna a fhreagairt. Ní leat mé, ná ceap go deo gur leat, tusa a d'inis bréaga go dtí seo, tá obair le déanamh agam atá míle uair níos tábhachtaí ná do chuid leithscéalta, bíodh agat, a leibide, agus ná cuir focal chugam feasta.*

Agus Mel arís i lár Dheireadh Fómhair: *Deir tú liom gan ráfla sráide go raibh tú in éineacht le fear eile a chreidiúint. Agus ní chreidim é mar gur amadán bocht mé atá ag at le dúil ionat. Ach bí focain cinnte go rachaidh mé ar mire más ag imirt cluichí atá tú.*

Chrom Tom isteach chuig Réamonn agus é ag iarraidh air scrolláil síos an leathanach. "Níl a fhios againn cé a bhí i gceist leis an ráfla sin. Ní inseoidh Mac Aogáin dúinn ach go raibh imní air gur léirigh Saoirse spéis i bhfear eile ar mhaithe len é a mhealladh ar ais chuici." Shuigh sé siar arís go mall. "Ach pé amhras nó fearg a léiríodar sna teachtaireachtaí, d'fhilleadar i gcónaí ar an dúil."

Níor fhreagair Réamonn é. Bhí mearbhall ag teacht air ón méid uile a bhí ar siúl. Na noda go léir a bhí á roinnt ag Tom leis, agus an sórt cainte a bhí ag Saoirse agus Mel le chéile, agus a scáil féin sa ghloine dhorcha taobh le scáil a chompánaigh. Bhí eagla air go raibh fiabhras an ospidéil ag teacht arís air, nó gur ól sé go róthapa óna bhuidéal beorach.

"Gheobhaidh mé tuilleadh uisce . . ." D'éirigh sé óna chathaoir agus rinne sé ar an gcistin. Bhí a ghloine fágtha ar an mbord aige ach ba chuma, líonfadh sé gloine eile. Thabharfadh sé rud éigin le déanamh dó. Bhí allas ag sileadh ar a ghrua. Caithfidh go raibh an tine gháis fágtha ar siúl aige.

Bhí Tom ina sheasamh ag féachaint ar na grianghraif ar an mballa os cionn an tinteáin nuair a d'fhill sé ón doirteal. Chuir sé ceist éigin faoin bpictiúr agus leag Réamonn uaidh a ghloine. Bhí a ghuth scartha óna chorp, mhothaigh sé.

"Is deas liom aithne a chur ort, a Réamoinn," arsa Tom go mall. Agus ansin chuir sé a lámh go bog ar ghualainn Réamoinn, an ceann nach raibh gortaithe, é tuisceanach faoin méid sin féin. Níor tharraing sé Réamonn chuige ach bhí an cuireadh ann mar sin féin.

Ní rabhadar i gclub oíche callánach. Bhí an t-árasán fúthu féin. Ní raibh le déanamh ag Réamonn ach greim a bhreith ar lámh Tom agus é a stiúradh síos go práinneach chuig an áit a raibh maidhm theasa ag leathadh is ag treisiú. Ligean don dúil mhillteanach sin sárú ar an mbagairt, ar an imní, ar chomh ciotrúnta is a bhíodh sé i gcomhluadar daoine eile.

"Níl a fhios agam," a dúirt sé. "Ní raibh coinne agam . . ." Ach thuig sé ina chroí istigh go raibh coinne aige leis an gcuireadh. Bhí gach nod agus comhartha faighte aige ó Tom ach iad a admháil dó féin, ní amháin ina bhrionglóidí ach faoi sholas an lae.

Scaoil Tom lena ghualainn agus leag sé droim a láimhe ar leiceann Réamoinn. Lasair nua a d'éirigh ón teas a ghin sé ach labhair an guth úd a bhí deighilte ón gcolainn éilitheach. "Tá sé róluath . . ." a dúirt Réamonn. "Agus táimid ag obair le chéile, ní fhéadfaimis . . ." Chuir sé a lámh ar lámh Tom, bhí sé in ann an méid sin a dhéanamh ar a laghad, ach neartaigh ar an diúltú a bhí á fhógairt ag a ghuth. "Ní bheadh sé indéanta. Bheadh daoine ag cogarnaíl fúinn . . ."

"Ná habair gur faoi dhaoine eile atá tú buartha? Cén gnó do dhaoine eile é?"

"Níl a fhios agam," arsa Réamonn go bacach.

"Pé rud eile faoin spéir, ná bíodh daoine eile mar leithscéal agat, a Réamoinn. Tá na laethanta sin thart."

"Nílim ar fónamh i gceart, b'fhéidir gurb in an fáth . . ."

Chúlaigh Tom agus scaoil sé an greim láimhe eatarthu. "Níor cheart dom cur isteach ort," ar sé. "Níl tú ach tagtha abhaile ón ospidéal." Thosaigh sé ar a ríomhaire a chur ina mhála. Tháinig searbhas ina ghlór nach raibh ann cheana. "B'fhearr domsa dul abhaile chuig mo thuismitheoirí. Feicfidh mé ag an gcéad chruinniú eile thú, is dócha, má éiríonn leat teacht chugat féin."

Radharc mór fairsing i dtreo na sléibhte. Abhainn leathan ag sníomh tríd an ngleann, á tionlacan ag crainn ársa stáidiúla. Cnocáin agus plásóga glasa ar gach taobh, giolcaireacht na n-éan sna sceacha, aoibhneas an dúlra scoite ó thranglam na cathrach.

Ní raibh Aoife ar a suaimhneas, áfach. Bhí socrú déanta aici casadh le duine a bhí ar liosta teagmhála Shaoirse, a bhí an-seachantach ar an nguthán. Ní inseodh sé di cén fáth gur theastaigh uaidh casadh léi in áit nach mbeadh daoine eile ina dtimpeall.

Nuair a bhí cónaí uirthi i mBaile Átha Cliath, thugadh Aoife corrgheábh go Páirc an Fhionnuisce: cuairt teaghlaigh ar Ghairdín na nAinmhithe nuair a bhí Sal agus Rónán beag, nó deis aici féin agus Pat éalú leo ar shiúlóid ar cheann de na cosáin choille a bhí folaithe anseo is ansiúd. Páirc ollmhór ab ea í agus níor leag sí cos riamh cheana sa chúinne di ina raibh sí anois.

Ag féachaint ó dheas a bhí sí, trasna abhainn na Life ar cheantar Chill Mhaighneann, agus as sin thar dhíonta agus crainn sráide chomh fada le líne chuarach na sléibhte ar imeall Chontae Chill Mhantáin. Bhí blocanna móra árasán idir í agus an príosún; fuair sí spléachadh ar an mBrú Ríoga agus a thailte glasa, agus bhí cruthanna eile i gcéin nár aithin sí. Dá mbeadh sí ar a sáimhín só, d'fhéadfadh sí uair an chloig a chaitheamh ag stánadh roimpi go sásta.

Bhí sé ag druidim le leathuair tar éis a cúig san iarnóin. Gar do gheata Dhroichead na hInse den pháirc a bhí sí, ar imeall cnocáin a raibh seanfhothrach mór liath suite air. Ní foirgneamh grástúil a bhí ann, ach dún láidir doicheallach a bhíodh in úsáid ar feadh dhá chéad bliain mar armlann ag fórsaí míleata na Breataine in Éirinn, mar a fuair sí amach nuair a d'aimsigh sí an suíomh ar an idirlíon. Bhí ballaí tréana agus móta tirim mar chosaint ar an láthair, agus sreang dheilgneach fite os cionn na mballaí. Bhí an dún tréigthe le fada an lá, agus fiailí ag fás as na simléir.

Chuaigh gluaisteán thar bráid ar an mbóithrín a bhí tamall uaithi. Beirt ar rothair ina dhiaidh sin, a gcloigeann cromtha agus iad ag saothrú in aghaidh mhala an chnoic. Bhí ionad beag páirceála ar chúl an chnocáin ach bhí an áit ciúin ar an iomlán. Siúlóir aonair agus madra ar adhastar aige. Ógfhear in éide reatha ar a chúrsa timpeall ar an dún.

Mhoilligh seisean ar a rith nuair a bhí sé in aice léi agus scrúdaigh sé a stopuaireadóir. D'fhéach sé ina treo agus mheas Aoife ar feadh soicind gur aithin sí é. Ach bhí a chaipín tarraingthe anuas ar a shúile agus bhí sé imithe arís sular thug sí léi a dhreach. Bhí amhras uirthi faoin am sin ar aithin sí in aon chor é. Bhí mearbhall ag teacht uirthi tar éis gur casadh an oiread daoine nua uirthi i gCill Mhaighneann.

Bhí an cúrsa timpeall ar an dún siúlta aici nuair a shroich sí an pháirc ar dtús. Ba mhaith léi fios na háite a fháil ar eagla go mbeadh uirthi imeacht faoi dheifir. Bhí radharcanna fairsinge le fáil ón gcosán cuid mhaith den tslí, ach bhí log sa chnocán gar do gheata meirgthe na harmlainne agus gan mórán le feiceáil ansin. Bheartaigh sí fanacht thuas ar an ard go fóill.

Bhí an mhaidin caite aici ag glaoch ar dhaoine a ainmníodh ar an liosta teagmhála i gcomhad Shaoirse. Labhair sí le seisear agus d'fhág sí teachtaireacht do thriúr eile. Mhínigh sí dóibh go raibh sí ag glaoch thar ceann Chormaic lena fháil amach an mbeidís ag freastal ar an searmanas cuimhneacháin do Shaoirse an lá dar gcionn. Bhí cuid acu lánsásta comhrá a dhéanamh: comhbhrón faoin tragóid, trácht ar conas mar a chuir siad aithne ar Shaoirse, dóchas nó a mhalairt maidir le fiosrú na ngardaí. De réir mar a d'oir don chomhrá, chuir Aoife ceisteanna breise ar chuid acu. Ar thug Saoirse nod ar bith dóibh go raibh cúis imní aici? Ar labhair sí faoi thionscadail ar bith eile a bhí ar siúl aici, nó faoina cuid pleananna don todhchaí?

Ní raibh scríofa i gcolún na n-ainmneacha don deichiú duine ar ghlaoigh sí air ach na litreacha 'FA'. Agus nuair a chuir Aoife í féin in aithne ar an nguthán, bhí tost ar an líne. Díreach agus í ag ceapadh go raibh an líne briste, dúirt sé go raibh an-bhrón air faoi bhás Shaoirse. Ní raibh aithne aige uirthi dáiríre ach b'uafásach an scéal é. Go béasach ach fós go grod a labhair sé, agus nuair a luaigh sí an searmanas cuimhneacháin, dhearbhaigh sé nár mhaith leis cur isteach ar a leithéid d'ócáid.

Chuir sé deireadh leis an nglao go tapa, gan a ainm deimhnithe aici. Ach bhí sí measartha cinnte óna bhlas iasachta gurbh é an fear céanna é a chonaiceadar ar an CCTV, an tIaráiceach a raibh gnó aige in Inse Chór, agus bhí aifeála uirthi nach bhfuair sí amach conas mar a chuir sé aithne ar Shaoirse. Daichead nóiméad níos déanaí, ghlaoigh sé ar ais uirthi.

"Faisal al-Jamil atá anseo," ar sé. "Tá duine eile ag iarraidh labhairt leat, a chuir aithne ar Shaoirse Ní Néill tamall ó shin."

"Ceart go leor," a d'fhreagair sí. "An bhfuil an duine sin in éineacht leat anois?"

Bhí tost eile ar an líne – Faisal ag socrú ina intinn cad a déarfadh sé, dar le hAoife. "Is bean í atá gaolta liom, agus thairg mé glaoch ort ar a son. Ba mhaith léi casadh leat." Stad sé agus mheas Aoife gur chuala sí abairt nó dhó á rá aige le duine eile sa chúlra.

"Tá mé sásta sin a dhéanamh, gan amhras," arsa Aoife. "Ach abair liom ar dtús cad is ainm di? Agus an raibh sí i láthair ag an ócáid?"

Níor thug sé aird ar a cuid ceisteanna. "Labhair Saoirse fútsa leis an mbean seo . . . le mo neacht, atá á rá agam. Sin an fáth gur iarr sí casadh leat."

Bhí Aoife ar a dícheall gan a thaispeáint go raibh iontas uirthi. Bhí sí in amhras cé mhéad den fhírinne a bhí á insint ag Faisal di. Caithfidh go raibh sé ag trácht ar dhuine de na mná a raibh a n-aghaidh clúdaithe acu. Mór an trua nár éirigh léi féin labhairt le Réamonn an oíche roimhe sin, agus a fháil amach cad a bhí ar eolas ag na gardaí fúthu.

"An bhfuil tú saor inniu?" ar sé ansin. "Tá súil agam nach ndiúltóidh tú dúinn."

"Is féidir liom casadh libh san óstán i gCill Mhaighneann. Nó i lár na cathrach, pé socrú is fearr libh féin? Ach ba mhaith liom go n-inseofá dom cad is ainm do do neacht agus cén fáth . . ."

Ní raibh am aige rudaí a mhíniú anois, ar sé. Bhí an scéal casta. Amuigh faoin aer ab fhearr leo casadh le hAoife, in áit chiúin. D'fhiafraigh sé an raibh eolas aici ar an mBóthar Míleata i bPáirc an Fhionnuisce, agus mhol sé go gcasfaidís le chéile ag geata an dúin ar an mbóthar sin ag a leathuair tar éis a cúig.

"Ba mhaith liom cara a thabhairt liom," arsa Aoife. "Má tá beirt agaibhse ann . . . ?"

"Caithfimid labhairt leat i d'aonar. Tuigfidh tú dúinn ar ball." Go deifreach a dúirt Faisal é. "Tá brón orm faoi seo," ar sé, "ach má fheicim garda nó duine eile in éineacht leat, beidh orainn imeacht láithreach."

Nuair a bhí an socrú déanta ar deireadh, ghlaoigh Aoife ar Shal. Pé geallúint a thug sí ar an nguthán, ní raibh fonn uirthi a bheith ina haonar i gcúinne scoite den pháirc. Thoiligh Sal iarraidh ar Chormac teacht leo. D'fhéadfaidís fanacht sa chúlra, ag ligean orthu nach raibh aithne acu ar Aoife.

Deich nóiméad eile caite. Shiúil Aoife anonn go dtí cúinne thoir an bhalla cosanta, áit a raibh radharc aici ar an ionad páirceála ar chúl an chnoic. Bhí Cormac agus Sal ag teacht ina treo. Tháinig sí féin amach as an gcarr sular shroicheadar an t-ionad, ionas nach bhfeicfí go raibh sí in éineacht leo. D'fhan an bheirt acusan sa ghluaisteán ansin fad a shiúil sise thart ar an dún. Ar a slí go dtí an pháirc, bhraith Aoife go raibh Cormac an-chiúin ann féin. Ualach na tragóide ina luí go trom air, ba dhóigh léi, go háirithe anois go raibh máthair agus deartháir Shaoirse tagtha go hÉirinn.

Tar éis di teach a hiníne a fhágáil go tobann an tráthnóna roimhe sin, chuaigh Aoife go dtí óstán an Hilton. Seomra measartha costasach a bhí ar fáil, ach bheartaigh sí glacadh leis ar an aon nós. Ghlaoigh sí ar Shal ansin.

"Tá tú an-amaideach, a Mham," ar sise láithreach. "Cad a cheap tú, go mbeifeá ag éisteacht linn ag greadadh ar nós *see-saw* ar feadh na hoíche? Níor ghá duit imeacht ar chor ar bith."

"Ní gá duitse a bheith ag spochadh asam leis an gcaint sin. Bhí sé thar am dom lóistín eile a shocrú."

"Ba chóir duit é a rá liom roimh ré."

"Ba chóir dom an cinneadh a dhéanamh dhá lá ó

shin, seachas fanacht go dtí go raibh tusa agus Cormac snaidhmthe ina chéile . . ."

"Yeah, bhuel, tá brón orm faoi sin ach ní raibh, like, a fhios agam cad a tharlódh, an raibh? Agus is dócha go bhfuil Cormac bocht i bponc agus sólás uaidh . . ."

"Nílim ag iarraidh na mionsonraí a chloisteáil uait, a Shal. Tá tú fiche bliain d'aois."

"Bhuel, creid nó ná creid é, d'imigh Cormac abhaile tamall ó shin," a d'fhreagair Sal, "agus a chuid éadaigh fós air, so there. Dá mbeadh foighne ar bith agat, bheifeá i do shuí anseo anois agus na comhaid á léamh againn. Ach mar a tharla sé, lean mise orm á scrúdú nuair a d'imigh sé."

"Agus an bhfaca tú aon rud fiúntach iontu?"

"Níl a fhios agam. Bhí nótaí ag Saoirse faoi ábhair nár bhain go díreach leis an taispeántas."

"Cé acu ábhair? An bhfuil tú ag caint ar an stair, nó ar an saol a bhí ag Saoirse féin?"

" Stair is mó, measaim. Léigh mé cuid de cháipéis faoi mhná bochta as Éirinn a cuireadh ag obair mar striapacha i Nua-Eabhrac sa naoú haois déag. Ach ní dheachaigh Ellen go Meiriceá, ar ndóigh, agus ní cuimhin liom gur luaigh Tadhg Cassidy aon rud faoi sin ach oiread."

"N'fheadar an raibh sí ag cuimhneamh ar an taispeántas staire a chur ar siúl i Meiriceá?" arsa Aoife. Bhí iontas uirthi nár rith an smaoineamh úd léi cheana. D'éiríodh Saoirse chomh tógtha le gach tionscadal a bhí idir lámha aici gur dhóigh le hAoife go raibh iliomad pleananna aici don todhchaí: dráma faoi Ellen mar a luadh cheana, an taispeántas ar camchuairt, clár teilifíse agus, b'fhéidir, leabhar. B'fhéidir gurbh é a bhí uaithi a phlé le hAoife ná conas roghnú idir a cuid pleananna go léir. Nuair a thug Aoife a ráiteas oifigiúil do na gardaí ar an Satharn, d'inis sí dóibh faoin nglao a fuair sí ó Shaoirse, ach níor chuireadar mórán suntais ann nuair nach raibh sí in ann a rá cad a bhí i gceist.

Tar éis a comhrá le Sal, luigh Aoife siar ar a leaba san óstán. Thuas ar an gceathrú hurlár a bhí sí, agus radharc aici trasna an bhóthair ar an bpríosún. Níor las sí solas ach bhí gile na sráide ina stríocaí idir lataí na ndallóg ar an bhfuinneog. Ba mhór an faoiseamh é spás suaimhneasach a bheith aici di féin. Bhí clocha dorcha an phríosúin le feiceáil aici ón leaba ach shleamhnaigh a cuid smaointe i dtreo eile. A fear céile caoin, a bhí na céadta ciliméadar ar shiúl uaithi ina leaba féin sa bhaile. Mhothaigh sí ciontach é a fhágáil i mbun an ghnó, agus amhrasach lena chois sin cén leithscéal a cheapfadh sí le fanacht i mBaile Atha Cliath dá mba ghá sin. B'annamh di a bheith scartha ó Phat ar feadh breis is seachtaine, agus d'airigh sí uaithi a mac Rónán freisin. Déagóir óg ab ea é agus ba dheacair focal a bhaint as amanna, ach ba bhreá léi a bheith in aon seomra leis.

Lig sí lena cuid smaointe snámh go leisciúil ar feadh achair: sólás an tsaoil sa bhaile; agus na pléisiúir a bhain le tréimhsí saoire a chaith sí féin agus Pat i seomraí óstáin i gcathracha i gcéin. Ach níorbh fhada gur chuimhnigh sí arís ar Shaoirse ina dealbh mharmair sa chónra cúng. Ní bhíodh Saoirse stuama i gcónaí sna caidrimh a shantaíodh sí, ach bhí paisean chun na beatha inti a bhí mealltach, dúthrachtach, agus an cumas inti an paisean sin a roinnt go fial le daoine eile.

Bhí guthán Aoife ina póca, é socraithe sa tslí go bhféadfadh sí glaoch ar Shal agus Cormac go práinneach. Shiúladar thairsti ar chosán an dúin agus d'imíodar leo chomh fada le cúinne thiar theas na mballaí. Bhí súil aici go gcoimeádfaidís cluas ghéar leis an nguthán.

Bhí clapsholas an tráthnóna ag bagairt. Soilse lasta ag carr a dhruid amach ón ionad páirceála ar chúl an chnocáin. Ní raibh fágtha ann ach dhá ghluaisteán. Bhí scairf dhearg ar Aoife, mar a gheall sí do Faisal ionas go n-aithneodh sé í. Chas sí an scairf thart ar a muineál faoi dhó, agus bhuail a cosa faoin talamh chun teas a choimeád iontu.

Sheas fear amach ó scáil na mballaí in aice le geata na harmlainne. Bhí sé caol, a chuid gruaige ciardhubh agus a bhéal teann, fáiscthe.

"An tusa Aoife? Is mise Faisal. Tá brón orm go raibh tú ag fanacht. Ach ní raibh neart air." An bealach deifreach céanna aige is a bhí ar an nguthán: béasach agus grod in aon turas. Ba é an fear céanna é a bhí ag an ócáid. Chuimhnigh sí go ndúirt Harry Ó Tuathail go raibh sé as láthair an dá uair a chuaigh seisean chuig a ghnólacht ach gur labhair na gardaí le Faisal ina dhiaidh sin.

"Ar bhfuil do neacht anseo freisin? An inseoidh tú dom cad is ainm di, le do thoil?"

"Is féidir leat Kim a thabhairt uirthi." Bhí sé ag faire ar gach taobh. "Tá sí an-imníoch, agus is mó fós a himní ó maraíodh Saoirse Ní Néill."

Shín Aoife a méar sa treo a bhí glactha ag Cormac agus Sal. "D'fhéadfaimis dul ag siúl sna crainn atá cúpla nóiméad uainn, ionas nach bhfeicfear . . . ?"

"Le do thoil, ba mhaith léi labhairt leat i mo ghluaisteán. Cúpla nóiméad as seo, síos an cnoc."

Bhí Aoife idir dhá chomhairle. Má bhí eolas le tabhairt ag Kim di, b'fhiú dul sa seans ar mhaithe le casadh léi. Ach ar an lámh eile de, b'fhéidir go raibh baint ag an mbeirt le bás Shaoirse agus go rabhadar fíorimníoch de bharr a gciontaíola féin. D'fhéach Aoife ina timpeall, ar na ballaí tréana neamhfháiltiúla ag síneadh amach ar dhá thaobh an gheata. Bhí sí ag dul sa seans a bheith ina haonar sa pháirc, gan dul sa ghluaisteán in aon chor. Cén mhaith glaoch ar Shal agus Cormac nuair a bheadh piléar nó scian inti, nó Faisal á fuadach agus é ag tiomáint ón láthair ar luas na gaoithe?

"Fanfaidh mé anseo, mura miste leat," ar sí go

daingean. "Agus ba mhaith liom iarraidh ortsa imeacht síos an cnoc, b'fhéidir fiche méadar. Beidh tú in ann súil a choimeád orainn as sin."

Chuir sí téacs tapa chuig Sal nuair a d'imigh Faisal, ag iarraidh uirthi féin agus Cormac siúl thar bráid i gceann cúig nóiméad. D'fhéach sí sa treo inar imíodar ach ní rabhadar le feiceáil.

"Tá mé buíoch . . . " Guth íseal, domhain a bhí ag Kim. Bhí scairf throm chorcra ar a ceann agus í fillte trasna a béil freisin. Agus bhí a corp clúdaithe go sáil ag a cóta fada.

"Ní féidir liom dul go dtí gardaí," ar sí. Bhí blas láidir iasachta ar a cuid focal, a tháinig uaithi le dua. "Tá sé an-chontúirteach. Ach dúirt sí liom . . ." Stad sí agus d'fhéach sí timpeall uirthi.

"Inis dom cad a dúirt Saoirse, a Kim. Cén fáth go raibh eagla uirthi?"

D'fhéach Kim uirthi amhail is nár thuig sí go hiomlán í. Bhí a craiceann donnbhuí ach bhí an oiread dá haghaidh clúdaithe nach raibh tuairim ag Aoife ar dhuine den bheirt bhan í a bhí i láthair ag an ócáid in aon chor.

"Bhí mé san óstallán le Saoirse." arsa Kim go tobann. "Sa Heuston. Téigh ann, le do thoil."

Tháinig bean ina dtreo ar an gcosán agus madra mór lena sála. Ghluais Aoife cúpla coiscéim as a bealach. Níor mhaith léi go dtiocfadh aon duine róghar dóibh. Bhí Faisal leathshlí síos an cnoc, ag útamáil ar a ghuthán.

"Téigh agus féach ar na hárasáin," arsa Kim. Nuair a d'ardaigh sí a súile, chonaic Aoife go raibh eagla a hanama uirthi. "Ach ná habair aon rud leis. Beidh mé marbh má chloiseann sé . . ."

"Cé hé atá ag cur eagla ort?"

"Bhíomar sa phríosún," ar sí. "Agus anois ní féidir le Saoirse imeacht. Má chloiseann sé . . ."

Níor chríochnaigh sí a habairt. Rinne Aoife a dícheall labhairt go séimh, socair. "Cad is ainm dó, a Kim? Beidh mé an-chúramach, geallaim duit é."

"Tá sé ag obair ansin." Chrom Kim a ceann. Bhí sí ag iarraidh teacht ar na focail a chleacht sí roimh ré, a shíl Aoife. "San óstallán. Agus sna hárasáin. An Suanlios. Tá sé róchontúirteach. Tá cabhair ag teastáil."

"Tabhair d'uimhir dom," arsa Aoife. Níor thuig sí i gceart cad a bhí i gceist ag Kim. Fiú dá gcuimhneodh sí ar gach focal, mheas sí nach dtuigfeadh sí a scéal.

D'fhéach Kim thart uirthi, agus síos i dtreo Faisal. Ach bhí sé rófhada uathu lena guth ciúin a chloisteáil. "Ní féidir anois. Féach sa taispeántas. Tá sé ansin . . ."

"Cad atá sa taispeántas?"

"Sa taispeántas a chuir Saoirse na rudaí a fuair sí, a dúirt sí liom. Istigh sa stair . . ."

Bhí reathaí ag teacht ina dtreo ó chúinne thiar theas na mballaí. Thug Kim spléachadh air agus tharraing sí a scairf go teann ar a béal. Bhí marc nó colm ar a leiceann, a mheas Aoife, ach b'fhéidir nach raibh ann ach scáil a láimhe.

"Cé acu rudaí?"

"Ní féidir anois. An chéad uair eile . . ."

"Cé a mharaigh Saoirse, dar leat?" a d'fhiafraigh Aoife go tapa. Bhrúigh sí ar a guthán ina póca. "Ar mharaigh Mel Mac Aogáin í?"

"Níl a fhios agam. Tá eagla orm. Ach ní hé an Mel . . ."

Bhí an reathaí ag imeacht ón gcosán. Bhí cosúlacht aige leis an reathaí a chonaic Aoife níos luaithe ach go raibh seaicéad air anois agus a bhóna casta suas ar a smig. Cheap sí ar feadh soicind gur imigh sé dá chúrsa trí bhotún. Bhí a lámha ag Kim ar a scairf, á greamú ar a béal. Ní raibh sí in ann í féin a chosaint nuair a thug an fear sonc dá dhorn di.

Bhéic Aoife. Rop an fear buille sa bholg ar Kim agus chrom sí ina cnap.

D'éirigh le hAoife eochair a tharraingt as a póca. Nuair a rug an reathaí greim uirthi, sháigh sí bior na heochrach faoina ghiall.

Scread sé agus tharraing sí cic air. Bhí sí ag iarraidh greim a fháil ar a sheaicéad ach thug seisean sonc di a leag an anáil aisti. Chuala sí coiscéimeanna ag teacht ina treo. Sal agus Cormac, má d'éirigh léi fios a chur orthu.

Ach ba é Faisal a bhí ag déanamh orthu. Bhéic Aoife air cabhrú leo. Bhí Kim fós ar an talamh, ag lámhacán san áit ar leagadh í. Ní raibh sí in ann a fheiceáil cá raibh an reathaí.

Bhí seanmhóta tirim idir an cosán agus ballaí an dúin agus fána géar ón gcosán síos sa mhóta. Ní raibh a fhios ag Aoife cé a bhrúigh síos isteach sa mhóta í. Ní raibh a fhios aici an raibh Faisal ag cur troda ar an bhfear eile nó an amhlaidh go raibh sé ag cabhrú leis.

Baineadh tuisle aisti agus thit sí le fána. Bhuail sí a cloigeann faoin talamh chrua. Chuala sí Cormac agus Sal ag fógairt uirthi. Rug sí ar thom féir chun í féin a tharraingt aníos an fána géar. Bhí neantóga san fhéar, a chuir cealga ina lámha. Shleamhnaigh sí síos go híochtar an mhóta, an talamh chrua á scríobadh ar a slí.

An chéad rud eile a thuig sí ná go raibh Sal ag féachaint uirthi go himníoch. Dúirt Sal go raibh Faisal agus Kim ag imeacht leo síos an cnocán nuair a shroich sí féin agus Cormac an láthair. D'fhógair Sal orthu ach níor fhreagair siad í.

Chuimhnigh Aoife ar an reathaí. Thug seisean na cosa leis freisin. Ní raibh a aghaidh feicthe aici ach bhí sí measartha cinnte go raibh bricíní rua ar a shrón. In ainneoin go raibh solas an tráthnóna ag dul i léig, fuair sí spléachadh air nuair a sháigh sí an eochair faoina ghiall.

"Níl a fhios againn cé hé an fear seo Faisal. Deir Cormac gur cheart duit glaoch ar na gardaí. Tá an t-ádh orainn nár maraíodh thú."

Bhí Sal i seomra óstáin a máthar. Shuigh sí ar cheann den dá leaba shingle ach sheas sí arís laistigh de nóiméad. "*Suppose* go bhfaca duine eile an méid a tharla? Geallaim duit go mbeimid i dtrioblóid leis an gCigire Cantalach má chuirtear físeán ar YouTube nó pé rud é, agus tusa le feiceáil i lár an achrainn."

Chuimil Aoife ungadh dá lámha nimhneacha. Bhí sí ina suí ar a leaba féin, an phluid tarraingthe aníos uirthi agus caife láidir á ól aici, é neartaithe ag stealladh branda ó bhuidéilín a d'aimsigh Sal i gcófra na ndeochanna.

"Ní féidir liom labhairt leis na gardaí gan Kim a lua leo," ar sí. "Agus gheall mé don bheirt acu nach ndéanfainn sin."

"Tá tú *so* ag dul sa seans leis an mbeirt acu," a lean Sal uirthi. "Abair gurbh é Faisal a mharaigh Saoirse agus gur iarr sé casadh leat inniu chun foláireamh a thabhairt duit gan fiosrú . . ."

"Níor ghá dó Kim a thabhairt in éineacht leis más é sin a bhí ar intinn aige."

"Ach féach gur rith sé ar nós an diabhail agus tusa fós i do luí sa mhóta. Bhí Cormac *totally* ar buile faoi sin. Agus pé scéal é, níl tuairim agat cé hí Kim, nó an bhfuil ainm bréige in úsáid aici, nó cén dreach atá uirthi istigh faoina caille. Níl aon locht agam ar scairfeanna ach tá *actual* baol slándála ann nuair nach féidir aghaidh duine a fheiceáil."

"B'fhéidir gur ar mhaithe lena slándáil féin a bhí Kim clúdaithe. Chonaic mé go rímhaith an sceon a bhí uirthi. Caithfidh mé labhairt léi arís, a Shal. Ní raibh dóthain muiníne aici asam leis an scéal ar fad a insint dom inniu."

"Caithfidh tú aire a thabhairt duit féin, atá á rá agat." Shocraigh Sal barr na pluide, a bhí in aimhréidh. "Beidh aiféala ar Chormac gur thug sé an liosta ainmneacha duit ar chor ar bith."

Bhain Aoife lán a polláirí de bholadh ón gcaife. Trí huaire a bhí Cormac luaite ag Sal laistigh de chúpla nóiméad. Bhí sé de nós riamh ag a hiníon guth an tuismitheora a ghlacadh chuici féin agus bhí a leannán nua á tarraingt isteach sa ról céanna aici anois.

"An rud is mó nach dtuigim," arsa Aoife, "ná conas mar a thuig an bastard a d'ionsaigh mé go mbeimis sa pháirc? An amhlaidh go raibh Kim á leanúint aige? Nó mise?"

"Ceapaimse go bhfuil Kim faoi smacht ag Faisal. Bhain sé úsáid aisti chun tú a mhealladh go dtí an pháirc. Is tusa a bhí á ionsaí ag an reathaí, ach thug sé cúpla sonc do Kim chun dallamullóg a chur orainn."

"Más fíor duit, a Shal, is ráiméis é an stuif ar fad a d'inis Kim dom maidir leis an óstallán agus pé árasáin a bhí i gceist aici. Agus cén fáth go ndúirt sí liom féachaint ar rud éigin sa taispeántas? Cén fáth go ndúirt sí nárbh fhéidir le Saoirse imeacht as an bpríosún?"

Thosaigh Sal ag siúl suas síos le cois na leapa. "Ní ráiméis é más féidir linn é a thuiscint i gceart. Tá eagla ar Kim roimh dhuine atá ag obair in óstallán, *right?* Agus chonaiceamar bainisteoir óstáin ar an CCTV a raibh aithne aige ar Faisal? *Ergo*, is é an fear céanna é . . ."

"Nílimid cinnte go bhfuil aithne acu ar a chéile. Aontaím leat go gcaithfear a bheith amhrasach faoi Faisal, ach mar sin féin . . ."

"Diolún is ainm don bhainisteoir sin a chonaiceamar, is cuimhin liom anois é," arsa Sal agus í ag cloí lena cúrsa machnaimh féin. "Má fheicimid Réamonn ag an searmanas amárach, b'fhéidir go mbeidh roinnt eolais aige faoin mbeirt acu."

Leag Aoife a lámh ar ghéag Shal. Ba mhór an taca di comhluadar a hiníne. "Ní féidir linn a bheith ag brath ar Réamonn. Measaim go bhfuil scanradh air go dtarraingeoimid droch-chlú air i láthair a chigire."

"Ní raibh a chuid *people skills* go ró-iontach riamh, an raibh? An scanradh is mó a bhíonn air ná caradas a dhéanamh le daoine eile."

Rinne Aoife meangadh fann léi. Tar éis dóibh filleadh ón bpáirc go dtí an t-óstán, tháinig taom creatháin uirthi agus bhí cathú uirthi a cuid málaí a phacáil agus filleadh ar Bhéarra. Ach bhí uirthi tairbhe a bhaint as gach uair an chloig den am a bhí aici i mBaile Átha Cliath. Leag sí a cupán i leataobh agus chaith sí siar an phluid.

"D'iarr Kim orm dul chuig Óstallán Heuston," ar sí go docht. "Ón méid a dúirt Cormac linn, caithfidh gur ansin a bhí Saoirse ar lóistín bliain go leith ó shin agus, más ea, is ann a chuir sí aithne ar Kim." Chrom sí lena bróga a chur uirthi. "An dtiocfaidh tú liom go bhfeicfimid an áit, nó an rachaidh mé ann i m'aonar?"

"Fan tamall, le do thoil," arsa Sal, chomh docht céanna. "Rachaimid ann i dtacsaí, má tá tú *so seriously fixated* ar an áit. Ach bíodh rud éigin le n-ithe agat ar dtús."

Ghéill Aoife don tathant in ainneoin nach raibh goile aici. D'ordaigh Sal ceapairí ón mbiachlár le tabhairt chucu sa seomra agus d'aimsigh Aoife an t-óstallán ar an idirlíon. Bhí a fhios aici gur chóir di fanacht socair tar éis di a cloigeann a bhualadh faoin talamh. Ach bhí sí ar bís chun gnímh. Bhí an t-óstallán gar do Stáisiún Heuston, a bhí i bhfoisceacht ciliméadair dá hóstán féin.

Bhí íomhánna na páirce ag iomrascáil ina hintinn. Ballaí duairce na harmlainne, a raibh poill faire iontu do na saighdiúirí a bhíodh á gcosaint fadó in aghaidh lucht dúshláin na himpireachta. Radharc sciamhach síos ar ghleann glas crannach na Life. Bricíní rua ar an reathaí. Scairf chorcra Kim á greamú aici dá béal, agus bior dubh na heagla dóite go domhain ina súile.

Bhí Sal ina suí os comhair an scátháin, á smidiú féin. Bhí Aoife buartha go raibh obair an choláiste á cur ar athló aici lá i ndiaidh lae. D'éirigh léi freastal ar a cuid léachtaí ar an Luan agus ar an Máirt, ach bhí aiste fhada le scríobh aici a thuillfeadh marcanna ag deireadh na bliana. Nuair a thosaíodar ag ithe, d'fhiosraigh Aoife cad é an plean staidéir a bhí aici.

"Bhí a fhios agam go mbeifeá ag gearán faoi sin," a d'fhreagair Sal go gealgháireach. D'oscail sí a ceapaire agus shocraigh sí slis bradáin chun a sástachta. "Cén fáth nach dtagann tú go Baile Átha Cliath uair sa mhí as seo amach, chun a chinntiú go bhfuilim suas chun dáta?"

Chroith Aoife a ceann léi. Bhí an teannas a d'fhás eatarthu sa teach ag dul i léig, agus ba mhór an faoiseamh é sin.

"Mar a tharlaíonn sé," arsa Sal ansin, "tá plean den scoth agam don aiste."

"Inis dom?"

"*So* is cúrsa faoin staireolaíocht atá ar siúl agam," a mhínigh sí go cuidiúil, "rud a chiallaíonn staidéar a dhéanamh ar na bealaí ina scríobhtar an stair agus na leaganacha difriúla a fhaighimid den scéal céanna. Mar shampla, cad a deir cáipéisí an phríosúin faoi shaol Ellen Cassidy i gcomparáid leis an leagan atá le fáil óna deartháir."

"Tá tú ag ceapadh aiste a scríobh faoi Ellen?"

"Totally. Tá cead againn pé sampla is maith linn a roghnú ach cloí le nua-stair na hÉireann agus scrúdú a dhéanamh ar na claontaí agus na cuspóirí a bhaineann le gach píosa fianaise."

"Is dócha go bhfuil sé socraithe agat le Cormac cabhrú leat leis an taighde?"

Bhain Sal searradh as a guaillí. "Níl a fhios agam. Ach má tá aon mhaith liom mar mhac léinn, ba chóir go bhfaighinn amach cén fáth go ndúirt Kim leat féachaint sa taispeántas, nó cad iad na rudaí, mar a dúirt sí, a chuir Saoirse sa stair."

Bhí Óstallán Heuston suite ar láthair nuathógtha trasna na sráide ó gheata tosaigh an Bhrú Ríoga agus ón ollmhargadh in aice le hárasáin nua an Cheantair Theas. Lóistín glan compordach, a mhaígh an suíomh idirlín a bhí ar fáil ann do thurasóirí, do mhic léinn agus do lucht oibre na cathrach, agus é i bhfoisceacht trí nóiméad siúlóide den stáisiún traenach. Foirgneamh ceithre stór a bhí ann, brící liathghorma ar urlár na sráide agus brící liathbhuí thuas in airde. Bhí lána idir é agus an chéad sraith foirgneamh eile, agus comhartha ar an lána i dtreo carrchlós faoi thalamh. Dreach nuathógtha, neamhphearsanta a bhí ar an tsráid go léir. Bhí cúpla gnólacht ar an taobh thall den lána: ionad aclaíochta, siopa geallghlacadóra agus sciamhlann, ach ba bheag an carachtar a bhain leo siúd ach oiread agus ba dheacair a shamhlú go raibh spiorad pobail sa cheantar mar a bhí in áiteanna eile i gCill Mhaighneann.

Bhí doras gloine an óstalláin faoi ghlas, ach bhí ógfhear ar a shlí amach agus mála spóirt faoina ascaill a choimeád an doras ar oscailt d'Aoife agus do Shal. Bhí doras eile de ghloine dorcha idir iad agus halla fáilte. Tíleanna snasta a bhí ar na ballaí agus ar an urlár, agus macalla toll a gcoiscéimeanna féin le cloisteáil acu.

"Cá bhfuil na fógraí turasóireachta nó an brat deas compordach ar an urlár?" arsa Aoife le Sal go ciúin. "Is cosúla an áit seo le forhalla oifigí riaracháin ná le hóstallán."

Chomharthaigh Sal i dtreo ceann de na ballaí. Bhí trí scáileán ríomhaire crochta air mar a bheadh pictiúir, agus seilf lonrach fúthu ar feadh an bhalla. Dhruid Sal anonn go dtí an chéad scáileán agus ghliogáil sí ar chnaipe ar imeall na seilfe. Tháinig roghchlár aníos a thairg eolas faoi áiseanna an óstalláin agus cóir iompair na cathrach, mar aon le fógraí fostaíochta agus tuilleadh. Bean óg de bhunadh na hAfraice a bhí ag an deasc fáilte. Dúirt sí leo go raibh súil aici go bhfillfeadh an bainisteoir go luath. Fanfaimid leis, arsa Aoife, agus í ag féachaint cén áit a suífeadh sí. Ach ní raibh ar fáil ach stólanna arda cois na ríomhairí. Bhí teilifíseán crochta ar an mballa os cionn an deasc fáilte agus rásaí capall ar taispeáint air.

"Ar mhiste leat . . . ?" Labhair Sal leis an bhfáilteoir, a raibh a haird arís ar shraith mionscáileán ar an deasc fáilte. "Tá rud nach dtuigim ar an roghchlár thall anseo." D'éirigh an fáilteoir go doicheallach agus d'imigh anonn chuig Sal. Choimeád Aoife a súil orthu fad a scrúdaigh sí an deasc. Ní raibh oiread is bileog amháin páipéir air agus dhírigh sí a haird ar na mionscáileáin. Bhí ocht gcinn de cheamaraí CCTV san óstallán, ba chosúil, má bhí ceann ar leith nasctha le gach scáileán. Radharc leathan ar an halla a thaispeáin ceann amháin, agus Aoife féin ar imeall an phictiúir. Ghluais sí i leataobh ionas nach mbeadh an ceamara á taifeadadh. Léibhinn thuas staighre a thaispeáin a bhformhór, ba dhóigh léi, agus bhí scáileán sách dorcha ann freisin a thaispeáin doras sráide – slí isteach, ba dhóigh léi, ón gcarrchlós faoi thalamh.

D'imigh Aoife ón deasc díreach agus an fáilteoir ag tiontú ar ais ina treo. "Rachaimid amach ar feadh cúig nóiméad," ar sí le Sal de chogar. "Is dócha go gceapfaidh tú go bhfuilim seanaimseartha, ach cuireann an áit seo fuacht orm."

"Tá an t-óstallán faoi stiúir ag ríomhairí," arsa Sal. "Caithfidh tú do bhricfeasta a ordú ar líne, agus gach áis eile mar an gcéanna. Tairgtear gach sórt suíomh sóisialta agus fostaíochta do na cuairteoirí, rud a chiallaíonn go mbailítear a lán eolais fúthu, déarfainn."

Shiúladar síos an tsráid agus iad ag faire thart orthu. Bhí fuinneoga móra ar an gcéad urlár den ionad aclaíochta agus scáilchruthanna le feiceáil ar na meaisíní reatha. Stad beirt bhan ag doras gnólachta a bhí i mbéal an charrchlós faoi thalamh. Bhí bagáiste ar rothaí acu agus ba léir go raibh códuimhir acu don doras, a osclaíodh go huathoibreach. Ionad stórais a bhí ann, agus thángadar amach gan a gcuid bagáiste.

"B'fhéidir go n-oirfeadh sé domsa an áis seo a úsáid ar feadh cúpla lá," arsa Aoife. "Thabharfadh sé leithscéal dom teacht ar ais, mura n-éiríonn liom labhairt le Kim idir an dá linn agus a fháil amach cad a bhí i gceist aici maidir leis na hárasáin."

Bhí fógra á léamh aici ar fhuinneog an ionaid, nuair a ghriog Sal a huillinn. Bhí doras idir an t-ionad stórála agus an t-ionad aclaíochta, agus chonaiceadar fear ag siúl amach a raibh seaicéad dubh air. Dhruid Sal isteach chun na fuinneoige go tapa.

"Ar aithin tú é?" ar sí lena máthair de chogar.

Thug Aoife leathspléachadh thar a gualainn i dtreo na sráide. "D'aithin, ón CCTV sa phríosún,"

D'fhanadar socair ar feadh nóiméid agus chonaiceadar scáil an fhir san fhuinneog. Bhí sé ag dul i dtreo an óstalláin agus tar éis beagán moille, leanadar isteach sa halla fáilte é, áit a raibh sé ina sheasamh os comhair an teilifíseáin.

"Diolún, nach ea?" a d'fhiafraigh Aoife. Bhí an fáilteoir imithe as radharc. "Ba mhaith linn labhairt leat faoi ócáid a bheidh ar siúl tráthnóna amárach sa phríosún."

Gnúsacht a thug sé mar fhreagra uirthi. Ar rás capall a bhí á chraoladh ó Mheiriceá a bhí a chuid airde agus b'éigean d'Aoife labhairt suas lena gualainn. Fear in aois a daichead a bhí ann, é dea-dhéanta, matánach, téagartha. Bhí a sheaicéad trom leathair ar nós sciath chosanta idir é agus an domhan ina thimpeall, dar léi.

"Tá brón orm, níl do chéadainm agam, ach is mise Aoife Nic Dhiarmada . . ."

"Sea, cad atá uait?" a d'fhiafraigh sé go patuar. Ar éigean a thiontaigh sé ina treo. "Tá gach sonra faoi chúrsaí lóistín ar na ríomhairí thall ansin."

"Bhí aithne againn ar Shaoirse Ní Néill." Labhair Aoife go tapa ach go cairdiúil. "Beidh searmanas cuimhneacháin ar siúl sa phríosún ina honóir agus beidh an-fháilte romhat ann. Chualamar go raibh tú i láthair ag an ócáid seolta seachtain ó shin, an oíche sula bhfuarthas sa chillín í."

Mhúch sé fuaim an teilifíseáin ar deireadh agus thiontaigh sé chuig an mbeirt acu. "Nach sibh atá díograiseach teacht anseo do mo lorg," ar sé. "Mo chomhbhrón libh gan amhras, ach is beag aithne a bhí agam ar an mbean a maraíodh." Chroith sé a ghuaillí ar éigean. "Ceann de na cúraimí a bhíonn orm ná a bheith ar an eolas faoi imeachtaí cultúir sa cheantar, b'in an fáth gur fhreastail mé ar an ócáid úd."

Bhí sé ag druidim i dtreo an deasc nuair a chuir Sal a cuid leis an gcomhrá. "Táimid fíorbhuíoch díot as do chuid ama," ar sí agus meangadh gléigeal á dháileadh aici air. "Is mise Sal, agus is cuimhin liom gur mhol Saoirse an lóistin a bhí aici anseo san óstallán. B'fhéidir go n-oirfeadh sé dom féin . . ."

"Mar a dúirt mé, tá an t-eolas ar fad ar na

ríomhairí." D'fhéach sé an dara huair ar Shal agus spléachadh fábhrúil aige ar a cíocha agus a cosa fada. "Anois, mura bhfuil gnó eile agaibh . . . ?"

"Cad faoi na hárasáin atá ag gabháil leis an óstallán?" arsa Aoife. "Bheadh spéis ag m'iníon iontu mar rogha, seans." Ní raibh trácht ar árasáin ar bith ar an suíomh idirlín ach b'fhiú an cheist a chur.

"Caithfidh go bhfuil míthuiscint ort," arsa an bainisteoir. Ba dheacair a rá an mífhoighne nó míshásamh de shórt eile a bhí ar a ghnúis. "Tá árasáin de gach sórt le fáil ar cíos sa cheantar seo ach ní bhaineann siad linn anseo."

Chuimhnigh Aoife ar na focail "an Suanlios" a chuala sí ó Kim. Ach níor thuig sí cad a bhí i gceist leis. Ainm óstallán eile nó bloc árasán? An raibh an focal cloiste i gceart aici, fiú? Bheadh sé contúirteach an iomarca spéise a léiriú i ngnó an bhainisteora ar an gcéad iarracht. Tuilleadh eolais a bhí uaithi ar dtús, faoi siúd agus faoi Faisal al-Jamil freisin. Ní fhaca sí ag comhrá le chéile iad ag an ócáid, ach chuimhnigh sí ar dhuine eile a bhí i gcomhluadar Faisal an tráthnóna sin. Gabriel ab ainm dó, ba chuimhin léi, agus bhí post aige le heagras cearta daonna sa chathair. Gach seans go raibh seisean iontaofa, agus é in ann rud éigin a insint di faoi Fhaisal.

Shiúil sí féin agus Sal go dtí cúinne na taobhshráide, ag súil le tacsaí a fháil. D'airigh Aoife tuirse ag tuirlingt mar a bheadh scamall ar mhullach sléibhe.

"Chuir sé as do mo dhuine gur luaigh tú an focal

'árasáin'," arsa Sal ar ball. "Ach cén *actual* tábhacht atá leis sin, níl tuairim agam. Agus bhí sé cúramach gan a ainm iomlán a thabhairt dúinn."

"Bhí sé cúramach ó thús go deireadh," a d'fhreagair Aoife. "Agus is beag a fuaireamar amach, is oth liom, faoi na hárasáin ná aon rud eile. D'fhéadfainnse filleadh ar an gceantar amárach agus féachaint thart arís, agus b'fhéidir go gcuirfinn bagáiste san ionad stórais nó go gclaróinn leis an ionad aclaíochta. Ach, dáiríre, níor thug Kim dom ach sifíní dá scéal, agus beimid ar seachrán ar fad mura ndéanann sí teagmháil liom arís."

*B*hí ribín buí an Gharda Síochána crochta ar an ngeata, mar a bhí an chéad oíche a sheas Réamonn ar Bhóthar an Choimín. Ach ní raibh radharc ceart le fáil ar an teach ag uimhir a ceathair anois. Bhí claí adhmaid tógtha thart an an ngairdín tosaigh, claí a bhí sách ard le cosc a chur ar ghadaithe agus ar lucht gliúcaíochta. Cosaint don phobal a bhí ann freisin, i gcás go dtitfeadh scláta scaoilte ón díon scriosta nó go séidfí smionagar amach ón ngairdín ar an tsráid.

Bhí comharthaí an scriosta le feiceáil go soiléir. Clúdach plaisteach ar chuid den díon, mar ar fhág an tine poll. Smál gránna dubh ar bhrící an tsimléir agus ar chuid de bhrící na dtithe ar an dá thaobh. Adhmad in áit gloine i gcuid de na fuinneoga. Bheadh obair mhór dheisiúcháin le déanamh laistigh agus lasmuigh, agus a lán plé le comhlachtaí árachais.

Ach ba é an drochbholadh ba mhó a chuaigh i gcion ar Réamonn. Bhí beagnach seachtain caite ó múchadh lasracha na tine ach ghreamaigh an smúdar dóite dá intinn an athuair.

"An bhfuil do chuid paidreacha ráite agat fós? Nó an bhfuil tú spíonta ag an obair agus do chodladh ag titim ort?"

An Sáirsint Lombard a réab an tost go mífhoighneach. Bhí Réamonn in ísle brí tar éis ar tharla le Tom Ó Mórdha agus bheartaigh sé filleadh ar an obair an chéad lá eile. Labhair sé leis an gCigire de Barra faoina chomhrá le Mel Mac Aogáin, á rá léi gur tharla dó teacht isteach i gcaifé an ospidéil fad a bhí sé féin ina shuí ann. B'fhiú an méid a bhí ráite ag Mac Aogáin a fhiosrú, a d'aontaigh sí, agus d'iarr sí ar an sáirsint dul amach in éineacht le Réamonn chuige sin.

"Cuir i gcuimhne dom cad é an teoiric iontach seo agat? Málaí cócaoin curtha i bhfolach in áiléar Ní Néill, an ea?" Bhí rolla mór sicín á ithe ag Lombard agus chuimil sé daba den anlann curaí dá bhéal le naipcín páipéir.

"Dúradh liom gur chreid Ní Néill go raibh drugaí á ndíol ar an mbóthar agus go ndearnadh iarracht an soláthar a chur i bhfolach."

"'Dúradh leat go ndearnadh seo is siúd? Cén fáth nach ndeir tú amach liom gur inis príomhamhrastach an cháis duit é?"

Choimeád Réamonn a amharc ar theach Shaoirse. Bhí sé ina shuí i gcarr Lombard, soilse na sráide ar siúl agus muintir na háite ag filleadh abhaile ón obair.

"Is cuma cé a dúirt é," ar sé, "más féidir linn teacht ar fhianaise a thacóidh leis."

"Muise, bualadh bos as do chuid gaoise, agus as do

chuid dúthrachta freisin! Nach iontach gur bhailigh tú eolas faoi choim fad a bhí tú i do luí sínte san ospidéal."

D'fháisc Réamonn a chuid fiacal ar a chéile. Tuairim na coitiantachta sa stáisiún ná gur chóir neamhaird a thabhairt ar dhrochbhéasa Enzo Lombard. Ach bhraith Réamonn go raibh tarcaisne ar leith á léiriú ag an sáirsint dó féin. "B'fhiú an t-ailéar a scrúdú arís dá bhfaighimis duine nó beirt eile a chonaic drugaí á ndáileadh ar an tsráid."

Ghlan Lombard síolta tráta dá smig. "Ceistíodh muintir na sráide seo dhá nó trí huaire cheana. Agus maidir le mangairí drugaí, tá ainm, seoladh agus dáta breithe gach suaracháin díobh againn cheana féin, agus aithne phearsanta agam féin ar a bhformhór."

"Tuigim sin, gan amhras." Bheartaigh Réamonn a fháil amach an raibh Lombard sásta cur lena chuid cainte. "Más mian leat a rá leis an gCigire de Barra nach fiú tabhairt faoin gceistiú . . . ?"

"I dtigh an diabhail leis sin," arsa Lombard. "Cad is cuma liomsa más cur amú ama é, nuair atá cúpla uair an chloig oibre le baint agam as."

Níor fhreagair Réamonn é an uair seo. Bhí sé sách fada ina gharda gur thuig sé an meon i measc go leor bleachtairí: gurbh ionann fiosrú dúnmharaithe agus féasta maith ragoibre.

"Ar ndóigh, is tusa an leaidín bocht nach bhfuil liúntas bleachtaire ag dul dó go fóill, is dócha?" D'alp Lombard greim eile dá rolla. "Cúpla bliain eile i rang na naíonán agus beidh toradh ar do chuid díograise, b'fhéidir. Agus idir an dá linn, féach mise ag diúl liom go sásta mar a bheadh cruimh ar chorpán. Íocfaidh an cás seo as mo chuid laethanta saoire má leanann sé mí eile, an gcreidfeá é? Seáp chun na hIodáile um Nollaig, sílim, ach dul ann i ngan fhios do mo sheanghaolta."

D'agair Réamonn air féin gan géilleadh don saighdeadh. Droch-chodladh a fuair sé an oíche roimhe sin agus é ag dul siar ina intinn ar gach cor a tharla idir é agus Tom. Taomanna dúile á threascairt faoi choim na hoíche agus síorcheisteanna á chrá le maidneachan an lae. Airsean an locht gur chothaigh sé spéis Tom. Ní raibh sé réidh don chaidreamh a tairgeadh dó. Ní raibh a fhios aige cad a bhí uaidh. Ar chóir dó a rá le Tom go raibh sé tógtha leis ach gur chúlaigh sé uaidh mar nach raibh sé ar fónamh? An mbeadh drochmheas ag Tom air dá dtuigfeadh sé a laghad taithí a bhí aige agus é beagnach tríocha is a seacht bliain d'aois?

"Sea, go deimhin," a bhí á rá ag Lombard go sásta. "Ródheifir sna cásanna seo is cúis le botúin a dhéanamh. Ach tá an fhianaise ag carnadh go seasta in aghaidh an phríomhamhrastaigh. Béarfaimid greim magairlí air in am tráth."

"An bhfuil fianaise nua ann ina choinne?"

"Tá seo agus siúd ann, blúirí a d'aimsíomar fad a bhí tusa ar saoire san ospidéal. Mar shampla, tá gach dealramh ar an scéal go raibh fáil ag Mel an Mealltóir ar sholáthar moirfín le tamall anuas. Fágann sin go raibh sprioc, modh agus deis aige an dúnmharú a chur i gcrích."

"Cá bhfaigheadh sé an moirfín?"

"Ó, anois, bíodh foighne agat go fóill. Seans go dtabharfaidh mé freagra na ceiste sin duit níos déanaí inniu, má bhíonn an t-am fágtha againn le sciuird a thabhairt ar Inse Chór."

Chuir Réamonn iachall air féin leanúint á cheistiú. Ar a laghad ar bith, choimeádfaí a aird óna chuid trioblóidí féin. "Agus cad faoi na fiacha atá air?"

"Fiche míle *minimum,* agus iad ag méadú go tréan le roinnt míonna anuas. Is ón ngealltóireacht amháin an méid sin, *by the way,* rud a thugann le fios gur amadán é Mac Aogáin chomh maith le bheith tugtha do na cártaí. Ceist eile ná an eol do Róisín na gCos Caol na trioblóidí airgid atá ag goilliúint ar a fear céile."

"Ach an bhfuil cruthú ann go raibh an deis aige an marú a dhéanamh?"

"Tá's againn gur imigh sé féin agus Róisín ón gcliathán thiar roimh 8.00 pm agus gur fhág sé slán léi ag an músaem cúpla nóiméad ina dhiaidh sin. Chonaic duine den fhoireann an bheirt acu, fear darb ainm Pádraig Mistéil. Tá's againn freisin gur fhill Mac Aogáin ar an bpasáiste i lár an phríosúin, idir an dá chliathán, áit a raibh radharc aige ar an slua ag imeacht leo." D'fhéach Lombard i leataobh ar Réamonn. "An fáth go bhfuil an t-eolas sin againn, sa gcás go ndéanfá diancheistiú orm, ná go raibh sí ag comhrá leis an gcomhairleoir áitiúil, Ó Tuathail, thart ar 8.10 pm, agus go bhfacadar beirt é ina sheasamh go díomhaoin agus a bhod á chigilt aige."

"Thuig mé gur admhaigh Mel féin go raibh sé lasmuigh den chillín ag a 8.15 pm?"

"Ó, mo léan, seo chugainn an diancheistiú anois! Níl ionamsa ach bleachtaire-sháirsint, ar ndóigh, ach creidim nach leor dúinn an méid a deir Mac Aogáin féin. Agus is é an fáth gur admhaigh sé cá raibh sé ná go raibh fear eile ar a shlí chuig an gcillín ag a 8.15 pm. Níor thuig an fear seo, Liam rud éigin, go raibh sé ródhéanach don seó sa chillín go dtí go bhfaca sé Mel Mealltach ag imeacht ón doras. Faoin am sin, creid uaim é, bhí an doras glasáilte go tréan aige siúd."

"Cén t-am a d'fhág sé an príosún, de réir an CCTV?"

"Fan ort go fóill, a Gharda Seoighe. Sular fhág sé an foirgneamh ag 8.42 pm go beacht, tá fianaise againn gur thriail sé filleadh arís ar an gcliathán thiar. Bhí beirt d'fhoireann an phríosúin ar a gcamchuairt ann tar éis 8.30 pm agus cé a chonaiceadar ag teacht ina dtreo ach Mac Aogáin. D'imigh sé leis nuair a chonaic sé iad ag faire air, ach is léir go raibh spéis aige a chinntiú go raibh an doras dúnta go daingean aige – rud a bhí, mar a fuair an treoraí Ní Bheirn amach nuair a thriail sise é."

Bhí Lombard chomh postúil nár fhéad Réamonn gach pointe a ghéilleadh. "Mar sin féin, is fianaise imthoisceach ar fad atá againn. Níl méarlorga Mhic Aogáin in aon áit nár chóir iad a bheith, an bhfuil?"

Ach níor dheonaigh Lombard freagra a thabhairt air. Sháigh sé páipéar smeartha an rolla aráin isteach i bpóca an dorais agus ligh sé a bheola go slapach, glórach. D'oscail Réamonn a dhoras féin agus sheas sé amach ar an tsráid go mall. Bhí a ghualainn fós nimhneach ach bhí sé in ann siúl go réasúnta maith. In ainneoin an smúdair a bhí ina luí ar aer na sráide, b'fhearr leis é ná aer an chairr.

Daoine béasacha nach raibh mórán le rá acu a casadh orthu ar dtús. Ag an dara teach ó theach Shaoirse, uimhir a hocht, chuir cabaire de bhean moill orthu: í ag clamhsán faoi leiciméirí sráide ag ceannach alcóil ar chostas íseal, gardaí nach mbíodh fáil riamh orthu ag am an ghátair, an saol bunoscionn ag an gcoiriúlacht. Tuairimí seanráite, gan fianaise ar leith aici a chuirfeadh feoil leo. Ní raibh solas ar bith sa chéad teach eile, agus chnagadar ar uimhir a dó dhéag. Bean sna daichidí a d'oscail é, lámha fliucha á cuimilt dá chéile aici agus mífhoighne ar a gnúis. Ghlac Lombard seilbh ar an gcomhrá sula raibh deis labhartha ag Réamonn.

"Tá brón orainn cur isteach ort," ar sé, "ach caithfimid ceist nó dhó sa bhreis a chur ort. "

Níor cheil sí a doicheall rompu. "A chur ormsa nó ar gach duine anseo timpeall?"

"Ní ortsa go sonrach sa chás seo. Pointe nó dhó atá le soiléiriú, sin uile."

"Nach gceapann sibh go mbím i mo dhúiseacht leath na hoíche ag smaoineamh ar an mbean sin? Dá mbeinn in ann pointe nua a shoiléiriú nár phléamar cheana, geallaim duit go mbeadh sé déanta faoin am seo agam."

D'fhill sí a lámha ar a hucht agus í ag faire go gruama ar an mbeirt ghardaí. Béal uirthi nár chleacht meangadh go rímhinic, dar le Réamonn, ach bhí iontas air faoi chomh trodach is a bhí sí ag an am céanna.

"An cheist atá againn," arsa Lombard go neamhchúiseach, "ná ar chuala tú trácht ar bith ar aighneas idir Saoirse Ní Néill agus duine nó daoine eile anseo ar Bhóthar an Choimín?"

Thug an bhean súilfhéachaint suas síos an tsráid agus chomharthaigh sí don bheirt acu seasamh isteach sa halla. "Ní maith liom a bheith ag labhairt libh i láthair an phobail," ar sí. "Ní faoin tuath amháin a bhíonn na comharsana ag beadaíocht faoi gach cor ar fheiceann siad, bíodh a fhios agaibh."

"Agus maidir le cúis aighnis?"

"Níl a fhios agam. Ní cuimhin liom aon rud ar leith. "

"Nó an bhfaca tú aon rud a thabharfadh le fios duit go raibh díol drugaí mídhleathacha ar siúl ar an mbóthar?"

D'ardaigh sí a guaillí agus scaoil arís go mall iad. Bhraith Réamonn go raibh sí ag moilleadóireacht d'aon ghnó. "Tugaimse aire do mo ghnó féin," ar sí, "agus ní heol dom aon rud faoi sin."

"Ceart go leor, go raibh maith agat. Ach má chuimhníonn tú ar aon tagairt d'aighneas idir Saoirse Ní Néill agus daoine eile ar an tsráid, ba chúnamh dúinn é sin a chloisteáil."

Tháinig tuin níos dearfaí ar chaint na mná. "Bhuel, ón mbeagán aithne a bhí agam uirthi, déarfainn go raibh claonadh aici a ladar a shá i gcúrsaí daoine eile. Bhí sí an-chinnte di féin."

Bhí fonn ar Réamonn fiafraí cé acu cúrsaí ar chuir Saoirse a ladar iontu. Ach sula bhfuair sé an deis sin, tháinig déagóir amach as ceann de na seomraí faoi dheifir agus cluasáin air. Mac agus máthair, ba léir, ón gcosúlacht a bhí aige le bean an tí. Teannas eatarthu freisin, dar le Réamonn, ó na féachaintí a thugadar ar a chéile. Bhí an mac ar tí cúlú nuair a thuig Réamonn de gheit go raibh sé feicthe cheana aige. Ag cúinne na sráide a bhí sé oíche na tine, mar aon leis na dailtíní eile a thosaigh ag achrann ag an am ba mhí-oiriúnaí dó. Beartán á thabhairt dóibh ag tiománaí an chairr sular imigh seisean faoi luas.

"Ba mhaith liom labhairt le do mhac," arsa Réamonn leis an mbean go gasta. Bhí an déagóir féin imithe as radharc agus doras a sheomra dúnta aige. "Cén t-ainm atá . . . ?"

"Ní dúirt sibh faic dá laghad faoi cheistiúchán a dhéanamh ar leaid atá faoi aois," ar sí. "Ní raibh uaitse, a Sháirsint, ach 'pointe nó dhó a shoiléiriú', agus rinne mé mo dhícheall chuige sin." Shocraigh sí imeall a blúis os cionn a sciorta. Dath láidir buí nár oir di a bhí ar an mblús, agus thug Réamonn faoi deara go raibh sé rótheann ar a brollach. "Thug mé gach eolas daoibh i mo ráiteas sa phríosún an chéad lá riamh," ar sí, "agus labhair mo mhac libh an lá céanna."

Bhí mearbhall ar Réamonn. "Sa phríosún? Tá brón orm, ach cén ráiteas a thug tú sa phríosún?"

"In ainm Dé, an gcaithfidh mé cur suas leis seo?" D'fhéach sí ar Réamonn go tarcaisniúil, a cuid bricíní rua báite ag an luisne dhearg ar a haghaidh.

"Mo mhíle leithscéal," arsa Lombard. "Rinne mé talamh slán de go raibh an t-eolas cuí ag mo chomhghleacaí." Thiontaigh sé i dtreo Réamoinn, a d'aithin go maith an smid gháire ar a bhéal. "Ar ndóigh, seo í Janis Ní Bheirn, atá ag obair ina treoraí sa phríosún. Bhí sí i láthair sa chillín nuair a fuarthas corpán Ní Néill."

Bhí Réamonn ar fiuchadh le fearg agus le náire. Bhí ceap amadáin déanta ag Enzo Lombard de. Ar an sáirsint a bhí an dualgas an t-eolas cuí, mar a thug sé air, a roinnt le garda a d'fhill ar obair ón ospidéal an lá roimhe sin.

"Tá brón orm," arsa Réamonn léi go righin. "Is mise a bhí i dteach Shaoirse oíche na tine agus dá bharr sin, ní raibh mé . . ."

"Pé sórt leithscéil atá agat," arsa Janis go colgach, "ní mian liom go labhródh mo mhac Isaac libh inniu, nuair nach bhfuaireamar foláireamh roimh ré. Is buachaill sách leochaileach é agus tá mé imníoch faoin stró atá á chur air ó thosaigh an trioblóid seo ar fad."

*A*r éigean a labhair Réamonn agus Lombard dhá fhocal le chéile go dtí go rabhadar leathshlí as Cill Mháighneann go hInse Chór. Ina n-aonar a thugadar cuairt ar na tithe eile ar Bhóthar an Choimín. Casadh beirt ar Réamonn a raibh an t-achrann ar an tsráid feicthe acu tráthnóna Déardaoin ach ní rabhadar in ann na hógánaigh a ainmniú; agus ba bheag a bhí le rá acusan ná ag aon duine eile faoi mhangaireacht drugaí nach léifidís ar nuachtáin thablóideacha.

Bhí sé ag filleadh ar ghluaisteán Lombard nuair a thug sé faoi deara bean ag oscailt geata tí trasna ó theach Shaoirse – uimhir a haon déag, an teach cluthar a raibh sé tar éis féachaint isteach an fhuinneog air oíche na tine agus caidreamh grá a shamhlú. Bhí an bhean beag agus téagartha, agus bhí madra bán ar adhastar aici. D'fhéach sí ina threo agus d'aithin sé í. Ba í an bhean ghlantacháin í a casadh air féin agus ar Lombard sa bhloc árasán ina raibh cónaí ar Róisín Mhic Aogáin. Rud éigin a dúirt sí an uair sin faoi cheadúnas madraí a chuir i gcuimhne dó í.

Bheartaigh sé gan deifriú chuig doras an tí anois, áfach. D'fheicfeadh Lombard é agus ghlacfadh sé smacht ar an gcomhrá. Ina áit sin d'fhillfeadh Réamonn ar Bhóthar an Choimín ina chuid ama féin. Duine fiosrach, comharsanúil ab ea an bhean, dar leis, agus dá mbeadh an t-ádh air, bheadh scéalta le hinsint aici faoi Isaac Ó Beirn agus faoina mháthair Janis.

Caithfidh go raibh Ní Bheirn ar liosta na n-amhrastach, ar sé leis féin, nuair a bhí an oiread nascanna idir í agus an choir. Bhí sí i láthair oíche an dúnmharaithe. D'admhaigh sí gur bhrúigh sí mála Shaoirse isteach faoin leaba, ionas go raibh deis aici an buidéal nimhe a chur ann. Chuaigh sí féin agus treoraí eile thart ar an gcliathán thiar tar éis 8.30 pm agus d'aontaíodar gurbh í Ní Bheirn a thriail an doras. Má bhí eochair cóipeáilte aici roimh ré, bhí deis aici í a chasadh sa doras. Ní raibh an treoraí eile, Mistéil, ina sheasamh in aice léi ag an doras. Rud eile de: bhí fios an scéil ag Ní Bheirn faoin gcaidreamh idir Mel agus Saoirse, agus í ag dréim, b'fhéidir, go lochtófaí Mel as an marú.

Ach cén chúis a bheadh aici a comharsa óg a dhúnmharú? Ar aimsigh Saoirse drugaí a chuir a mac Isaac i bhfolach ina háiléar – agus an amhlaidh gur bheartaigh Ní Bheirn gurbh fhearr léi Saoirse a mharú ná Isaac a bheith os comhair cúirte? Ba dheacair é a chreidiúint, ach cad faoi Isaac mar chiontóir, nó an raibh deis aigesean teacht ar eochair oíche na hócáide? Ba chuimhin le Réamonn a chloisteáil go raibh sé i mbun oibre sa phríosún an oíche sin, ag cabhrú leis an soláthar bia agus deochanna. Níorbh fhiú do Réamonn fiafraí de Lombard cé a bhí ar liosta na n-amhrastach, ach dá mbeadh sé féin agus Tom Ó Mórdha in ann comhrá sibhialta a dhéanamh le chéile, thabharfadh Tom an t-eolas sin dó.

Bhí siotgháire ar a bhéal ag Enzo Lombard nuair a bhris sé an tost eatarthu. "Tá mé buartha nach bhfuil tú ábalta do do chúraimí, a Gharda Seoighe. Mura bhfuil tú ar fónamh go fóill, b'fhearr dúinn a shocrú go bhfágfaí sa stáisiún thú ag plé le gearáin faoi chait agus madraí a d'imigh ar strae."

"Má tá faisnéis ar leith le tabhairt agat dom sula labhróimid le Róisín Mhic Aogáin," arsa Réamonn, "tá mé ag éisteacht."

"Ó, muise, bímis buíoch as an méid sin ar a laghad," arsa Lombard. Bhí Réamonn lánchinnte go raibh sé ag baint sásaimh as an teannas eatarthu. Thost Lombard ar feadh nóiméid nó dhó eile agus ansin thosaigh sé ar liodán míniúchán, é tuirsithe de chluiche an chiúnais.

"Cuardaíodh árasán Mhic Aogáin lena gcead. Aimsíodh buidéal i gcófra sa seomra folctha, agus gan de lipéad air ach greamán a raibh "Ox" scríofa air. Leacht ar dhath oráiste a bhí sa bhuidéal, atá á scrúdú anois lena fháil amach an Oxynorm atá ann." Thug sé spléachadh i leataobh ar Réamonn agus glór uasal le híseal aige. "I gcás nárbh eol duit é, tugtar Oxynorm ar an druga ar baineadh leas as mar uirlis bháis sa chás atá á fhiosrú againn, agus is é an druga céanna é a

ghlacann Maria Furlong, máthair chéile Mhel."
Choimeád Lombard a amharc ar an mbóthar amach
roimhe, in ainneoin go rabhadar ina stad ag soilse
tráchta. "Aon cheist go dtí seo?"

"Cé a dháileann an druga ar an máthair chéile de
ghnáth?"

"Tagann altraí oispíse ar cuairt uirthi go rialta ach
is iondúil go gceadaítear don mhuintir soláthar áirithe
a choimeád sa teach ar fhaitíos práinne istoíche is eile.
Bíonn cúramóir léi i rith an lae freisin – agus ar
fhaitíos go gcuirfeá i mo leith nár inis mé duit é, is
duine í siúd a fostaíodh le cúnamh na háisíneachta a
bhfuil Faisal al-Jamil ina bun."

"Agus maidir le méarlorga ar an mbuidéal i gcófra
an árasáin?"

"Ní raibh aon mhéarlorg inaitheanta air. Is cosúil
gur cuimlíodh an buidéal am éigin, pé acu d'aon turas
nó de bharr go raibh lámhainní ar an duine deireanach
a láimhseáil é."

"An bhfuil a fhios ag muintir Mhic Aogáin gur
aimsíodh an buidéal?"

"Má tá, ní le cead na ngardaí a insíodh dóibh é.
Agus freagra ar cheist eile nár chuimhigh tú a chur
orm, a Gharda na Géarchúise, ná go raibh timpeall
fiche millilítear sa bhuidéal áirithe sin. Céad is a fiche
milliléatar a líonfadh an buidéal; agus braon beag
eolais eile atá mé sásta a dháileadh ort ná gur leor
deich millilítear in aon bhabhta amháin chun duine
nach bhfuil cleachtaithe ar an druga a mharú."

Bhí an figiúr céanna léite ag Réamonn ar an idirlíon ach níor bhac sé a chuid tuiscintí féin a dháileadh ar Lombard. B'ionann deich millilítear agus dhá spúnóg tae, de réir mar a léigh sé; agus bhí altanna feicthe aige freisin maidir leis an margadh sráide do dhrugaí dleathacha a raibh moirfín iontu. *Hillbilly heroin* ceann de na leasainmneacha ar Oxycodone sna Stáit Aontaithe, agus ba léir nach raibh sé fíordheacair é a cheannach ar an idirlíon. Ag an am céanna, bhí sé suntasach gur maraíodh Saoirse leis an druga céanna a ghlacadh máthair Róisín Mhic Aogáin.

Thiomáineadar trí shráidbhaile Inse Chór agus as sin ar bhóthar a raibh balla ard cloiche ar a dhá thaobh. Bhí siad ag déanamh ar Eastát an Iarnróid, mar gur iarr Róisín casadh leo ag teach a máthar seachas ag a hárasán féin. Ceantar ar leith ab an an t-eastát, a tógadh sa naoú haois déag do na mílte ceardaithe a bhíodh ag tógáil agus ag deisiú traenacha in aice láimhe.

"Mír eile ónár gcuid taighde," arsa Lombard, "i gcás go gcabhródh sí leat an dara *fuck-up* a sheachaint, ná gur shíolraigh Róisín Mhic Aogáin ó theaghlach a chuireadh innealtóirí ar fáil do ghnó na dtraenacha ar feadh na nglúnta, rud a chiallaíonn go raibh seasamh acu sa saol a bhí in easnamh ar an Uasal neamhuasal Mel."

Bhí Lombard ag tiomáint i dtreo plásóg féir a raibh seanchrainn ag fás uirthi agus tithe grástúla ar thrí thaobh. D'fhan Réamonn go foighneach le críoch an scéil. Más feasacháin eolais a bhí á soláthar ag Lombard dó, b'fhearr leis iad ná a bheith ag comhrá leis.

"Is rómansúil an scéal é, nach ea?" arsa an sáirsint agus gáire fonóideach aige. "*Barrackers* a thugtaí ar a thuismitheoirí siúd, mar gur tógadh ar an taobh thall d'Inse Chór iad, sna hárasáin a lonnaíodh i sean-bheairicí míleata Risteamain. Is eard a fuair Mel le huacht uathu ná boladh bréan an bhochtanais, agus nár mhór an trua dó é."

Stán Réamonn amach ar na gairdíní fairsinge mórthimpeall na plásóige. "Ach cad faoin árasán atá ag Mel agus Róisín inniu? Caithfidh go bhfuil airgead maith á thuilleamh acu beirt."

Scrúdaigh Lombard an clog ar a ghuthán. "Déanfaimid moill cúig nó deich nóiméad eile anseo, measaim, ar mhaithe le síneadh breise a chur leis an tráthnóna," ar sé. "Sea, maidir leis an árasán, bhí post maith ag Mel ar feadh cúig nó sé bliana, agus cloisim freisin go bhfuair sé suim áirithe *compo* tar éis timpiste a tharla go mí-ámharach dó. Is ón airgead sin a bhí an cíos á íoc, a deir mo chuid foinsí, ach bhí moill ar roinnt íocaíochtaí le tamall anuas."

"Cén obair a dhéanann siad?"

"Tá post ag Róisín: rud éigin a bhaineann le tíleanna a dhearadh do sheomraí folctha – agus nach deas go bhfuil buanna intinne aici mar aon lena cosa fada mealltacha. Mar mhac léinn sa Choláiste Ealaíne ar Shráid Thomáis a chuir sí aithne ar Mhel, agus is i gcúrsaí fógraíochta a thosaigh seisean. Ach, mo léan géar, tháinig seo agus d'imigh sin, agus is ag brath ar dhreasanna sealadacha oibre atá sé le cúpla bliain anuas."

Bean Áiseach darbh ainm Sharon a thug isteach sa seomra suite iad. Bhí radharc le fáil amach trí dhoirse gloine ar an gcúlghairdín, áit a raibh soilse boga lasta ar chosán a chonaiceadar ag sníomh faoi scáth crainn. Bhí bean aosta ina suí i gcathaoir uillinne ag féachaint amach air. Bhí cúl a cinn nach mór maol, agus nuair a thiontaigh sí chucu, chonaic Réamonn go raibh a craiceann seargtha, tirim. Bhí Róisín Mhic Aogáin ina suí taobh léi agus d'éirigh sí chun a máthair a chur in aithne dóibh.

"Tabhair anonn dhá chathaoir," arsa Maria Furlong, "go bhfeicfidh mé cé atá anseo."

D'fhéach Róisín go leithscéalach ar na gardaí. "Inné a tháinig mo mham abhaile ón ospidéal agus nuair a luaigh mé go mbeadh sibh anseo . . ."

"D'iarr mé labhairt libh," arsa Maria. Bhí a súile chomh dubh, lonrach le dhá chnap guail ar an tine. "Tá mé lag fós, mór an trua, ach thug mé na cosa liom ón ospidéal, buíochas le Dia, agus nílim bodhar ar na scéalta nuachta i mo thimpeall. Ní raibh orm an uair seo ach téachtadh fola, ach beidh na poitigéirí á ramhrú féin ar an oideas is déanaí . . ." Tháinig taom casachtaigh uirthi agus chuir Róisín a lámh thart uirthi go tapa.

"Anois, a Mham, féach nár cheart duit a bheith chomh cainteach . . ."

Chuimil Maria a béal le ciarsúr. D'ísligh a glór ach níor lagaigh ar an údarás a ghabh leis. "Éist, a stór," ar sí le Róisín, "an ndéanfá gar dom agus an folt bréige sin agam a aimsiú agus a réiteach dom? Tá an seansagart le bualadh isteach chugam ar ball, Dia dár sábháil, agus bhainfí geit as fear measúil mar é dá bhfeicfeadh sé an bhlaosc uibhe atá orm anois." D'fhéach sí ar Lombard agus splanc soibealta ina súile. "Ghléasfainn mo chloigeann bocht duitse agus do do gharda óg freisin ach gur thit néal codlata orm tamaillín ó shin."

"Fanfaidh mise anseo in éineacht le Bean Furlong," arsa Sharon. D'fhéach sí thart chun cathaoir a fháil di féin.

"Níl aon ghá leis sin, in aon chor," arsa Maria. "Glaofaidh an garda óg seo oraibh má thagann taom ar bith orm." Chomharthaigh sí do Lombard suí in aice léi agus ní raibh de rogha ag Róisín agus Sharon an seomra a fhágáil go doicheallach. D'fhan Réamonn ina sheasamh, é lánchinnte nach ligfí dó páirt a ghlacadh sa chomhrá. Ina áit sin, thapódh sé an deis féachaint thart ar an seomra.

"Abair liom anois," arsa Maria le Lombard, "cad iad na ráflaí seo atá ag dul thart go raibh baint ag mo mhac céile le bás na mná sin?"

"Cé acu ráflaí iad sin?"

"Ná bí thusa ag caitheamh liom amhail is gur seanbhidí mé atá bailithe in aois na hóige. Ní inseoidh Róisín faic dom ná ní lochtóidh sí a fear céile i mo láthair. Ach, ámharach go leor, tá cúpla cara fágtha agam a choimeádann ar an eolas mé."

"Bhuel, cad déarfá féin faoi na ráflaí sin?"

D'ísligh Maria a guth agus choimeád Réamonn bior ar a chluasa le linn dó a bheith ag féachaint thart. Ba bheag bídeach an seans, mar a thuig sé, go n-aimseodh sé taisce éigin sa seomra – cín lae a scríobh Róisín, abair, nó cáipéisí uachta a máthar. Ach b'fhiú do gharda a bheith fiosrach agus rinne sé a dhícheall a fheiceáil cad a bhí sa charnán páipéar ar an mbord. Le hárachas sláinte a bhaineadar, agus é le tuiscint uathu go raibh Maria go maith as.

"Ní haon rún é," ar sí le Lombard, "nach raibh mise tógtha le Mel Mac Aogáin ón gcéad lá a leag mé súil air agus é ag prioslái ar chneas bog geal m'iníne. Agus níorbh é a chúlra a ghoill orm, geallaim duit, mar a cuireadh i mo leith, óir bhí an meon sin curtha díom agam le fada. Ach níor thaitin tréithe áirithe liom a chonaic mé ann. Bhí sé cliste agus bhí bua na healaíne aige . . ." Stad sí agus gearranáil ag teacht uirthi. D'fhan Réamonn ina staic, le súil nach dtabharfadh sí faoi deara go raibh sé ag póirseáil thart ina seomra suite. "Ach d'aithin mé air freisin gur mhian leis saol réidh a chaitheamh agus fadhbanna móra a sheachaint in áit dul i ngleic leo."

D'fhan Lombard go dtí go maolódh an stró ar an mbean aosta. "An bhféadfainn fiafraí," ar sé ansin, "ar tharla aon rud le déanaí a chuir amhras ar leith ort faoi Mhel?"

D'fhéach Maria amach ar na soilse ag lonradh sa ghairdín dorcha. Thosaigh Réamonn ag útamáil lena ghuthán ar eagla go bhfeicfeadh sí a scáil san fhuinneog.

"Is éard a chuir amhras orm," ar sí, "ná é a bheith ag teacht anseo ag freastal orm, amhail is gur mhaith leis a bheith mór liom. Bhímis ag spochadh as a chéile ar feadh na mblianta agus gan locht agamsa air sin mar shocrú; ach ó bhuail an galar damanta seo mé, feicim níos minice ná riamh cheana é. Ní thagann sé ar cuairt go rialta – ná bímis ag súil leis sin uaidh – ach mar sin féin, tá athrú ar a chuid iompair."

"Nach dóigh leat go bhfuil sé á dhéanamh ar mhaithe leat? Nó ar mhaithe le Róisín a shásamh, ar a laghad?"

Dhearc sí go socair ar Lombard, a súile dubha ag glinniúint le teann dúshláin. "Ar mhaithe leis féin a ghníomhaíonn sé de ghnáth, creid uaim é."

"Cad faoi do chuid oideas, an mbíonn Mel á ndáileadh ort?"

"Corruair." D'fhéach sí amach arís ar na soilse draíochtúla sna crainn. "Sea, d'fhiafraigh sé díom uair amháin cén blas a bhí orthu, agus an dtagann siabhrán sonais orm tar éis dom an moirfín a thógáil."

D'fhéach Lombard go socair uirthi agus rith sé le

Réamonn go raibh sé ag iarraidh a bheartú cé chomh hionraic is a bhí Maria. An raibh seans ann gur mhaith léi cur leis an droch-cháil a bhí ar a mac céile? Ach ba chuma cén fhianaise a bhí aici, ar éigean a bheadh sí fós beo faoin amach a mbeadh cás cúirte ar siúl.

"Tá cuairteoir ag teacht isteach chugat go luath," arsa an sáirsint, "agus níor cheart dúinn tú a thuirsiú. Ach tiocfaimid ar ais lá eile, má bhíonn a thuilleadh le hinsint agat dúinn."

Rinne Maria casachtach a bhain croitheadh aisti ach níor leor é len í a chiúnú. "Tá scuaine cuairteoirí ag mo dhoras ó bualadh tinn mé. Lucht deabhóide ag tairiscint paidreacha agus *medals* míorúilteacha dom, go bhfóire Dia orainn, mar aon le polaiteoirí agus maithe móra eile a bhíonn ag cur mo thuairisce de bharr go mbínn sáite i gcúrsaí pobail ar feadh i bhfad."

"Nach bhféadfá diúltú dóibh?"

"D'fhéadfainn, ach gur mó an fuinneamh a ghlacfadh sé orm ná a bheith ag éisteacht leo. Tá corrdhuine a gcuirim mo mhuinín iontu: iad siúd arb as an gceantar iad agus a rinne a gcion féin ar choistí áitiúla. Ach maidir leis an tromlach, bíonn dream amháin acu ag slánú a n-anama, agus an dream eile ag sábháil a suíocháin i Halla na Cathrach."

Bhí leabhragán in aice an tinteáin á scrúdú ag Réamonn. Úrscéalta staire agus beathaisnéisí a thug sé faoi deara ar dtús. Bhí a shúile imithe i dtaithí ar an meathsholas agus chonaic sé leabhar ar an mbunseilf a bhí brúite isteach go mínéata idir dhá úrscéal. Léigh sé an teideal, a chuir in iúl dó gur threoirleabhar faoi thoircheas agus saolú linbh a bhí ann. Thug sé spléachadh tapa ar Mharia, a raibh dreach mílítheach ag teacht uirthi tar éis a cuid casachtaigh. Tharraing sé amach an leabhar le bior a phinn.

Saothar nua a bhí ann, nár cheannaigh Maria le linn di féin a bheith ag súil lena leanbh. D'oscail Réamonn an clúdach lena pheann ach ní raibh ainm Róisín ná ainm ar bith eile scríofa air. Bhí cúpla leathanach marcáilte i gcaibidil a bhain le deacrachtaí torthúlachta. An amhlaidh go raibh trioblóidí den sórt sin ag Mel agus Róisín? Agus an raibh a fhios ag Róisín go raibh Saoirse ag iompar leanbh a fir chéile? Chuimhnigh Réamonn go tobann ar an taom histéire a bhuail í nuair a insíodh di san árasán go raibh Saoirse Ní Néill marbh.

Labhair Lombard le Sharon sa halla, á mhíniú gur mhór an cúnamh do na gardaí é dá dtiocfadh sí isteach chuig an stáisiún ar a caoithiúlacht. Gnáthcheisteanna an fhiosrúcháin a bhí le cur uirthi, ar sé, agus b'fhearr leo sin a dhéanamh sa stáisiún ná sa teach. Thug Sharon an folt bréige isteach chuig Maria sa seomra suí, agus rinne Lombard meangadh sásta dó féin.

"Tá seans éigin go gcloisfimid blas den fhírinne uaithi faoin *happy family* seo a bhfuil sí ag obair dóibh," ar sé faoina anáil le Réamonn, "ach a bheith imithe ón teach. Agus, ar an taobh eile de, más í féin a chuir soláthairtí moirfín i leataobh le tabhairt don dúnmharfóir, beimid in ann scanradh a chur uirthi sa timpeallacht oifigiúil."

Bhí Róisín Mhic Aogáin lasmuigh sa ghairdín, ag caitheamh toitín. Nuair a tháinig sí isteach, bhí Lombard agus Réamonn roimpi sa chistin.

"An bhfuil sibh sásta léi mar chúramóir?" a d'fhiafraigh an sáirsint agus a cheann á sméideadh aige i dtreo an tseomra suite.

"Cad atá i gceist agat?" arsa Róisín go hamhrasach. "Ní cigireacht ar na seirbhísí cúraim atá ar siúl agaibh, an ea?"

Go réidh a d'fhreagair Lombard í. "Tá mé fiosrach, sin uile. Tá comharsa liom sa riocht céanna le do mháthair bhocht agus tá a muintir idir dhá chomhairle faoi chúramóir lánaimseartha."

"Tá Sharon sásúil. Ní insíonn sí dom faoi gach mionrud a tharlaíonn, mar ba mhaith liom, ach níl an obair éasca uirthi. Mar a thuigeann sibh, is deacair d'aon duine ceannas a ghlacadh ar mo mháthair."

"Agus an gceadaítear duitse agus do Sharon na hoidis a thabhairt do do mháthair, nó an bhfuil sibh ag brath ar altraí na hoispíse chuige sin?"

Thiontaigh Róisín go dtí an doirteal agus líon sí gloine uisce di féin. Bhí cnámha a slinneán ag gobadh trína geansaí mín, agus samhlaíodh do Réamonn go mbrisfí ar nós cipíní iad dá dtitfeadh sí. Níor thairg sí deoch uisce dóibh, ach nuair a bhí bolgam ólta aici labhair sí go docht.

"Ar mhiste libh a rá liom cad atá uaibh anseo?"

D'éirigh Lombard as a bheith ag ligean air gur mionchaint a bhí eatarthu. Mhínigh sé go raibh trialacha toicsíneolaíochta ar siúl ar an druga a thug bás Shaoirse Ní Néill agus go mb'éigean a fhiosrú cérbh iad na daoine a raibh fáil acu ar an druga úd. Dhearbhaigh Róisín go raibh Oxynorm á ghlacadh ag a máthair le beagnach trí mhí. Choimeádtaí an soláthar faoi ghlas de ghnáth agus bhíodh taifead ag altraí sheirbhís na hoispíse air. Ceadaíodh don teaghlach agus do Sharon é a dháileadh nuair ba ghá, agus nuair a bheadh a máthair ábalta chuige, ceadaíodh di féin é a chur sa tiúb boilg. Ní raibh Róisín in ann a rá ar thug sí cuid den soláthar abhaile chuig a hárasán i mbuidéal gan lipéad. Faoi mar a bhí cúrsaí, dhéanadh sí dearmad ar a hainm agus a seoladh féin in amanna.

Bheartaigh Réamonn go raibh sé thar am dó féin a bhéal a oscailt. In ainneoin na rialacha, ba léir dó go bhféadfaí deich nó fiche millilítear a ghoid ón mbuidéal i ngan fhios do dhaoine eile. "An ndiúltaíonn do mháthair a cuid cógas moirfín a ghlacadh riamh?" a d'fhiafraigh sé. "Abair go dtagann múisc uirthi?"

"Corruair. Ach is gnách go mbíonn an phian ró-olc chuige sin, le déanaí go háirithe."

"Ar tháinig aon chara le Sharon go dtí an teach le cúig seachtaine anuas? Cúramóir eile, abraimis, a bhí ag coimeád comhluadair léi?"

"Ní fhéadfainn a mhionnú nár tharla sin riamh na laethanta a mbímse ag obair."

"Táimid an-bhuíoch díot," arsa Lombard. Ghlac sé céim i dtreo an dorais. "Labhróimid le d'fhear céile ar ball. Is oth liom go gcaithfimid cur isteach oraibh."

"San árasán ata sé an tráthnóna seo," ar sí. "Go bhfios dom."

Bhraith Réamonn go raibh Róisin rite le teannas. Bhí a guaillí crochta chomh hard lena cluasa agus a lámha fáiscthe ar a hucht aici. Sular oscail sé an doras, rinne Lombard meangadh leithscéalach léi an athuair.

"Tá brón orm, ba bheag nár dhearmad mé ceist amháin eile. Bhí tú féin agus Mel i measc an tslua a thug cuairt ar an gcillín oíche na hócáide, mar a d'inis tú dúinn cheana . . . ?"

"Má d'inis mé cheana é, cén fáth sa tsioc gur gá é a fhiosrú arís?"

"An cheist atá agam ná arbh fhéidir go raibh Mel istigh sa chillín ar feadh cúpla nóiméad san am sin, mar gheall ar an slua a bheith brúite suas ag an doras? An cuimhin leat a leithéid ag tarlú?"

"Ní cuimhin liom olc ná maith." Tharraing Róisín chuici an paicéad toitíní a bhí fágtha aici ar chuntar na cistine. "Ní raibh greim láimhe agam air, geallaim daoibh."

"Agus cad fútsa? An raibh tusa i do sheasamh ag tairseach an chillín in am ar bith, nó istigh ann?"

"Ní raibh." Lig Róisín osna go hard. "Anois, éist liom á rá arís. Ní raibh mé sa chillín lofa sin. Ná ní raibh fonn orm dul ann, go háirithe nuair a chonaic mé an scuaine sa phasáiste."

"Ceart go leor. Tá brón orm moill a chur ort anseo, ach chualamar go raibh argóint idir tú féin agus d'fhear céile amuigh sa phasáiste. Ar mhiste leat a insint dúinn cad faoi a bhí an argóint?"

Thug Róisín súil fhiata ar Lombard. Nuair a d'fhreagair sí é, bhí binb ina guth nár éalaigh uaithi roimhe sin. "Bhí fonn orm dul abhaile. Bhí mé buartha faoi mo mháthair. Ach dúirt seisean go raibh cúraimí fós air ag an taispeántas. Bhí mé ar buile leis. Bhí tuairim mhaith agam gurbh é an cúram a bhí i gceist aige ná a shlaitín aoibhinn a fháisceadh go grámhar idir a ceathrúna siúd."

D'oscail an sáirsint an doras faoi dheireadh. Bhíodar ar a slí amach, nuair a chuir Róisín aguisín lena cuid cainte. "Ní bígí ag ceapadh," ar sí, "go gcuirfidh mise seó mídhílseachta ar siúl go poiblí, pé acu do na meáin chumarsáide é ná do lucht giob geab an cheantair seo. Seasfaidh mé le Mel chomh fada is a cheapaim gur cheart dom seasamh leis. Theastaigh uaim é a phósadh ón uair a chuir mé aithne air agus níl aon chinneadh déanta agam go dtí seo deireadh a chur lenár bpósadh."

"Sea? Agus anois?"

Thuig Aoife go maith cén fáth go raibh mífhoighne ar Phat. Go cineálta a tháinig na focail uaidh ach an cheist a bhí san aer ná cén uair a d'fhillfeadh sí abhaile go Béarra. An amhlaidh go raibh cúis aici fanacht i gCill Mhaighneann nuair a bheadh lá na sochraide thart?

Ghoill sé uirthi gan a bheith chomh hoscailte leis agus ba ghnách léi. Bhí cuid den scéal tugtha aici dó: go raibh sí féin agus Sal ag cabhrú le Cormac déileáil leis na cúraimí go léir a bhí air; agus gur labhair bean ón iasacht léi faoi Shaoirse, á chur in iúl go raibh eolas éigin aici nárbh fhéidir léi a roinnt leis na gardaí. Ach níor luaigh Aoife an eachtra i bPáirc an Fhionnuisce ná an t-óstallán a bhí ina nasc idir Kim agus Saoirse. Chuir sí ina luí uirthi féin arís eile go mbeadh sé ródheacair gach rud a mhíniú dó ar an nguthán.

"Beidh an searmanas cuimhneacháin ar siúl an tráthnóna seo," a d'fhreagair sí. "Ach ba mhaith liom fanacht anseo go dtí an Satharn nó an Domhnach. Tuigim go bhfuil sé dian ortsa – "

"An Satharn nó an Domhnach?"

"Ba mhaith liom dul ar cuairt ar mháthair Shaoirse, a Phat. Inniu Déardaoin agus beidh sochraid phríobháideach ag an teaghlach amárach. Ina dhiaidh sin a ghlaofaidh mé uirthi."

"Beidh deich lá caite agat i mBaile Átha Cliath faoin Satharn. Agus an imní atá orm . . ."

Ba chuma nár inis sí leath an scéil dó mar gur oibrigh sé amach dó féin é. D'fhan Aoife leis an méid a déarfadh sé.

"An imní atá orm, a Aoife, ná go bhfuil tú gafa le cás dúnmharaithe. Agus tuigimid beirt mar a tharla nuair a bhí dúnmharú ar leac an dorais againn cheana. Tusa ag dul i gcontúirt dhamanta agus tú ar bís le hobair na ngardaí a dhéanamh dóibh. Tá mé lánchinnte go bhfuil Sal do do ghríosadh chuige seo freisin."

"Creid uaim é gur bhreá liom a bheith ar mo chompord sa bhaile in éineacht leatsa agus le Rónán, a Phat. Ach caithfidh mé deis eile a thabhairt don bhean a labhair liom . . ."

"Cad a déarfaidh mé leis an ailtire, mar sin?" Ní raibh tuin Phat chomh séimh is a bhí go luath sa chomhrá. "Glacaim leis gur éirigh leat féachaint ar an stuif a sheol mé chugat – má bhí deich nóiméad agat le cuimhneamh ar chúrsaí an bhaile ó labhraíomar faoi seo dhá lá ó shin?"

Bhí sé ag trácht ar phleananna an ailtire don obair chistine. Bhí Aoife tar éis an comhad a oscailt, ceart go leor, ach ní raibh machnamh ceart déanta aici air. "D'éirigh liom, cinnte," a d'fhreagair sí. "Ach sílim gur chóir dúinn na cinntí a dhéanamh nuair a bheidh mé i mo shuí sa chistin seachas anseo i seomra óstáin."

"Is deacair labhairt leat in amanna, a Aoife. Ná tóg ormsa é más ar shorn campála a bheidh dinnéar na Nollag á réiteach againn. Agus tá mé ag brath ort tú féin a choimeád slán sábháilte, agus Sal chomh maith."

Bhí ceamaraí na meán cumarsáide cruinnithe ag doras an phríosúin. Ní cheadófaí ach tamall gearr do cheamaradóir amháin laistigh ag an searmanas agus bhíodar ag baint lántairbhe as a gcuid ama lasmuigh. Bhí duine nó beirt, go háirithe, a shac lionsaí ollmhóra an ghléasra suas le béal na gcuairteoirí. D'inis Sal d'Aoife gur bhraith muintir Shaoirse go rabhadar faoi ionsaí ag gnó na poiblíochta. Bhí na cuntais a bhí ag Saoirse sna meáin shóisialta dúnta ag Cormac dhá lá tar éis a báis, ach bhí cúpla duine dá cairde a roinn grianghraif di le hiriseoirí díograiseacha. Bhí an stró le haithint ar Chormac féin, shíl Aoife, nuair a chasadar leis ar a slí isteach sa phríosún: é ag greadadh ó chos go cos agus smearadh allais á chuimilt aige dá éadan le ciarsúr.

Thuas sa seomra taispeántais a bhí an searmanas á

reáchtáil. Ní raibh mórán daoine istigh rompu agus chuaigh íomhánna na staire i gcion ar Aoife as an nua. Ellen Cassidy ag stánadh roimpi go huaibhreach. Dreach tanaí, gortach ar Denis Treacy, amhail is nár ith sé béile maith riamh. Tadhg Cassidy sócúil, dea-ghléasta ina chulaith éadaigh i Nua-Eabhrac, ach cló an uaignis ina shúile.

Triúr ar rug anró agus éagóir a linne orthu. Iad beo bocht agus a gceantar dúchais ar shleasa na sléibhte i ndeisceart Shligigh fágtha ina ndiaidh acu. Ellen: an cailín aimsire a chaith seal ina cailín sráide, má b'fhíor. Denis: an sclábhaí feirme a cuireadh i bpríosún as achrann meisciúil agus a scaoileadh saor go luath tar éis bhás Ellen. Tadhg: nár scríobh cuntas iomlán ar an scéal riamh, ach a chreid go ndearna Denis feall ar a dheirfiúr ar mhaithe le saol nua. Cén tionchar a d'imir na híomhánna sin ar an té a shocraigh Saoirse a mharú? Agus cad a bhí i gceist ag Kim maidir le féachaint sa taispeántas?

Threoraigh Sal chuig bord ag barr an tseomra í. Bhí grianghraf mór de Shaoirse ina lár agus cinn eile dá muintir thart air, mar aon le hearraí a raibh suntas ar leith leo ina saol: bróga galánta ar dhath craorag; cairt oifigiúil a cuid cáilíochtaí acadúla; múnla órga den Empire State; agus píosa lása a fuarthas crochta ar an mballa ina seomra suite. Bhí an lása ina chuimhneachán ar neamhspleáchas Shaoirse, a mhínigh Sal d'Aoife, mar gur cheannaigh an bhean óg é le linn di a bheith ar saoire ina haonar den chéad uair, agus turas lae á thabhairt aici as Corfú na Gréige go dtí an Albáin. Bhí cóip de phóstaer fógraíochta an taispeántais ar an mbord freisin: "Scáil an Phríosúin", an teideal a cheap Saoirse, ag gabháil le híomhá an bháis sa chillín, a bhí deartha ag Mel Mac Aogáin.

Bhí cathaoireacha ina sraitheanna sa seomra agus tar éis di áit a roghnú, thug Aoife faoi deara go raibh Mel agus Róisín dhá shraith os a comhair. D'fhan an lánúin ina suí go righin, gan beannú d'aon duine ina dtimpeall, iad ag útamáil lena nguthán sular thosaigh an searmanas agus gan ar éigean focal ná féachaint súl eatarthu i rith an ama. Leathuair an chloig a lean na dreasanna cainte agus ceoil in ómós do Shaoirse: labhair Cormac agus cairde léi faoina tréithe agus a saol eachtrúil; thug stiúrthóir an phríosúin píosa cainte faoi thábhacht an taispeántais; agus chas cara Shaoirse Tara amhrán caointe ag deireadh an tsearmanais.

Bhí Aoife ag ceapadh í féin a chur in aithne do mhuintir Mhic Aogáin ansin, ach bhí Mel imithe óna shuíochán agus thiontaigh Róisín uaithi lena chur in iúl nach raibh fonn comhluadair uirthi. Gúna agus seaicéad ar dhath an uachtair a bhí á gcaitheamh aici, mar aon le slabhra muinéil ómra. Ní tanaí a bhí sí, dar le hAoife agus í ag faire uirthi, ach scáinte, anoir-eicseach. Ualach an tsaoil ina luí ar a guaillí, agus neart a tola amháin á iompar.

Bhí Mel ar a shlí go dtí bord na ngrianghraf nuair a tháinig Aoife suas leis.

"Gabh mo leithscéal," ar sí leis. "Níl aithne againn

ar a chéile ach ba mhaith liom comhbhrón a dhéanamh leat. Tá an scéal seo an-chrua ort, tá mé cinnte."

Dhearc Mel uirthi go haireach. Bhí a chuid gruaige ag titim anuas os comhair a shúl mar a bheadh cuirtín idir é agus an slua sa seomra.

"Is mise Aoife Nic Dhiarmada. Bhí aithne agam ar Shaoirse na blianta ó shin. Ghlaoigh sí orm deich lá roimh an ócáid seolta."

Bhí scuaine bheag ag déanamh ar an mbord le féachaint ar na cuimhneacháin. Chúlaigh Mel i dtreo an bhalla agus labhair sé faoina anáil. "Is cuimhin liom d'ainm. Dúirt sí . . . Dúirt Saoirse go raibh an-obair déanta agat mar iriseoir." Istigh faoin gcuirtín gruaige, chonaic sí scinneadh an amhrais ina shúile. "Ach caithfidh go dtuigeann tú . . . Ní féidir liom labhairt le hiriseoirí."

"Nílim sa ghnó sin a thuilleadh." Labhair Aoife go ciúin agus í ag iarraidh muinín Mhel a mhealladh. "Is mar chara le Saoirse a tháinig mé anseo inniu."

"Tá rud éigin uait mar sin féin." Go doichealleach a dúirt Mel é. "Tá tú fiosrach, b'fhéidir, mar gur dúnmharfóir mé."

Chuir Aoife iachall uirthi féin gan cúbadh óna chuid focal. Lean sí ag féachaint air go socair.

"Is dúnmharfóir mé dar le formhór na ndaoine sa seomra seo, nach fíor dom é? Agus abair go bhfuil an ceart acu?"

Bhraith Aoife go raibh Mel ag tabhairt a dúshláin. "Cén fáth go ndeir tú sin?" a d'fhiafraigh sí.

"Cén fáth? Tá freagra simplí air sin, de réir cosúlachta. Bhí mé i ngrá le beirt bhan agus bhí orm roghnú eatarthu. Bhí airgead ag bean amháin agus bhí an bhean eile ag súil le mo leanbh. *Like I mean,* cad eile a dhéanfainn ach í siúd a mharú?"

Níor ghéill Aoife don searbhas ná don saighdeadh. "Ach abair nach bhfuil an ceart acu? Abair gur féidir leat a chruthú nach raibh baint agat leis an marú?"

"Cruthú? Bhí gach deis agam í a mharú. Bhí coinne agam léi sa chillín. Bhí mé lasmuigh den chillín ag an am ceart. Cén focain cruthú atá agam ach breith ar an mbastard a rinne é?" Bhí eagla ar Aoife go dtosódh Mel ag screadach os ard. Chonaic sí cúpla duine ag féachaint ina dtreo. Ach d'ísligh Mel a ghuth chomh tapa is a bhí sé ardaithe aige. "Creidim gur d'aon ghnó atá mise á lochtú as seo, *see?* Bhí an rud ar fad pleanáilte aige, an bastard!"

"Cé a phleanáil é, a Mhel? Cé hé an ciontóir, dar leatsa?

Níor fhreagair sé a ceist ach lean ar a chonair féin. "Ní leor an fhírinne – sin agat an fáth go bhfuilimse i sáinn. Mé i m'amadán meallta ag Saoirse, agus ag a hainm fileata a raibh sí chomh bródúil as. Bhí saoirse inti féin go smior, an dtuigeann tú leat mé? Ba chuma léi rialacha – chaith sí uaithi gach srian, bhí sí dána, dásachtach, *bloody* iontach. Ach an deacracht a bhí agamsa ná nár theastaigh uaim mo bhean chéile a fhágáil. Bhí a máthair go dona tinn, bhí orm cuimhneamh air sin freisin. Agus tharla an rud ar fad i bhfad róthapa." Thug sé súilfhéachaint ghasta ar Aoife. "Tá an scéal focain *pathetic,* nach bhfuil, ach cén mhaith domsa sin agus na gardaí de shíor do mo cheistiú, ceistiú, ceistiú?"

"Ach creideann tú gur phleanáil duine eile tusa a lochtú as bás Shaoirse?"

D'fhéach Mel uirthi amhail is nár chuala sé í agus thiontaigh sé isteach chuig an mballa. Bhí íomhá os a chomhair a thaispeáin buidéal ládanaim, an cógas a bhíodh ar díol d'óg is d'aosta sa naoú haois déag, i dtithe tábhairne agus i siopaí grósaera chomh maith le cógaslanna. Deich faoin gcéad óipiam agus nócha faoin gcéad alcóil a bhí ann, a dúradh sa téacs, agus é molta do gach sórt galar coirp agus crá intinne. Thugtaí an t-ainm "codlaidín" air go coitianta mar go n-úsáidtí mar chúnamh chun suain é. Bhí súil amháin ag Aoife ar an gcur síos agus an tsúil eile ar Mhel. Codlaidín a bhí de dhíth air féin, dar léi.

"Creidim go raibh rud éigin ag déanamh imní do Shaoirse ar feadh tréimhse roimh a bás," ar sí ansin. B'fhearr di díriú ar a cuid ceisteanna fad a bhí Mel ag cur muiníne inti ina ainneoin féin. "An bhfuil aon tuairim agat cad a bhí ann?"

Go mall a d'fhreagair sé í, gan tiontú ar ais chuici. "Bhí sí ag obair go róchrua," ar sé. "Fiú nuair a bhí gach rud ullamh don taispeántas, lean sí uirthi. *Obsession* a bhí ann, a dúirt mé léi."

"Ach ar lean sí ag obair ar an taispeántas nó ar rud éigin eile?"

"*Fuck knows*. Bhíodh sí an-sásta an taispeántas a phlé liom nuair a bhí mise ag obair ar an dearadh." Bhí a ghuth tur, tirim anois. "Ach tháinig athrú air sin agus bhí mé ar buile faoi. Dúirt mé léi nár thuig mé cén fáth go nochtfadh sí a corp dom go toilteanach agus fós gur choimeád sí a hintinn faoi cheilt. *I mean*, lá amháin chonaic mé roinnt figiúirí ar scáileán a ríomhaire agus d'fhiafraigh mé cad a bhí iontu. *Some boring* cuntas a dúirt sí, ach bhí fearg uirthi go raibh mé ag cur spéise iontu."

Thar ghualainn Mhel, chonaic Aoife go raibh Róisín éirithe óna suíochán. Thug sí a haird ar phainéal an taispeántais a bhí os a comhair féin. Tráchtaireacht a bhí ann ar rialacha an phríosúin sa tréimhse ina bhfuair Ellen Cassidy bás. Bhí smacht nua glactha ag an rialtas ar riaradh na bpríosún cúpla bliain roimhe sin agus tuairiscí á soláthar dóibh ar gach mioneachtra. Ach bhí saol dian ag na bairdéirí chomh maith leis na príosúnaigh; d'aimsigh Saoirse tuairisc faoi bhairdéir amháin i gCill Mhaighneann ar tugadh bata is bóthar dó ag deireadh na bliana 1879 agus é curtha ina leith go raibh sé tugtha d'alcól agus do ládanam. Chreid sise gur chabhraigh an bairdéir úd le Denis Treacy teacht ar an soláthar a mharaigh Ellen.

Nuair a d'fhéach Aoife ar ais ar Mhel, ní doicheall a chonaic sí ina ghnúis ach cumha. "Cheap mise gurbh é ár gcaidreamh a bhí ag cur imní uirthi," ar sé. "Agus ní raibh teagmháil ar bith eadrainn ar feadh tamaill, gan focain tuairim agam cad a bhí ar siúl."

"Cé chomh fada is a bhí sibh gan teagmháil?"

"Ar feadh naoi nó deich lá, ag tús na míosa seo. Bhí formhór mo chuid oibre déanta sa phríosún agus bhí sé ag éirí deacair dom casadh léi. Dúirt mé go rachainn chuig a teach go mall istoíche ach dúirt sise go raibh na húinéirí ag filleadh abhaile agus go raibh uirthi féin aistriú amach ar feadh tamaill. Mheas mise nach raibh ansin ach bréag le mé a chur ó dhoras. Bhíomar tosaithe ag troid faoin am sin, má thuigeann tú leat mé."

Labhair Aoife ar nós cuma liom. Ní raibh coinne aici go mbeadh Mel chomh cainteach ach rith sé léi nach raibh cara dá laghad aige a d'éist go báúil leis le seachtain anuas. "An bhfuil a fhios agat cén lóistín a bhí ag Saoirse nuair nach raibh sí lonnaithe ina teach? Nó ar inis sí duit é?"

"Fuair mé amach cá raibh sí. Bhí mé ag faire uirthi tráthnóna amháin nuair a tháinig sí amach ón bpríosún, go bhfeicfinn an raibh sé fíor go raibh uirthi bogadh amach as an teach."

Dhruid Aoife coiscéim i leataobh agus d'fhéach sí ar phainéal eile. B'fhearr léi nach dtabharfadh an Cigire Brenda de Barra suntas di ag déanamh comhrá le Mel.

"Bhí iontas orm faoin lóistín a roghnaigh sí," ar sé go híseal. "Óstallán a bhí ann, ceann nua-aimseartha ach é dírithe ar dhaoine gan mórán airgid. Thíos i dtreo Stáisiún Heuston atá sé, i gceantar ina bhfuil a lán árasán nua."

Lean Aoife uirthi ag féachaint ar an taispeántas nuair a bhí Mel imithe, a cheann crochta agus é ag trasnú an tseomra faoi shúile an tslua. Léigh sí cur síos ar shaol na striapach fadó, na "cailíní mí-ámharacha" mar a thugadh an chosmhuintir orthu. Bhíodar chomh líonmhar sa naoú haois déag gur áiríodh Baile Átha Cliath mar phríomhchathair striapachais na hEorpa, an tráth céanna a raibh luacha cultúrtha na Banríona Victoria agus teagasc docht na hEaglaise Caitlicí araon in ard a réime. Thug Aoife suntas don tagairt a rinneadh do na garastúin mhíleata a bhíodh daingnithe mórthimpeall ar chrios na gcanálacha sa chathair, agus an gnó seasta a thugaidís do na mná. Bhí dhá gharastún buailte ar Chill Mhaighneann: ceann i mbeairic Risteamain in Inse Chór agus an ceann eile sa bheairic airtléire cois na Life i nDroichead na hInse. Má bhí iachall ar Ellen a colainn a chur ar díol agus í sa cheantar, ní foláir go raibh soláthar maith custaiméirí aici.

Ach ní raibh Aoife ag smaoineamh mórán ar scéalta an naoú haois déag. Bhí sí idir dhá chomhairle faoi Mhel Mac Aogáin. Bhí an oiread mothúchán le léamh air gur dheacair iad a scagadh. Uafás agus fearg air faoin riocht ina raibh a shaol agus faoi éagóir an fhiosrúcháin mar ba léir dó é? Fonn mire air duine eile a lochtú as a chás agus ciontaíl toisc nár éirigh leis a leannán ná a ghin a chosaint ó chontúirt mharfach? Nó ciontaíl agus fiú croíbhriseadh a lean ón marú a raibh sé féin freagrach as? Bhí ceisteanna de shórt eile ar intinn Aoife freisin: cén fáth gur fhill Saoirse ar Óstallán Heuston i dtús mhí Dheireadh Fómhair tar éis go raibh sí ann bliain go leith níos luaithe, agus cén bhaint a bhí aige sin le Kim?

Ní raibh Réamonn Seoighe i láthair ag an searmanas, nó má bhí, ní fhaca Aoife ann é. Caithfidh nach raibh sé ar fónamh ó d'fhág sé an t-ospidéal agus gur bheag a pháirt san fhiosrúchán. Bhí cathú uirthi fiafraí den Chigire de Barra conas mar a bhí sé, ach chonaic sí go raibh an Sáirsint Lombard in éineacht leis an gcigire gar do dhoras an tseomra. B'fhearr gan dul sa seans comhrá ar bith a dhéanamh leo.

Bhí sí ag féachaint thart go bhfeicfeadh sí cá raibh máthair Shaoirse nuair a thuig sí go raibh Janis Ní Bheirn díreach lena taobh, agus í ag comhrá le Harry Ó Tuathail. Bheannaigh sí dóibh agus mhíníodar go raibh beagán aithne acu ar a chéile.

"Bhí Janis ina treoraí agam cúpla seachtain ó shin," arsa Harry, "nuair a thug mé dream cuairteoirí isteach anseo atá páirteach i dturasóireacht na hoidhreachta i dtíortha éagsúla. Bhíodar an-sásta ar fad lena gcuairt."

Rinne Janis miongháire beag a chuir luisne ina grua. "Faoiseamh a bhí ann grúpa a threorú a raibh fíorspéis acu san áit," ar sí. Tháinig strainc in áit a miongháire. "Rómhinic a bhíonn orainn ár gcuid fuinnimh a chaitheamh ar dhreamanna nach bhfuil uathu ach leathlá fliuch a chur thart."

"Is dócha go mbíonn sibh gnóthach an t-am ar fad?" arsa Aoife go béasach.

"Trí chéad míle cuairteoir sa bhliain," arsa Janis, "agus a líon ag méadú de réir mar a chuirtear áiseanna nua ar fáil dóibh. Ar éigean a chreideann siad é nuair a insím dóibh go raibh an príosún le leagan sna caogaidí, agus gan ann ach fothrach scriosta." D'fhéach sí ar Harry agus luisne uirthi athuair. "Bhí an Comhairleoir Ó Tuathail ag insint dom go raibh a athair féin i measc na ndaoine áitiúla a bhíodh ag obair go deonach ar an athchóiriú. Gach deireadh seachtaine a bhídís anseo, ag gearradh na gcrann a bhíodh ag fás sna cillíní agus ag deisiú an fhoirgnimh go dícheallach."

"Is cuid den stair é sin anois," arsa Harry go réidh. Bhí Aoife in amhras an raibh sé náirithe nó sásta faoin urraim a bhí á léiriú ag Janis dó. Ach chuimhnigh sí ar chaint Janis faoi gan buanphost a bheith aici, agus rith sé léi go mb'fhéidir go raibh an treoraí ag súil go dtabharfadh an Comhairleoir Ó Tuathail dea-theist fúithi don stiúrthóir.

"D'inis tú dom freisin," arsa Janis leis, "go mbíodh ort féin teacht isteach ag cabhrú le d'athair leis an obair chóirithe nuair a bhí tú i do dhéagóir, ag baint fiailí agus ag carnadh na gcloch a bhí tite. Ba bhreá liomsa dá bhféadfainn iachall a chur ar mo mhac a leithéid a dhéanamh ach, ar ndóigh, níl meas ar obair dheonach den sórt sin sa lá atá inniu ann."

Sméid Harry a shúil léi agus meangadh air. "Ní

dóigh liom gur thugamar mórán cúnaimh don dream fásta," ar sé. "Campa spraoi a bhí anseo dom féin is do mo chairde, tá's agat, sinn ag rith thart agus ag dreapadh ar na crainn a bhí ag gobadh aníos i measc na gcloch." Chuir sé tuin shollúnta air féin. "Ach pé scéal é, ní aontóinn leat nach bhfuil meas ar obair dheonach. Beidh scata eile ar cuairt agam anseo ag an deireadh seachtaine, daoine atá páirteach i gcoistí deonacha a bhíonn ag iarraidh iarsmaí agus séad-chomharthaí de gach sórt a thabhairt slán."

"Tá súil agam go mbeidh deis agam sibh a threorú, más ea," arsa Janis leis. "Ar a laghad ar bith, ní bheidh sibhse ag tathant orm a rá cá bhfuil an cillín ina bhfuair Saoirse Ní Néill bás, mar a bhí roinnt cuairteoirí le seachtain anuas." Rinne sí gnúsacht míshástachta. "An gcreidfeadh sibh é, ach theastaigh uathu féinphiceanna a thógáil ag doras an chillín le postáil ar na meáin shóisialta."

Nuair a d'fhág Janis a gcomhluadar go luath ina dhiaidh sin, chlaon Harry isteach chuig Aoife agus a cheann á chroitheadh aige. "Is treoraí an-mhaith í, caithfidh mé a rá," ar sé, "ach ní cosúil go raibh caipín an tsonais uirthi ó thús, an bhean bhocht. Mar sin féin, is iar-oifigeach príosúin í agus caithfidh go raibh saol crua aici sa ghairm sin."

D'fhéach Aoife air agus iontas uirthi. "Bhíodh sí ag obair le príosúnaigh an lae inniu?"

"Bhí, go deimhin. Is neamhghnách an rud é a leithéid de chúlra a bheith ag treoraí anseo, ach bhíodh sí fostaithe i bpríosún ardslándála Phort Laoise, de réir mar a d'inis sí féin dom."

"Seans gur sa timpeallacht sin a d'éirigh sí chomh tur inti féin."

"Níos measa ná sin, thuig mé uaithi gur éirigh sí as a post de bharr an stró a chuir sé uirthi. Agus, eadrainn féin, an chiall a d'fhéadfadh a bheith leis sin ná go raibh coirpigh ag bagairt uirthi mar a tharlaíonn uaireanta sna háiteanna sin, ionas go mbeidís in ann drugaí nó gutháin nó pé rud is mian leo a thabhairt isteach sna cillíní."

*T*ráthnóna dorcha, ceoch a bhí ann ar an Aoine. An spéir ina luí ar an talamh agus fliuchras an aeir ina chaille dhiamhair a chuir cruthanna na cathrach as a riocht. Soilse na gcarranna ar foluain ar feadh na sráide. Ballaí gan substaint san áit a mbíodh foirgnimh de ghnáth. Daoine ag teacht is ag imeacht ina dtaibhsí sa cheo.

Oíche Shamhna a bhí ann, agus bhí an aimsir ghruama ag cur leis an aistíl a ghabh leis an bhféile. Páistí na comharsanachta ag dul ó dhoras go doras i gcultacha dubha, bána agus lonracha. Mascanna an uafáis le feiceáil orthu nuair a dhoirteadh solas tí ar aghaidheanna óga. Slata draíochta á mbagairt san aer agus screadanna iontais ag éirí ó bhéil nach raibh beola orthu.

Istigh faoi áirse thúrgheata an Bhrú Ríoga a bhí Réamonn ina sheasamh. Bhí an ascaill chaol chrannach a shín chomh fada leis an seanospidéal maorga amach roimhe, ach seachas an chéad deich nó fiche méadar, bhí sí slogtha ag an gceo mar a bhí an foirgneamh féin. Ba chuma sin do Réamonn, áfach. Bhí sé ag faire ar dhuine a shiúil isteach faoin áirse dhá nóiméad roimhe sin.

D'fhéach sé ar a uaireadóir. Deich chun a sé, daichead nóiméad sula ndúnfaí an geata ar an bpobal. Bhí corrdhuine ag siúl thar bráid, tailte an Bhrú mar aicearra siúlóide acu idir Stáisiún Heuston agus an Cuarbhóthar Theas. Gléasadh oifige ar chuid acu. Turasóirí ag filleadh ar an gcathair tar éis cuairte ar an bpríosún. Tuismitheoirí ag brú bugaithe linbh. Bhí gléasadh ar leith ar an bhfear a raibh Réamonn ag faire air, áfach, amhail is go raibh sé ar a shlí chuig cóisir Oíche Shamhna. Feisteas Dracula a bhí air: clóca fada dubh agus líneáil dhearg air, aghaidh fidil bhán maisithe le péint dhearg i riocht fola, lámhainní bána den stíl chéanna.

Thall i gcúinne a bhí sé, ag an mballa cloiche ar thaobh clé na hascaille, ionas go raibh sé deacair do Réamonn radharc a fháil air ón áirse. Ach rinne sé amach go raibh a lámha fillte ar a ucht agus é ag stánadh síos ar an talamh. Bhí a chuid gruaige clúdaithe ag cochall a chlóca, agus ar an dara féachaint, thuig Réamonn go raibh an aghaidh fidil brúite siar ar chúl a mhuiníl aige.

Mel Mac Aogáin a bhí ann. Tharraing sé bosca amach ó phóca a threabhsair agus chuir sé toitín lena bhéal. Ghlac sé trí nó ceithre iarracht air é a lasadh, in ainneoin nach raibh puth gaoithe san aer. Nuair a bhí an toitín á dhiúl aige faoi dheireadh, dhírigh a aird ar an talamh an athuair.

Bhí cúis nua aige a bheith neirbhíseach, dá mb'eol dó é. Ag cruinniú foirne an fhiosrúcháin iarnóin Déardaoin, thug an Cigire de Barra le fios go raibh an fhianaise ag méadú ina aghaidh. Ní raibh sí réidh le Mac Aogáin a ghabháil agus a cheistiú go foirmeálta, a mhínigh sí, ach thug sí cur síos ar earra beag a bhí curtha le stór fianaise na ngardaí.

Duillín ó shiopa geallghlacadóra a bhí ann, a fuarthas nuair a scrúdaíodh cillín Shaoirse. Ní raibh ainm ar an duillín, ach bhí taifead ama agus dáta air: 3.20 pm, an Mháirt, 21 Deireadh Fómhair, an lá roimh an ócáid seolta sa phríosún. Bhí freastalaí an tsiopa a d'eisigh é in ann a rá leis na gardaí gur chuir Mel Mac Aogáin geall ar an gcapall a ainmníodh ar an duillín an lá céanna sin. Agus ansin fuarthas deimhniú go raibh méarlorg Mhic Aogáin ar an duillín, rud a thug le tuiscint go raibh sé i láthair sa chillín nuair a thit an duillín amach as a phóca.

An chéad cheist eile ná cén lá agus cén t-am a tharla sin. Bhí scrúdú fadálach déanta ar an scannán CCTV sa halla fáilte, a thaispeáin nach raibh sé sa phríosún tráthnóna Máirt ná i rith an lae ar an gCéadaoin, díreach mar a dúirt sé féin. D'fhág sin go gcaithfidh go raibh sé istigh sa chillín tráthnóna na hócáide, a mhalairt ghlan den rud a bhí ráite aige. Agus, más ea, bhí deis aige an buidéal nimhe a fhágáil ann do Shaoirse, pé acu nuair a bhí an slua ann nó tamall níos déanaí.

Chuir Tom Ó Mórdha a lámh in airde nuair a bhí an duillín geallghlacadóra á phlé. "Is fianaise imthoisceach í seo, nach ea, ar nós gach blúire eile atá againn in aghaidh Mhic Aogáin?"

"Is fíor sin," arsa an cigire. "Ach an tábhacht atá leis ná gur mhionnaigh an fear céanna nach raibh sé istigh sa chillín agus go bhfuilimid in ann é a bhréagnú anois."

Níor ghéill Tom an pointe go bog. "An raibh méarlorg ar bith eile ar an duillín?"

Ghlac de Barra leis an gceist go toilteanach. "Tá an ceart agat an fhianaise a thástáil, a Tom. Bhí méarlorg smeartha air freisin, agus tá sé deimhnithe inniu gur bhain an ceann sin le freastalaí an tsiopa. Ná déanaimis dearmad, ar ndóigh, go bhfuil an duillín féin chomh beag le ticéad bus."

Ar éigean a bheannaigh Réamonn agus Tom dá chéile ar a slí isteach chuig an gcruinniú. Thug Réamonn spléachadh air nuair a bhí píosa fada cainte ar siúl ag an gcigire agus rugadar greim súl ar a chéile. Ach chúb Réamonn uaidh láithreach, ar fhaitíos go bhfeicfeadh sé fearg nó tarcaisne á radadh ag Tom trasna an tseomra. An chéad spléachadh eile a thug sé, bhí Tom ag cogarnaíl i gcluas Ultáin agus iad i bhfoisceacht póige dá chéile.

Tháinig pianta boilg ar Réamonn de réir mar a lean an cruinniú, agus b'éigean dó dul abhaile in áit freastal ar an searmanas cuimhneacháin sa phríosún ag am tae. Ba bhreá leis an deis a fháil casadh le hAoife agus

Sal ag an ócáid, ach bheadh Tom i láthair freisin, agus ba lú fós an seans a bheadh ag Réamonn é a sheachaint ná mar a bhí i stáisiún Shráid Chaoimhín.

Dhruid Réamonn níos gaire do bhéal na háirse. Bhí Mel fós thall ag an mballa, an toitin á mhúchadh faoina chos aige. Ina ghnáthéadaí a chonaic Réamonn ar dtús é, ag teacht amach as foirgneamh a árasáin. Shiúil sé leathchéad méadar i dtreo Inse Chór agus síos lána a raibh sceacha agus crainn ag a bhun. Nuair a d'fhill sé, bhí an feisteas á chaitheamh aige. Níor chreid Réamonn gur ag ceiliúradh Oíche Shamhna a bhí sé – pé áit a raibh a thriall, níor mhian leis go n-aithneofaí é.

Bhí seaicéad mór báistí agus caipín olla á gcaitheamh aige féin a chlúdaigh go maith é. Ar a chonlán féin a bheartaigh sé Mel a leanúint; dúirt an cigire ag an gcruinniú foirne an lá roimhe sin nár mhiste súil a choimeád air ach nach raibh na hacmhainní ag na gardaí sin a dhéanamh ó mhaidin go hoíche. Ba leor sin mar nod do Réamonn. Nuair a chuaigh sé abhaile ón gcruinniú, chaith sé dhá uair an chloig ina luí ar a leaba, cráite ag na pianta boilg agus ag an dúlagar a bhí ag bagairt air ó leag sé súil ar Tom arís. Ach sa deireadh, bheartaigh sé déanamh mar a dhéanadh i gcónaí agus dul i ngleic leis an obair mar leigheas ar a ghalar.

D'fhill sé ar Bhóthar an Choimín an tráthnóna céanna. Theastaigh uaidh labhairt leis an mbean a d'aithin sé lasmuigh d'uimhir a haon déag, an teach ina raibh an seomra suí teolaí. Ruaig sé óna intinn íomhá a bhrionglóide: é féin ar an tolg dearg sin cois tine, agus Tom i ngreim barróige aige.

"A Mhuire Mháthair!" arsa an bhean nuair a d'oscail sí an doras. "Nach nglacann sibhse sos riamh?" Bhí sí chomh cainteach, soibealta is a bhí i mbloc árasán Mhic Aogáin. "Abair liom, cad atá déanta as bealach agam anois?"

Mhínigh Réamonn go raibh tuairisc á fiosrú aige faoi dhrugaí a bheith ar díol ar an mbóthar. Valerie ab ainm di, a d'inis sí dó ar a slí isteach isteach sa seomra tosaigh. Shuigh sé ar imeall an toilg, a bhí chomh compordach is a shamhlaigh sé é. "Chuamar ó dhoras go doras aréir," ar sé, "ach ní raibh tú sa bhaile. Ba mhaith linn a fháil amach an bhfaca tú aon rud as an ngnách ar siúl ar an mbóthar le déanaí."

"An bhfuil baint aige seo le Saoirse Ní Néill?" Bhí bealach díreach aici, ach murarbh ionann agus a comharsa Janis trasna an bhóthair, bhí Valerie gealgháireach.

"Níl a fhios againn, leis an fhírinne a rá."

"Agus cén tréimhse atá i gceist? Deir tú 'le déanaí', ach an ionann sin agus oíche na tine, nó seachtain a báis, nó céard?"

"Ná bí róbhuartha faoin tréimhse ama. Seachtainí, a déarfainn, nó fiú mí nó dhó."

Choigil sí an tine agus d'éirigh splancacha ón adhmad in airde sa simléar. "Bhuel, is féidir liom a rá leat," ar sí ansin, "nach bhfuil aon phic agam ar mo ghuthán a thaispeánann lámha sínte agus beartáin púdair á ndáileadh. *In actual fact,* ní fhaca mé a leithéid riamh ar an mbóithrín áirithe seo."

"Cad faoi achrann sráide? Nó trioblóid de shórt ar bith eile?"

Bhí an cat dubh agus bán á lí féin ar an súsa. Thug Réamonn faoi deara go raibh grianghraf ar an matal ina raibh Valerie agus bean eile ag gáire leis an gceamara agus a lámha thart ar a chéile acu. Nuair a d'fhéach sé ar ais ar an mbean í féin, bhí a lámh ar a smig aici.

"*I'll tell you what,*" ar sí, "tá rud amháin a chonaic mé le déanaí agus n'fheadar an fiú é a lua leat. Bhí mé amuigh ag siúl ag an am, thart ar mheán oíche. Is amhránaí mé, an dtuigeann tú, agus bhí cúpla *gig* agam an tseachtain sin. *D'ye see,* níl san obair ghlantacháin a dhéanaim ach caitheamh aimsire." Rinne sí meangadh leis agus, díreach in am, thuig Réamonn go raibh sí ag spochadh as. "*So anyways,* amach liom an oíche áirithe sin leis an madra. Smután is ainm dó, dála an scéil. Agus nuair a bhíomar ag cúinne an bhóthair, chonaic mé beirt leaids ag troid le chéile – in adharca a chéile, a d'fhéadfá a rá – ach ní dúirt mise faic na fríde leo ar eagla go mbeinn féin thíos leis. *See no evil,* a deirim liom féin agus ar aghaidh liom agus Smután le mo thaobh. Agus bhí go breá go dtí go rabhamar ar ár slí abhaile tamall níos déanaí agus go ndeachamar suas an lána trasna an bhóthair uaim anseo, *usual thing,* chun go ndéanfadh mo bhuachaill a ghnó mar is cóir, *pooper scooper* agus an céapar sin ar fad."

Ghlac Valerie stad anála ag an bpointe sin agus chorraigh Réamonn ar imeall an toilg. Thaitin sí leis ach bhí aiféala ag teacht air nár ghlac sé leis an tae a tairgeadh dó ar a shlí isteach.

"Bhuel," ar sí ansin, "seo mise ag féachaint in airde ar an ngealach fad a bhí *yer man* i mbun a chúraim sa chúinne. Ach an chéad rud eile, ní ar an spéir a bhí m'aird ach ar dhíonta na dtithe. Agus b'fhéidir go raibh fáth leis sin a gcuirfidh tusa spéis ann."

Stad sí arís agus d'aithin Réamonn go raibh sí ag athrú ón monalóg go mír bheirte. "Cén fáth a bhí leis, dar leat?" a d'fhiafraigh sé go bacach.

"An fáth a bhí leis ná go bhfaca mé scáil ar dhíon cheann de na tithe."

"Scáil? Bhí duine thuas ar an díon i lár na hoíche, atá i gceist agat?"

"Bhí, creidim, mar ní cat a bhí ann, agus pé taibhsí a bhíonn ag dul thart lasmuigh, ní dóigh liom go mbíonn a scáil féin acu. *Now, as for* mo dhuine, sheas sé suas sa ghleann idir an dá dhíon, an *centre valley gutter,* tá's agat féin, agus b'fhéidir freisin go ndearna sé comhartha le duine eile a bhí ag faire air ó cheann de na gairdíní. Ach *really,* bhí sé imithe as radharc sula raibh am agam mórán a fheiceáil."

"Cad a cheap tú a bhí ar siúl aige? Más gadaí a bhí ann, caithfidh gur ghlaoigh tú ar an stáisiún?"

"Níor ghlaoigh mé ar aon duine, a stór. Ní gadaíocht a bhí ar siúl, de réir mar a cheap mé, ach geáitsíocht. Agus an fáth a bhí leis sin ná go raibh tuairim mhaith agam cé a bhí ann."

Níor chuir Réamonn aon cheist uirthi an uair seo. Bhí bealach spleodrach ag Valerie lena scéal a insint, dar leis, ach ní cumadóireacht a bhí ar siúl aici.

"D'aithin mé duine den bheirt a chonaic mé ag cúinne an bhóthair an oíche sin," ar sí, "agus bhí mé measartha cinnte gurbh é an boc céanna é a chonaic mé thuas ar an díon. Isaac Ó Beirn is ainm dó, agus más é a bhí ann, is ar dhíon a thí féin a bhí sé." Shuigh Valerie siar ina cathaoir uillinne agus lig sí osna. "Ach b'fhéidir go raibh dul amú orm, an dtuigeann tú? B'fhéidir gurbh é Isaac a bhí thuas ar an díon, ceart go leor, ach go raibh gadaíocht nó diabhlaíocht eile ar siúl aige. Agus má bhí baint ar bith aige sin le Saoirse, tá an-aiféala orm nár labhair mé faoi níos túisce."

"Cé chomh fada ó shin a tharla an eachtra?"

"Mí ó shin nó breis, déarfainn. I mí Mheán Fómhair, cinnte." D'fhéach Valerie ar an ngrianghraf ar an matal. "Bhí mo bhean chéile sa bhaile ag an am, is cuimhin liom an méid sin. Is ceoltóir lánaimseartha í agus tá sí ar camchuairt in oirthear na hEorpa ar feadh na míosa seo."

Chuaigh sé dian ar Réamonn a shúile a bhaint den ghrianghraf. Bhí taom uaignis á bhualadh, mar a tharla an chéad uair a sheas sé lasmuigh d'fhuinneog an tseomra. Bhris allas air agus é ag cruinniú a chuid smaointe. Má bhí Isaac Ó Beirn thuas ar an díon mí roimhe sin, bhí deis aige drugaí a chur i bhfolach nó dul ag póirseáil in áiléar Shaoirse sa tréimhse chéanna a luaigh Mel nuair a labhair seisean faoi fhuaimeanna san áiléar. Ach níorbh é Isaac a d'éalaigh ó bharr an staighre isteach san áiléar oíche na tine, bhí Réamonn sách cinnte de sin, mura raibh smidiú nó dathú de shórt éigin curtha ag Isaac ar a chuid malaí fionnrua agus timpeall ar a shúile. Agus ní raibh a fhios ag Valerie cérbh é an dara duine a bhí i gcomhluadar Isaac nuair a bhíodar ag troid.

Ón áit a raibh Mel ina sheasamh ar thaobh clé na hascaille, shín balla ard cloiche timpeall sheanreilig Acra an Bhulaí. Nuair a ghluais sé faoi dheireadh, chloígh sé leis an ardán féir gar don bhalla in áit siúl ar an ascaill leathan. Shroich sé seangheata sa bhalla agus d'fhéach sé isteach idir na barraí iarainn ar an duibheagán. Bhí stáisiún na ngardaí buailte le tailte an Bhrú agus bhí an reilig feicthe ag Réamonn ón ngeata sin faoi sholas an lae: leaca uaighe scaipthe anseo agus ansiúd i measc na seanchrann, agus leac éibhir trí mheadar ar airde, í chomh hársa go raibh sé sa seanchas gur cuireadh mac agus garmhac le Brian Bóramha faoina bun tar éis Chath Chluain Tarbh sa bhliain 1014.

Tar éis dó an geata a fhágáil, thiontaigh Mel ar chlé agus lean sé balla na reilige síos le fána. Amach ar dheis, bhí a fhios aige go raibh tailte an Bhrú ag titim ina gcnocáin i dtreo Stáisiún Heuston agus Bóthar Naomh Eoin. Ba mhinic a chonaic Réamonn daoine ag spaisteoireacht ar na tailte sin i rith an lae, ach bhí an áit tréigthe faoin gceo; agus pé rud a bhí ar bun ag Mel, ní caitheamh aimsire a bhí ann. D'imigh sé leis sa dorchadas, a chruth caol reangartach ag gluaiseacht go haimhréidh faoina chlóca dubh.

Chuala Réamonn torann pléascáin. Bheadh tinte ealaíne Oíche Shamhna ar siúl i gceann uaire nó dhó dá nglanfadh an ceo; ach pléascanna aonair a bhí cloiste aige anois, an sórt a bhíodh á scaoileadh go mídhleathach ag dailtíní sráide. Bhí macalla na bpléasanna ina chluasa ag an nóiméad céanna a thuig sé go raibh Mel ag dreapadh an bhalla agus ag dul isteach sa reilig.

Níor chorraigh Réamonn ar feadh nóiméid nó dhó. An raibh saobhadh céille tagtha ar Mhel agus é ciaptha ag a chuimhní ar Shaoirse? An raibh sé gléasta don ghníomh deireanach sa dráma tragóide, nuair a chrochfadh sé é féin i measc thaibhsí Acra an Bhulaí?

Théaltaigh Réamonn chomh fada leis an áit ar imigh Mel as radharc. Bhí an balla beagán níos ísle ansin, agus bhí sé in ann féachaint isteach sa reilig. Ach in ainneoin an cheo, bhí eagla air go bhfeicfí ag dreapadh é. D'ísligh sé a chloigeann agus é ag iarraidh cruth beo a aithint i measc na dtuamaí.

Chuala sé guthanna. Nó guth amháin go cinnte. D'ardaigh sé a chloigeann agus stán sé isteach sa reilig dhorcha, a chaipín anuas ar a mhalaí.

Guthanna. Ní duine amháin ach beirt a bhí sa reilig. Chorraigh duine acu agus thuig Réamonn cá rabhadar. Bhí fannléasa na soilse sráide ar an taobh thall den reilig ag drithliú tríd an gceo. Bhí an aghaidh fidil bhán le feiceáil aige faoi scáth crann ársa. Rinne Réamonn amach go raibh a mhasc íslithe ag Mel. Duine níos leithne ná é a bhí in aice leis.

Rinne Réamonn a chinneadh féin. Bhí a ghualainn fós nimhneach, agus fiú mura bhfeicfí é, bheadh sé deacair dó dreapadh thar an mballa. Ach ba chuimhin leis go raibh geata ag bun an chnoic a thug slí isteach sa chuid íochtarach den reilig. B'fhiú dul sa seans é a thriail.

Bhí an talamh bog, draoibeach in áiteanna. Shroich sé an geata, a bhí ar oscailt. Trí nó ceithre nóiméad a ghlac sé air an chuid uachtarach den reilig a bhaint amach. Chuala sé torann traenach ó ghleann na Life agus otharcharr ag geonaíl ar an mbóthar mór. Ach nuair a sheas sé isteach ar an talamh a coisriceadh in aimsir Naomh Maighneann sa seachtú haois, d'imigh an saol comhaimseartha i léig. Fathaigh ollmhóra ba ea na seanchrainn, a gcuid stoc gléasta ag cótaí eidhneáin agus a ngéaga sínte in airde chun na spéire. Leaca tite i loganna féir, gan ainm ná dáta inléite faoin gcaonach. Cnámha na gcianta ag dreo i gcré na cille.

Stróic focail ghéara trí chaille an dorchadais. Bhí

argóint ag treisiú idir an mbeirt. Ghluais Réamonn ó chrann go crann agus é ag druidim leo.

Guth Mhel. "Dúirt tú go raibh na fiacha glanta . . ."

Guth eile. Fear. "Dúirt mé go mbeadh na fiacha glanta dá ndéanfá . . ." Focail imithe ar strae. Ansin leathabairt eile. ". . . nár leor é, a chladhaire."

Mel arís. Abairtí iomlána le cloisint ag Réamonn anois. "Thug mé cáipéis duit a fuair mé i ngan fhios di. Ní inseodh sí tada dom agus ní fhéadfainn a bheith cinnte . . ."

Guth íseal bagrach ag an bhfear eile. Ach dodhéanta a aithint cén aois a bhí aige. "*Tough shit,* Dracula. Dúirt tú go raibh páipéir eile aici sa teach, agus ní raibh. Ghoid sí stuif uaim nuair a bhí sí ag fanacht liom. Tá sí marbh anois agus tá an íocaíocht uaim. *Pronto.*"

"Nílim chun géilleadh duit an uair seo. Ní thiocfainn anseo anocht murach gur bhagair tú dul chuig teach mo mháthar céile."

Mallachtaí móra á radadh eatarthu. Focar gránna fealltach. Leibide, leiciméir, bréagadóir. Bhí anáil Réamoinn ina snaidhm ina bholg. Bhí droim an strainséara leis. Seaicéad leathair air agus cochall ag clúdach a aghaidhe. Eisean a labhair arís.

"Geallaim duit, a Mhic Aogáin, go mbeidh an-aiféala ort má osclaíonn tú do bhéal sa *cop shop.*" Gáire magúil. "Cuma liomsa má mharaigh tú do chailín álainn." Gáire níos treise. "Bhí sí go deas aclaí nuair a chuaigh mise in airde uirthi mí ó shin agus tuigim má bhí éad ort . . ."

Bhí greim ag Mel ar an bhfear eile. Chonaic Réamonn sracadh tobann a uillinne agus an fear eile á ionsaí aige. Lig an strainséir béic.

Dhruid Réamonn i leataobh chun nach bhfeicfidís ag teacht é. Bhíodar ag iomrascáil go fíochmhar. Gnúsacht agus mallachtaí eatarthu. Loinnir mhiotail, scian ina lámh ag Mel. An aghaidh fidil ag crochadh ar chúl a mhuiníl.

Greim ag an bhfear eile ar a chlóca. Is aigesean a bhí an scian anois. Bhí Mel á shá aige.

D'fháisc Réamonn a ghéag thart ar mhuineál an strainséara agus tharraing siar é de phreab. Leagadh an scian as lámh an fhir. Rug Réamonn ar chába a sheaicéid go bhfeicfeadh sé i gceart é. Bhí an fear ag lúbadh isteach chuige agus gach cnead as.

D'éirigh le Réamonn an cochall a tharraing siar agus d'fhéach sé idir an dá shúil air. Baineadh an oiread de gheit as gur scaoil sé a ghreim air.

Súile dorcha. Súile slogtha siar ina log cnámhach. Tarcaisne agus fuacht sna súile.

Bhí an diabhal lofa ag éalú uaidh. Bhí Mel ar a ghlúine ag cúlú i dtreo crainn. Thug Réamonn rúid faoin strainséir ach rop seisean as a bhealach. Bhí sé ag déanamh ar íochtar na reilige.

Chuaigh Réamonn ar ruathar mire ina dhiaidh. Ní raibh sé imithe ach trí phreab nuair a chuala sé ochlán cráite ó Mhel. B'éigean dó éirí as an tóir. Bhí Mel cromtha ar an talamh, a lámha brúite lena imleacán aige. Ghlaoigh Réamonn ar otharcharr agus ansin ar an stáisiún.

"Cad is ainm dó, a Mhel?" ar sé leis. "Chuir sé teach Shaoirse trí thine, nach dtuigeann tú sin? Inis dom, le do thoil . . ."

Ach níor fhreagair Mel é. Bhí sé ag cneadach go híseal. Nuair a dhírigh Réamonn solas a ghutháin air, chonaic sé smearadh tiubh fola ar a lámha.

*B*hí an t-am ag sleamhnú ar Aoife. Thug sí sciuird isteach sa chathair maidin Aoine agus labhair sí leis na mic léinn iasachta a bhí i láthair ag an ócáid seolta. Ach ní raibh aithne dá laghad acu ar an mbeirt bhan a tháinig isteach tamall ina ndiaidh. Le linn an chomhrá, thugadar *hijab* ar an scairf a bhí ar thriúr acu sa rang, a chlúdaigh an ceann agus na guaillí, agus *niqab* ar an scairf a bhí ar an mbeirt bhan ag an ócáid, a chlúdaigh gach cuid den aghaidh seachas na súile. Dúirt duine de na mic léinn gur labhair sé leis an ógfhear féasógach a shiúil isteach leo agus go raibh seisean ar chuairt ghnó ón Tuirc, áit ar casadh Saoirse air le linn di a bheith ar saoire in óstán a mhuintire.

Bhuail Aoife isteach freisin chuig oifig an eagrais chearta daonna ina raibh Gabriel Salgado fostaithe. Bhí a ainm deimhnithe aici an lá roimhe sin ach ní raibh fáil air ar an nguthán. Ba bhreá léi go ndearbhódh sé go raibh aithne aige ar Fhaisal al-Jamil, agus go dtabharfadh sé dea-theist ar Fhaisal seachas a rá léi gur chaimiléir brúidiúil é. Bhí uirthi labhairt arís le Kim, ach ní ghlaofadh sí ar Fhaisal dá mbeadh Kim á cur i gcontúirt aici dá bharr.

Dúradh léi san oifig, áfach, go raibh Gabriel as baile ar feadh seachtaine. Gealladh di go dtabharfaí teachtaireacht dó go raibh sí á lorg, ach ní raibh a fhios aici cén tairbhe a bhí leis an ngeallúint. Ní fhéadfaí uimhir Ghabriel a thabhairt di ach oiread.

D'fhág sí an oifig agus frustrachas uirthi, agus chaith sí seal ina dhiaidh sin i mbun tóraíocht de chineál eile: ag ceannach cúpla ball éadaigh di féin le cur leis an soláthar gann a bhí pacáilte aici dá turas go Baile Átha Cliath. Bhí an treabhsar liathghorm céanna á caitheamh aici le trí lá anuas ach d'éirigh léi ceann caol dubh a fháil mar aon le léine dhorcha ghlas a luigh go maith uirthi agus a bhain cúpla orlach dá com, shíl sí. Ansin thosaigh sí ag fiosrú an raibh a leithéid d'áit ann agus an Suanlios, mar a bhí luaite ag Kim.

Bhí cuardach idirlín déanta aici san óstán ag am bricfeasta, ach bhí an oiread árasán nua sa cheantar gur dhóigh léi nach raibh gach ainm ar na léarscáileanna fós. Chuaigh sí chuig an ionad stórála bagáiste in aice leis an óstallán agus chuir sí mála i gceann de na cófraí. As sin, shiúil sí thart ar na sráideanna agus scrúdaigh sí gach ainm a bhí le feiceáil. Luaigh sí an t-ainm an Suanlios le tiománaí tacsaí freisin, ach ní raibh iomrá ar bith cloiste aige air.

Bhí an aimsir fliuch, gruama, rud a chuir olc uirthi le himeacht an lae. Ba bhreá léi a cuid machnaimh a

dhéanamh faoin aer, i bPáirc an Fhionnuisce nó sna
Gairdíní Cuimhneacháin i nDroichead na hInse, a bhí
molta go mór ag Sal. Shuigh sí tamall sa tábhairne ag
an gcúinne inar casadh Cormac orthu an chéad lá.
Chaith sí leathuair an chloig ag léamh nuachtáin go dtí
gur bhrúigh scata turasóirí glóracha isteach in aice léi.
D'aistrigh sí chuig suíochán eile ach bhí sí míshocair
inti féin agus d'imigh sí léi ag siúl suas an cnoc chuig
na siopaí i gCill Mhaighneann. Thug sí suntas don
easpa pleanála a d'fhág a rian mantach, míshásúil ar
dhéanamh na sráide mar a tharlaíonn go rómhinic in
Éirinn: seanfhoirgnimh bhreátha a luigh le chéile, an
seantábhairne ina measc, a bhí ar an láthair le dhá
chéad bliain, ach bhí bearna anseo, bloc árasán starrach
gránna ansiúd, agus garáiste mór feiceálach ag bordáil
ar chúlbhalla an phríosúin. Chuir dreach an Hilton
isteach uirthi freisin. Foirgneamh substaintiúil nua-
aimseartha a bhí ann, sé nó seacht stór ar airde, agus
sórt cuirtín ollmhór miotail crochta mar a bheadh gríl
liath ar na ballaí gloine ar dhá thaobh, a bhí
mímhaiseach, mídheas don tsúil, dar léi. Bhí an t-óstán
compordach, fáiltiúil, ar ndóigh, ach níor thaitin léi
mórán an t-atmaisféar corporáideach a bhraith sí ann.

Cúis mhíshásaimh eile a bhí aici ná nach raibh Sal in
ann a rá léi cén t-am a rachaidís ag ithe béile tráthnóna
sa chathair. Bhí Cormac chun bualadh isteach chuici, ba
chosúil, rud a chuir iontas ar Aoife lá na sochraide. I
mbaclainn a mhuintire a cheap sise a bheadh sé go dtí
an Satharn ar a laghad, ach dúirt Sal go raibh gruaim

na hócáide ag cur ísle brí air agus nár mhaith léi é a dhiúltú. Mheas sí nach gcaithfeadh sé ach uair an chloig sa teach, *tops,* agus go mbeadh roinnt ama fágtha aici don staidéar, agus deis freisin dul amach ag ithe níos déanaí.

"Agus nach maith an rud é go bhfuilim mór leis?" arsa Sal ansin. "Táimid, *like,* ag brath ar na comhaid a thug sé dúinn dár gcuid fiosruithe, nach bhfuil?"

"Ná bí ag spochadh asam, a Shal," arsa Aoife. "Nílim ag gearán faoi chaidreamh a bheith eadraibh ach díreach . . ."

"Tuigim cad atá á rá agat, a Mham." Tháinig athrú ar an tuin chainte ag Sal. "Is maith liom Cormac, ar ndóigh, agus tá sé díograiseach ar bhealach atá *kinda* speisialta. Ach n'fheadar ar fhoghlaim sé riamh conas dul go réidh? De réir mar a fheicim, ní shásaíonn beagán airgid é, ná cúpla deoch san am ach oiread. Agus, bhuel, nílim cinnte conas a bhraithim faoi sin."

Shuigh Aoife ar a leaba ina seomra agus d'oscail sí amach cáipéisí a bhí clóite ag Sal di. Bhí sí fiosrach faoin taighde a rinne Saoirse faoi na ceangail idir scéal an taispeántais agus an stair shóisialta i Nua-Eabhrac, agus cén fáth gur chuir Saoirse an trioblóid sin uirthi féin. Chaithfí gach poll is prochóg a chuardach sula bhfillfeadh sí ar Bhéarra.

Mná Éireannacha i N-E an teideal a bhí ar an gcéad cháipéis a léigh sí. Bhí scéalta ann faoi mhná bochta a mealladh i ngnó an striapachais sa naoú haois déag, tar éis dóibh dul ag obair mar chailíní aimsire i Nua-

Eabhrac. Tugadh sleachta cainte ó bheirt darbh ainm Katie agus Nóra, a cuireadh faoi ghlas sa teach mór inar fostaíodh iad. Thagadh fir de gach sórt chucu sa teach: fir óga a thuirling den bhád bán mí roimhe sin; fir phósta a raibh stádas agus rachmas acu; fir a d'fhágadh galair agus gortú brúidiúil mar chuimhneacháin ar a gcuairt. Scrollaigh Aoife suas is anuas ar na leathanaigh: ag bun na cáipéise, tugadh cúpla tagairt do leabhair faoi stair na himirce go Meiriceá Thuaidh, ach mar a bhí ráite ag Sal léi, ní raibh foinsí sonracha luaite leis na scéalta pearsanta seachas na focail "Cuntais ó bhéal" a bhreac Saoirse idir lúibíní.

Scrúdaigh sí cáipéis eile a bhain leis an saol a chaith Tadhg Cassidy i Nua-Eabhrac. Fuair Saoirse amach gur scríobh sé dornán litreacha chuig páipéir nuachta an phobail Éireannaigh níos déanaí ina shaol. Bhí cóip faighte aici de litir amháin a scríobh sé chuig an bpáipéar *An Gaodhal*, a thug léargas ar a mheon i leith chúrsaí eacnamúla agus sóisialta a thíre dúchais. *Fearadh cath mór fíochmhur ar son na ndaoinne bochta a shanntaigh saoirse ósna tighearnaigh talún. Ba thábhachtach an cath é, ach bhí na slóite eili ina sclábhuithe feirme 'gus i d-Tithe na mBocht nár sheasuigh aoinne ar a son. Is rímhath a thuigimse fen mar a bhí.*

D'fhág Aoife tuairimí Thaidhg i leataobh agus d'fhill sí ar an gcéad cháipéis. Bhí trácht ann freisin ar na hiarrachtaí a rinne sclábhaithe gnéis éalú ón ngéibheann ina rabhadar. D'inis an bhean darbh ainm

Katie gur éirigh léi airgead a ghoid ó chustaiméir a thit ina chodladh agus go raibh an t-ádh uirthi na cosa a thabhairt léi ón teach ósta ina raibh sí ag obair an oíche sin. Ach bhí sí náirithe i measc a muintire féin agus eagla uirthi ó lá go chéile go bhfuadófaí arís í.

D'éirigh Aoife ón leaba agus sheas sí ag an bhfuinneog. Bhí smaoineamh ag lonnú agus ag fás ina hintinn. B'iomaí sórt príosúin a bhí ann, ar sí léi fein, sa naoú haois déag agus sa lá atá inniu ann mar an gcéanna. Leathuair tar éis a seacht an t-am a chonaic sí ar a guthán agus í ag glaoch ar Shal. Bhí Cormac imithe, ar sise go tapa, agus leithscéal á thabhairt aici dá máthair nár ghlaoigh sí ar ais uirthi. Mhínigh Aoife di an teoiric a bhí tagtha chuici. Chaithfidís féachaint ar cháipéisí eile, ar sí, ach bhí sí dóchasach gur thuig sí anois an méid a bhí i gceist ag Kim nuair a d'iarr sí uirthi "féachaint sa stair".

Líon Aoife gloine fíona di féin. Thuig sí go rímhaith óna taithí iriseoireachta nár chóir talamh slán a dhéanamh d'aon tuiscint nua, ba chuma gur mhothaigh sí ina croí istigh go raibh an ceart aici. Bheadh uirthi an scéal a dheimhniú sula labhródh sí leis na gardaí agus an fiosrúchán a fhágáil fúthu siúd ina dhiaidh sin. Bheadh sí an-sásta slán a fhágáil ag a leaba óstáin agus leis na béilí beir leat a bhí aici le déanaí, agus filleadh ar a saol príobháideach féin.

Bhuail a guthán. Uimhir anaithnid a bhí ann, agus gan le cloisteáil ach gíoscán agus clampar nuair a d'fhreagair sí é.

"Dia dhuit. Heileo? An bhfuil Aoife . . . ?"

"Cloisim anois thú. Sea, tá brón orm, cad a dúirt tú?"

Tar éis beagán eile moille, rinne sí amach gurbh é Gabriel Salgado a bhí ag glaoch uirthi. In Aerfort Bhaile Átha Cliath a bhí sé, i halla an bhagáiste. Chinn sé an teagmháil a dhéanamh léi a luaithe a thuirling sé, ar sé, de bharr go raibh ceist aici a bhain le Saoirse Ní Néill.

"Faisal al-Jamil? Sea, is fíor gur labhair mé leis ag an ócáid seolta. Cad é? Ó, tá aithne agam air ceart go leor."

"Tá súil agam nach miste leat má fhiafraím . . . ?" Lean Aoife lena ceist ach níor fhreagair Gabriel í. Bhí an ceangal eatarthu briste. D'fhéach sí ar a scáileán. Ní raibh a uimhir ar taispeáint. Ná ní raibh a fhios aici an raibh sé ar tí Faisal a mholadh nó a cháineadh.

Cúig nóiméad déag ina dhiaidh sin a ghlaoigh sé arís uirthi. Lasmuigh den aerfort a bhí sé agus ceangal glan, soiléir eatarthu an uair seo.

"Ar bhonn pearsanta atá mé sásta do chuid ceisteanna a fhreagairt," ar sé, "tar éis gur labhair mé leat ag an ócáid. Mar a dúirt mé ar ball, tá aithne mheasartha agam ar Fhaisal. D'fhreastail sé ar chomhdháil nó dhó a d'eagraigh mé agus tá's agam go bhfuil an-bhá aige lenár gcuid oibre. Is amhlaidh a céasadh ina thír féin é, san Iaráic, agus tháinig sé go hÉirinn ina theifeach na blianta ó shin."

Bhí a hanáil á coimeád ag Aoife agus í ag éisteacht. Thug sí míniú achomair do Ghabriel ar an gcúis a bhí lena glao. Dúirt sé go gcasfadh sé léi ar an Luan agus go raibh sé sásta scéala a chur chuig Faisal roimhe sin. Ach níor mhaith leis brú a chur air labhairt léi.

"Tá's agam gur chabhraigh Faisal le daoine eile a tháinig go hÉirinn ag lorg dídine. Thug sé obair do bheirt ar a laghad ina ghnó cúramóirí. Is cinnte gur duine iontaofa é."

D'fhiafraigh sí ansin faoi na mná a raibh *niqab* orthu ag an ócáid. "Níl a fhios agam an bhfuil sé gaolta leo," a d'fhreagair sé. "Bhíodar an-chiúin, ach thuig mé gurbh as an Albáin do dhuine acu, agus ní as an Iaráic. Kim ab ainm di siúd, mura bhfuil dul amú orm."

Nuair a bhí an glao thart, cheadaigh Aoife blaiseadh maith fíona di féin. Scuab sí a folt gearr donnrua agus í ag machnamh ar an gcáipéis a bhí léite ar ball aic. An teoiric a bhí tagtha chuici ná gur scríobh Saoirse cuntais ó bhéal faoin sclábhaíocht ghnéis – ach gur bhain na cuntais sin leis an saol reatha i mBaile Átha Cliath seachas leis an stair i Nua-Eabhrac. Chuimhnigh Aoife ar an lása ón Albáin a bhí ar taispeáint ag an searmanas cuimhneacháin. Na blianta roimhe sin, bhí Saoirse ar thuras lae ón nGréig chuig an Albáin, agus nuair a casadh Kim uirthi san óstallán, caithfidh gur spreag an ceangal sin muinín agus caradas eatarthu. Nuair a d'fhill Saoirse ar Chill Mhaighneann chun an taispeántas a eagrú, rinne Kim teagmháil léi arís ar shlí éigin agus d'inis di faoin drochíde a d'fhulaing sí féin agus bean eile a fuadaíodh isteach i ngnó luachmhar an striapachais in Éirinn. Bhí sceon a hanama ar Kim, agus nuair a scríobh Saoirse an cuntas a fuair sí uaithi, is éard a bheartaigh sí ná é a chur i bhfolach i mbréagriocht na staire.

Chuir Aoife téacs chuig Sal. Rachadh sí ar cuairt uirthi i gceann leathuaire, agus chaithfidís tamall ag cíoradh gach sonra sna comhaid. Ní raibh aici féin ach imlíne an scéil, agus gan ansin ach buillí faoi thuairim.

Bhí ceobhrán trom fós san aer agus í ar a slí chuig an teach. Bhraith sí an fliuchras ag dul ina cnámha in ainneoin go raibh scáth báistí ar iasacht aici ó dheasc an óstáin. Solas lag liathbhuí a bhí ar fáil ó na lampaí sráide, agus gach dath eile taosctha ón timpeallacht. Chuala sí nótaí ceoil ag éalú ó thabhairne an Patriots agus boladh cócaireachta ón mbialann thuas staighre. D'fhéach sí timpeall uirthi trí nó ceithre huaire le linn a siúlóide ach níor léir di go rabhthas á leanúint. Bhí sí faichilleach de bharr eachtra na páirce, ach ní ghéillfeadh sí don imeagla ach oiread.

Duine eile de na mná sa teach a d'oscail an doras di. "An bhfuair tú an téacs a chuir sí chugat? Tá rud éigin nua . . ."

Thíos sa chistin a bhí Sal, ina suí ina staicín balbh

ag an ríomhaire. Chrom Aoife isteach chuici go bhfeicfeadh sí cad a bhí ar an scáileán. Tuarascáil maidir le gnó an striapachais sa lá atá inniu ann a chonaic sí. Bhí cur síos ann ar staidéar taighde a rinneadh in Éirinn agus i dtíortha eile ar mheon agus cúlra na bhfear a cheannaíonn seirbhísí gnéis, mar a tugadh orthu.

"Cén fáth . . . ?" a d'fhiafraigh sí de Shal. Ach in áit freagra a thabhairt, d'oscail sise fuinneog eile ar an scáileán, ar a raibh liosta preasráiteas, moltaí faoi athruithe dlí agus cáipéisí faoi gháinneáil ban agus páistí ó thíortha bochta an domhain. D'fhéach Sal ar an scáileán an dara huair agus chroith sí a ceann, á chur in iúl gur oscail sí an leathanach mícheart. Tháinig ceann eile aníos ina áit, faoin teideal *Tátal: le seiceáil*. Liosta ceisteanna agus leathabairtí a bhí anseo: *Comparáid le meon na bhfear sa 19ú haois? Tionchar an idirlín? Pornagrafaíocht go háirithe? Fir a cheannaíonn, mná is mó a dhíolann. Fir iad a chastar linn gach lá, a deirtear.*

"Tá brón orm, ní fheicim . . ." Bhí Aoife i lár na habairte nuair a léigh sí an chéad dá líne eile: *Fir ar nós Cmc ina measc? Oideachas, airgead is eile mar dúradh. I Nua-E ag an am.*

Ní raibh sé ráite go cinnte cé nó cad é a bhí i gceist. Ach rug Aoife barróg ar Shal agus lig sí léi gol go ciúin. B'ait an rud é, dar léi, gur thug Saoirse comhad do Chormac a raibh a leithéid scríofa ann. Nó b'fhéidir gur mhian le Saoirse go mbéarfaí amach air?

"Is fochomhad é seo laistigh de cheann eile," arsa Sal ar ball. "Sciorr mé thairis cúpla uair cheana gan é a léamh. Ach d'oscail mé an tráthnóna seo é nuair a dúirt tú . . ."

Ní raibh sé éasca d'Aoife labhairt amach go lom. "Is éard a thuigeann tú uaidh seo ná go raibh Cormac ag baint úsáide as seirbhísí gnéis nuair a bhí sé i Nua-Eabhrac?"

"'Seirbhísí gnéis?' Is deas an nath é sin, nach ea? Ag baint úsáide as mná a bhí sé, mná cosúil liomsa agus leatsa ach go mbíonn scuaine fear ag dul in airde orthu amhail is gur bábóga plaisteacha iad. Ní thugaimse seirbhís air sin, a Mham!"

"Aontaím leat, a Shal, agus níl ann ach go raibh an téarma sin . . ." Bhí Aoife ag iarraidh guaim a choimeád uirthi féin. B'ábhar achrannach, conspóideach é an striapachas, mar a thuig sí nuair a scríobh sí féin gné-alt faoi roinnt blianta roimhe sin, agus scéal eile ba ea líomhain pearsanta. "Caithfimid cuimhneamh nach bhfuil ainm Chormaic scríofa amach os ár gcomhair anseo," ar sí. "Cá bhfios cé eile a bhí i Nua-Eabhrac le Saoirse?"

"Táim á rá leat, *just* bhí a fhios agam go raibh sé fíor an nóiméad a léigh mé é. Nach cuimhin leat an chaint a bhí aige faoi nach raibh Saoirse chomh *pally* leis is a bhíodh? Leithscéal éigin aige go rabhadar ag argóint faoi chúrsaí airgid agus é siúd ag dul amach rómhinic istoíche. Cuireann sé déistin orm, déistin iomlán."

Scaoil Aoife an greim láimhe a bhí aici ar Shal. Ba chóir sochar an amhrais a thabhairt do Chormac, dar léi. Fiú más dósan a bhí Saoirse ag tagairt ina cuid nótaí, níorbh eol dóibh cén sórt fianaise a bhí aici. Ach bhí a hintinn déanta suas ag Sal.

"Ní raibh an ceart agam ligean dó teacht anseo inniu," ar sí. Chuimil sí a lámh dá súile. "Bhí rud éigin nár thaitin liom faoin dóigh a raibh sé ag éileamh orm . . ."

Sheas sí agus rug sí ar a guthán. "Caithfidh mé dul go dtí an seomra folctha." D'fhéach sí ar a máthair ar a slí amach. "Nílim chun glaoch air, geallaim duit é. Ní fhéadfainn focal a rá leis."

Chuala Aoife doras an tseomra folctha á phlabadh. Dreas caointe is mó a theastaigh ó Shal, dar léi. Ach bhí sé riachtanach nach ndéanfadh sí teagmháil ar bith le Cormac. Bhí cúrsaí tromchúiseach mar a bhí, gan fearg ná olc a chur air faoi láthair.

"Ba mhaith liom labhairt le duine éigin faoin méid atá léite againn sna comhaid," ar sí le Sal nuair a d'fhill sise ar an seomra. Bhí a cuid gruaige ceangailte siar aici agus ciarsúr páipéir ina lámh.

"Caithfidh mé rud éigin a insint duit," arsa Sal.

"Níor thuig mé nár chóir dom . . ."

Rug Aoife ar a lámh arís agus í ag éisteacht léi.

"Bhí Cormac fós anseo sa teach nuair a ghlaoigh tú orm uair an chloig ó shin. Tá's agam go ndúirt mé leat nach raibh, ach ar aon nós . . ." Bhain Sal taca as cófra ar a cúl. "*See,* d'inis mé dó faoin teoiric a mhínigh tú dom ar an nguthán maidir le Kim agus an gnó striapachais inar cuireadh ag obair i mBaile Átha Cliath í. Agus dúirt seisean go mbeadh sé éasca go leor a fháil amach cá bhfuil na hárasáin a luaigh sí, más sa cheantar seo atá siad. Bíonn an t-eolas sin ag cuid de na tiománaithe tacsaí, a dúirt sé, nó is féidir glaoch ar uimhreacha a thugtar ar líne agus a rá gur mhaith leat seirbhís, mar dhea, a fháil i gceantar áirithe. Agus cheap mise . . ." Tháinig tocht as an nua ar Shal ach lean sí uirthi. "Ní raibh tuairim agam go mbeadh aon eolas pearsanta aige ar a leithéid ach cheap mé gurbh fhiú an rud a mhol sé a thriail, agus ansin an chéad rud eile ná gur mhol sé freisin go bhfaighimis duine éigin a ligfeadh air gur chustaiméir é agus a rachadh chuig na hárasáin chun fianaise a bhailiú. Bhuel, dúirt mise leis gur ag magadh a bhí sé ach tuigim anois . . ." D'fhéach sí go truamhéileach ar a máthair. "*Just* ní mholfadh sé a leithéid mura mbeadh *actual* taithí aige ar an saol sin. Agus is mise an óinseach a ghéill don díograis *so-called* álainn a chonaic mé ann."

D'fhéach Aoife thart go bhfeicfeadh sí cá raibh a guthán féin. "B'fhearr duitse fanacht san óstán liom anocht," ar sí, "ar fhaitíos go dtiocfadh Cormac ar ais chuig an teach ar chúis ar bith. Ach an chéad rud a dhéanfaimid anois ná glaoch ar Réamonn. Níl a fhios againn fós cad is leathráflaí ann agus cad is fíricí, ach luath nó mall beidh orainn labhairt leis na gardaí fúthu."

*L*asmuigh de stáisiún na ngardaí i gCill Mhaighneann a bhí Réamonn nuair a ghlaoigh Aoife air. Ba mhór an faoiseamh dó é gur iarr sí casadh leis. Chuimhnigh sé go minic uirthi ó d'athraigh sé an socrú a bhí acu tráthnóna Máirt, ach ní raibh a fhios aige an raibh sí fós i mBaile Átha Cliath ar an Aoine, nó an mbeadh fonn ar bith uirthi labhairt leis in aon chor. Thuig sé, áfach, go raibh cleasaíocht ar siúl ag an Sáirsint Lombard an chéad lá den fhiosrúchán nuair a bhíodar in árasán Mhic Aogáin, á chur in iúl dó gur chosc an cigire ar Réamonn aon phlé a dhéanamh le hAoife sula labhródh sise léi. Ní amháin sin, ach d'inis an sáirsint tuilleadh bréag don chigire: go raibh comhrá aige féin le hAoife agus nach raibh sí sásta comhoibriú leis na gardaí.

Le himeacht na laethanta, bhí aiféala ar Réamonn freisin nár shocraigh sé go mbeadh Aoife agus Tom Ó Mórdha ina árasán ag an am céanna ar an Máirt. Bheadh an cás pléite go fiúntach ag an triúr acu le chéile – agus deis aige aithne a chur ar Tom céim ar chéim seachas ligean dá mianta colainne seilbh a fháil orthu in aon ráig amháin. Nó b'in mar a d'agair sé air féin, ar a laghad, ach thuig sé ina chroí istigh nach raibh ansin ach samhail den tráthnóna inar choimeád sé féin smacht ar gach a tharla.

"Tá mé faoi bhrú damanta ach casfaidh mé leat cinnte," a dúirt sé le hAoife ar an nguthán. Bhí Mel gortaithe go dona agus bhí cuardach ar bun don chiontóir a sháigh an scian ann. In ainneoin sin, chuirfeadh sé am i leataobh d'Aoife ar áis nó ar éigean. "Feicfidh mé i gceann leathuaire thú más é sin a oireann duit?" ar sé. "Agus tá brón orm nár éirigh linn . . ."

"Ná bac sin anois," ar sí. "Ba bhreá liom do chomhairle a fháil faoi imeachtaí na seachtaine."

Chuimhnigh Réamonn ar an gcéad uair a labhraíodar go hoscailte le chéile, nuair a bhí cás dúnmharaithe á fhiosrú i mBéarra agus é féin ar fionraí ó na gardaí de bharr eachtraí agus briseadh rialacha a tharraing sé air féin. Bhí Aoife géarchúiseach agus díreach, agus bhí sí sásta a muinín a chur ina chúnamh nuair a bhíodar i gcontúirt mhór. Bhí an ceart aigesean a mhuinín a chur inti siúd an lá a fuarthas Saoirse Ní Néill sa chillín.

Ach ní raibh an t-am aige anois a bheith á sciúrsáil féin. Bhí bunscrúdú fóiréinseach déanta ar an reilig agus ar thailte an Bhrú; bhí an scian a úsáideadh san ionsaí á scrúdú freisin; bhí finnéithe á lorg sa cheantar, i gcás go bhfacthas fear na súl dorcha ag éalú ón láthair; agus, thar aon rud eile, bhí Réamonn ar a mhíle dícheall a fháil amach cérbh é an fear úd. Bhí breis is dhá uair an chloig caite aige sa stáisiún ó tharla an t-ionsaí, agus tuairisc ó bhéal iarrtha ag an Sáirsint Lombard ar an dul chun cinn a bhí déanta aige.

Ní sa stáisiún a bhí Lombard ag a naoi a chlog oíche Aoine, áfach, ach i gcomhluadar a dhlúthchairde sa teach tábhairne in aice láimhe. Bleachtairí ó cheantair Chill Mhaighneann agus Shráid Chaoimhín a bhí mar chairde aige, mar aon le beirt nó triúr gardaí meánaosta faoi éide. Mhaífidís go rabhadar fós i mbun oibre agus sraith piontaí ar an mbord os a gcomhair – go deimhin, thugaidís "an seomra cruinnithe" ar an gcúlseomra sa tábhairne. Bhí an áit beag bídeach. Tríocha custaiméir agus bhíodh an beár dubh le daoine, gan suíocháin do chuid acu, agus ba lú fós an cúlseomra. I sráidbhaile tuaithe nó in ascaill chiúin ghleanna a shamhlófaí a leithéid de ghnáth. Cloigne ag casadh i dtreo an dorais nuair a thagadh strainséir isteach, fáilte agus faichill rompu in aon turas. Ach is ar sheansráid i gCill Mhaighneann a bhí an Crann Darach, i bhfoisceacht dhá chiliméadar de chroílár na príomhchathrach.

Bhí go leor tábhairní eile sa cheantar a bhí níos sine ná é, agus ní mholfaí an Crann Darach ar a ailtireacht ná a mhaise ach oiread; ach bhí cáil ar a atmaisféar agus bhíodh an-mheascán daoine ag tarraingt air. B'annamh le Réamonn a bheith ann, mar sin féin. Ní thaithíodh sé tithe tábhairne mar nós, agus lena chois sin, b'fhearr leis an phrochlais ba mheasa ná an áit a raibh an sáirsint ann. Ní sa chúlseomra a bhí seisean agus a chairde anocht ach bailithe thart ar an mbord ba ghaire don doras. Ní raibh éide garda orthu ach d'aithneodh an dall a ngairm bheatha. Fir théagartha, mhatánacha ag titim chun feola, agus caint íseal eatarthu i dtuin eolasach, mhagúil. Sula raibh an doras leathdhúnta ag Réamonn, bhí seacht bpéire súl seabhaic á iniúchadh.

"Tá an leaid óg inár measc."

"Hé, a Lombard, an leatsa an ceann seo nó ar imigh sé ar strae óna mhamaí?"

"Téigí bog air, *fuck's sake,* agus é amuigh anocht ina *Lone Ranger* ag troid ar ár son!"

"Faraor géar go bhfuil ár bpríomhamhrastach ar thairseach an bháis dá bharr!"

Gáire glic ar a bhéal ag Lombard agus é ag cur leis an spraoi mar aon le cách. Chuir Réamonn tuin thirim, oifigiúil ar a chuid cainte, a dhírigh sé ar an sáirsint amháin. "Tá Mel Mac Aogáin fós á ghrinniú san aonad dianchúraim. Ní cheadóidh an fhoireann leighis aon chumarsáid oifigiúil leis go fóill. Leag mé an páipéarachas cuí ar do dheasc . . ."

"*Yeah, yeah*, tá's againn an stuif sin." D'fhéach Lombard thart agus sméid sé súil lena chairde. "Is éard atá uainn anois ná nod beag uait féin ar do chaoithiúlacht maidir leis an gciontóir a chonaic tú anocht, más fíor. Nó an amhlaidh go mbeidh orainn gach truán dubhshúileach sa chathair a *líne*áil suas ar pharáid le go lasfaidh lóchrann beag i do chuimhne?"

"Chuardaigh mé gach taifeadadh atá againn ó ócáid

an phríosúin. Ach, mar is eol duit, níl bunachar iomlán físiúil tiomsaithe fós agus ní fhéadfainn a rá . . .”

"Beidh bun do thóna le tochas agat leis an mbunachar, a mhic Seoighe, mura gcuireann tú dua ort féin ciontóir na hoíche anocht a aimsiú.”

D'aon ghnó a d'iarr an sáirsint air teacht sa tábhairne, dar le Réamonn. Bhí sé mar sprioc aige é a náiriú. Gníomh díoltais a bhí ann de bharr go raibh Réamonn i lár an aicsin nuair a d'ionsaigh Mel agus an fear eile a chéile.

"Coinneoidh mé ar an eolas thú má aimsím aon sonra nua,” arsa Réamonn. Ghlac sé céim siar ón mbord ach ní raibh Lombard réidh leis fós. Chomharthaigh sé air druidim anall chuige arís.

"Seachain gan dul ag *blab*áil le do chairde cléibh sna meáin,” arsa an sáirsint. Bhí meangadh cam ar a bhéal. "Chualamar ráfla aisteach inniu faoi eachtra a tharla i bPáirc an Fhionnuisce dhá lá ó shin. Clampar éigin idir do sheanchara Aoife Nic Dhiarmada agus daoine eile, a dúradh linn, agus mo dhuine ar an láthair a bhfuilimid in amhras faoi, cé hé seo arís . . . ? Ó sea, Faisal ali-Baba a ainm, nach ea?”

D'fhan Réamonn ina thost. Nuair a bheadh an cás thart, ba bhreá leis gearán a dhéanamh faoi Lombard as tromaíocht agus ciníochas. Bhí beirt nó triúr ag an mbord nach raibh ar a gcompord leis an bhfonóid, dar leis, ach choinníodar a mbéal dúnta go docht.

"Tá ár gcuid fiosruithe faoi siúd ag éirí spéisiúil ceart go leor,” arsa fear taobh le Lombard. "Is cosúil gur thug sé cuairt le déanaí ar chara leis a bhfuil gnó cóipeáil eochracha aige. Cúpla seachtain ó shin a tharla sé, thart ar an am a chuaigh eochracha amú sa phríosún."

"Ní amháin sin," arsa an tríú duine, "ach cloisimid gur i lár na hoíche a chuaigh sé ag cóipeáil eochracha. Táimid ag faire go cúramach ar ali-Baba, ceart go leor."

Ní fháilteofaí roimh cheist ó Réamonn ach bhí sé ar bior le teann fiosrachta faoin scéal. "An bhfuil sé deimhnithe cén sórt eochracha a chóipeáil an fear seo, Faisal, nó an eochracha príosúin iad?"

"Cloisfidh tú na freagraí in am tráth," a d'fhreagair Lombard go borb. "Abhaile leat anois go dtí do chliabhán."

"Agus seachain ná fill ar an reilig! Beidh na taibhsí amuigh ar ball, agus Lá na Marbh againn amárach."

D'éalaigh Réamonn uathu. Galamaisíocht a bhí ar siúl acu, b'in uile – fir mheánaosta ag sárú ar a chéile ar mhaithe lena chruthú gur bhuachaillí báire fós iad.

"Tá mé fíorbhuíoch díbh as an trioblóid seo a ghlacadh . . ." Bhí na focail á rá ag Réamonn nuair a thuig sé go rabhadar rófhoirmeálta. Dá mbeadh cúrsa traenála sa mhionchaint ar fáil, chláródh sé a ainm láithreach. Ach bhí Aoife agus Sal ag beannú dó go cairdiúil, agus chlaon Sal isteach chuige le póg a thabhairt dó ar a leiceann. Go ciotrúnta a ghlac sé leis sin freisin, a ghéag fáiscthe ar a droim agus a chluas á tairiscint aige in áit a leicinn. Ach bhí sé sásta nuair a d'iarr Aoife arbh fhéidir leo suí ina ghluaisteán chun comhrá a dhéanamh. Bhí beár an óstáin plódaithe le lucht ceiliúrtha Oíche Shamhna, ar sí. Dúirt Sal go raibh sí róthuirseach don phlé agus go raibh fonn uirthi dul a luí go i seomra a máthar.

"Bhí caidreamh tosaithe idir í féin agus Cormac Ó Néill," a mhínigh Aoife dó go ciúin agus iad suite sa ghluaisteán. "Ach ní dóigh liom gur fada eile a leanfaidh sé."

Thug sí cur síos dó ar an méid a bhí tarlaithe ó thosaigh an fiosrúchán ocht lá roimhe sin. Mar a casadh ógbhean ón iasacht uirthi i bPáirc an Fhionnuisce, a raibh aithne aici ar Shaoirse agus eagla as cuimse uirthi faoi rud éigin a tharla san óstallán inar fhan an bheirt acu, agus in árasáin a raibh baint éigin acu leis an óstallán. An chuairt a thug Aoife agus Sal ar Óstallán Heuston, agus mar a shéan an bainisteoir go raibh árasáin ar cíos aige. An cháipéis bhréagstaire, mar a shíl Aoife, agus an taifead a chreid sí a bhí inti ar an ngnó striapachais inar fuadaíodh cara Shaoirse. An nóta a bhí breactha ag Saoirse i gcáipéis eile, a thug nod dóibh go ndeachaigh Cormac Ó Néill chuig striapacha i Nua-Eabhrac. Ní raibh a fhios acu an raibh aon cheangal idir taithí sin Chormaic agus an scéal in Éirinn, áfach, ach ba léir nach raibh muinín ag Saoirse ina col ceathrair dá bharr.

"Níor luaigh tú liom ainm na mná a labhair leat i

bPáirc an Fhionnuisce?" arsa Réamonn nuair a bhí a cuid ráite ag Aoife.

"B'fhearr liom gan é a thabhairt duit fós," arsa Aoife. "Ní dóigh liom gurb é a fhíorainm é, ach níl dóthain dá scéal ar eolas agam lena thuilleadh a rá."

D'fhéach Réamonn amach sa dorchadas. Ní raibh sé in ann an méid a bhí díreach cloiste aige a chur in oiriúint don eachtra sa reilig. Bhí tranglam íomhánna ina intinn ó d'fhag sé Acra an Bhulaí. Na crainn ársa dhorcha mar a bheadh colúin ardeaglaise. An ceo fuar tais ag snámhaíl thart ar na seanleaca tite. Agus beirt fhear ag bagairt ar a chéile go nimhneach, gan beann acu ar an aimsir ná ar na sluaite marbhán a raibh a gcnámha faoina gcosa.

"An raibh a fhios agat gur tugadh tuairisc faoi eachtra na páirce do na gardaí inniu?" ar sé.

"Ní raibh." D'fhéach Aoife air agus gruaim uirthi. Bhí sí ar tí rud éigin eile a rá ach ba chosúil gur athraigh sí a haigne. "Fillfimid air sin ar ball," ar sí. "Inis tusa do chuid scéalta dom ar dtús."

Bhí áthas ar Réamonn éisteacht a fháil ó dhuine nach raibh ag tabhairt breithiúnas oifigiúil air, ná á lochtú go caithréimeach mar a dhéanadh an sáirsint de shíor. Chuimhnigh sé ar Tom agus iad ag comhrá ina árasán, ach rinne sé a dhícheall an chuimhne a dhíbirt. Rómhaith a thuig sé mar a d'éiríodh sé gafa, tugtha, sciúrsáilte ag pé gné dá shaol a bhí ag goilliúint air.

"Cén fáth go ndeachaigh Mel go dtí an reilig in aon chor, dar leat?" a d'fhiafraigh Aoife. "Má thug sé leis an scian, an ionann sin is gur phleanáil sé roimh ré an fear eile a shá?"

"Ní dóigh liom é. Ón méid a chuala mé den argóint, bhí brú curtha ag an bhfear eile ar Mhel casadh leis sa reilig agus fiacha a íoc ar ais leis. Rith sé liom níos déanaí gur cheap an fear eile go gcuirfí an dúnmharú i leith Mhel go luath agus gur theastaigh uaidh an t-airgead a fháil roimhe sin. Ach dhiúltaigh Mel é a íoc, agus labhraíodar faoi cháipéisí nó páipéir a theastaigh ón bhfear a fháil ó Shaoirse." Rinne Réamonn a mhachnamh. "Ach níorbh é sin a chuir Mel le báiní, ach go ndúirt mo dhuine go raibh caidreamh collaí aige le Saoirse."

"Agus tá sé á lorg agaibh fós?"

"Tá, faraor géar. Bhí greim agam ar chába a sheaicéid, ach baineadh geit asam agus scaoil mé mo ghreim air. D'aithin mé gurbh é an fear céanna é a chonaic mé in áiléar Shaoirse oíche na tine."

"Tabhair cur síos dom air."

"Seaicéad trom leathair a bhí air, é dubh nó liath, dorcha. Gruaig dhorcha freisin, sílim, ach ní raibh agam ach soicind tar éis dom an cochall a tharraingt siar. Agus, thar aon rud eile, na súile sin aige a d'aithneoinn in aon áit . . ."

"Tá's agam cé hé." Go práinneach a dúirt Aoife é. "A sheaicéad á chaitheamh aige mar a bheadh cathéide ann, agus a shúile fuar, gan taise? Agus rud eile de: bhí Saoirse san óstallán ag tús na míosa seo agus má dúirt mo dhuine go raibh caidreamh eatarthu . . ."

"Abair liom, a Aoife, in ainm Dé!"

"Déarfainn gurb é bainisteoir an óstalláin é. Diolún is ainm dó, ach maidir lena shloinne . . ."

Bhí Réamonn ag féachaint uirthi agus idir lúcháir is ghruaim air. "Bhí fear i láthair ag an ócáid darbh ainm dó Liam Diolún, a thug fianaise faoi Mhel a bheith lasmuigh den chillín ag 8.15 pm." Leag sé a lámh ar eochair an innill. "Ba mhaith liom casadh leis," ar sé. "Agus má tá tamall le spáráil agat, ba bhreá liom go dtiocfá in éineacht liom á lorg. "

B'fhearr le Réamonn a chinntiú go raibh an fear ceart aige sula ngabhfadh sé é. Ghlaoigh sé ar an stáisiún agus d'iarr go n-aimseofaí grianghraf Liam Diolún agus go seolfaí é chuige ar a ghuthán; agus d'iarr sé freisin go mbeadh gardaí eile ar fáil mar thaca dó i gcás práinne. Ní bhfuair sé freagra láithreach ar cheachtar éileamh agus bheartaigh sé dul isteach san óstallán. Dúirt an bhean ag an deasc go raibh sé de nós ag Diolún dul ar cuairt ar a athair aosta gach tráthnóna Aoine, ach gur luaigh sé rud éigin faoin rámhaíocht sular fhág sé an obair ag a cúig a chlog. Ní raibh sí in ann a rá cén sórt rámhaíochta a dhéanfaí oíche cheobhránach ag deireadh an fhómhair, ach dúirt sí le Réamonn gur mhinic don bhainisteoir bualadh isteach san óstallán gan choinne lasmuigh dá chuid uaireanta oibre. Ghabh sé buíochas léi, gan a ainm féin a thabhairt di.

Céad méadar ón bhfoirgneamh a bhí a ghluaisteán

páirceáilte, ar an taobh thall den bhóthar, áit a raibh radharc le fáil ar bhéal an charrchlóis agus ar an ionad aclaíochta. Nuair a thagair Réamonn don rámhaíocht, mhol Aoife dó dul isteach san ionad i gcás go mbeadh Diolún i mbun aclaíochta ar mheaisín rámhaíochta. D'fhéadfadh sise faire ar thaobhdhoras an ionaid, ar sí, mar go bhfaca sí an bainisteoir ag teacht amach as uair amháin cheana. Bhí cruthanna daonna le feiceáil ag na fuinneoga thuas staighre, iad ag sodar nó ag rothaíocht ar an mball, nó á síneadh is á gcúbadh féin ar ghléasra eile. Ach ní bhfuair Réamonn de thuairisc ann ar Dhiolún ach go mbíodh sé istigh corruair agus go mbeadh an áit ar oscailt go dtí a haon déag a chlog san oíche.

"Ar mhiste leat fanacht tamall, nó an bhfuil tú buartha faoi Shal?" a d'fhiafraigh sé d'Aoife nuair a d'fhill sé ar an gcarr. Níor mhaith leis talamh slán a dhéanamh de go raibh sí ar a compord ina chomhluadar – ach bhí fonn air tairbhe a bhaint as an mbeagán ama a bhí acu, beag beann ar Lombard agus a chuid bagairtí faoi na meáin chumarsáide.

"Ghlaoigh mé uirthi fad a bhí tú san ionad," ar sí. Rinne sí meangadh réidh leis a chuir ar a shuaimhneas é. "Tá sí ceart go leor anois agus ba bhreá liom féin . . ." Stad sí agus d'fhéach sí air go ceisteach. "Is dócha nach féidir leat labhairt go hoscailte faoi gach gné den chás. Ach más é Liam Diolún a chuir teach Shaoirse trí thine, cén chúis a bhí aige leis sin, dar leat?"

"Ceann de na cúiseanna is coitianta le tine mhailíseach ná go mbítear ag iarraidh fianaise ar choir eile a scrios. Ach thuig mé sa reilig nach raibh Diolún in ann na páipéir a bhí á lorg aige a aimsiú sa teach." Tháinig íomhá na lasracha in intinn Réamoinn agus b'éigean dó greim daingean a bhreith ar an roth stiúrtha mar thaca dó féin. "Is éard is mó a chuaigh i gcion orm an oíche sin ná go raibh an ciontóir ag baint sásaimh as scrios na tine. Is tréith ar leith í sin, ar ndóigh, ach ina chás siúd, seans freisin go raibh sé sásta toisc go raibh fuath nimhneach aige do Shaoirse."

"Nó toisc gur sciob Saoirse pé rud a bhí á lorg aige – agus ní amháin sin, ach gur mheall sí chun leapa é ar mhaithe leis an ngadaíocht a dhéanamh níos déanaí?" Labhair Aoife go tapa agus a cuid smaointe ag doirteadh uaithi. "Más fíor sin, cén t-iontas go mbeadh olc air? Is deacair a shamhlú go mbeadh caidreamh aon oíche aici le duine dá leithéid, ach má bhí sí ag teacht i dtír air . . ."

Ghearr Réamonn isteach uirthi. Bhí féidearthachtaí agus frithargóintí ag rothlú ina intinn siúd freisin. "Murar aimsigh Diolún pé rud a bhí uaidh, caithfidh go bhfuil sé fós sa tóir air. Ach ceist i bhfad níos tábhachtaí ná an raibh deis aige í a dhúnmharú? Mo chuimhne ar an bhfianaise ná go bhfaca seisean Mel lasmuigh den chillín, agus gur fhágadar beirt an dorchla ag an am céanna."

"Dúirt Mel liomsa gur chreid sé go raibh duine eile ag iarraidh an milleán faoin dúnmharú a chur air. Agus cá bhfios cad a rinne Liam tar éis dó an dorchla a fhágáil?"

"Níl a fhios agam faoi sin." Bhí leisce ar Réamonn

srian a chur lena gcuid tuairimíochta, ach bhraith sé go raibh rud éigin as alt. "Nuair a bhíodar ag argóint sa reilig, chuir Liam i leith Mhel gurbh eisean a mharaigh a ghrá geal – Mel Mac Aogáin, atá á rá agam. Agus chreid mé féin go raibh Liam á rá sin go dáiríre seachas mar spochadh as an bhfear eile."

Bhí tost eatarthu agus iad beirt ag déanamh a marana. Tháinig triúr amach an taobhdhoras le chéile ach ní raibh Liam Diolún ina measc. Bhí cúpla duine eile tagtha amach príomhdhoras an ionaid agus a gcuid málaí aclaíochta ar a ngualainn acu.

"Maidir le teach Shaoirse," arsa Réamonn ar ball, "níorbh é Liam an t-aon duine amháin a bhí ag cur róspéise san áit. Fuair mé nod aréir faoi leaid óg a bheith ag dreapadh ar an díon cúpla seachtain ó shin. Is leaid é a bhfuil cónaí air ar Bhóthar an Choimín, mac leis an treoraí príosúin a d'aimsigh an corpán."

"Mac le Janis Ní Bheirn? Cén fáth go raibh seisean thuas ar an díon?"

"Nílim cinnte, ach dúirt Mel Mac Aogáin liom go raibh Saoirse buartha go raibh iarracht ar siúl soláthar drugaí a chur i bhfolach san áiléar."

Bhí Aoife ag stánadh ar Réamonn. "Tá mac Janis rua, nach bhfuil? Is cuimhin liom é a fheiceáil oíche na hócáide agus é ag dáileadh an bhia is na ndeochanna."

"Tá," arsa Réamonn, "agus bricíní rua ar a aghaidh freisin."

"An duine a d'ionsaigh sinn thuas ag an armlann, bhí seisean rua, agus mheas mé go raibh sé óg freisin.

An bhfuil aithne ag Liam Diolún air, dar leat, nó ag Mel Mac Aogáin?"

"Níl a fhios agam. Ach bhí sé féin is a chairde ag cúinne an bhóthair oíche na tine, agus stop carr in aice leo. Thug an tiománaí rud éigin dóibh ach ní fhéadfainn a fheiceáil cad a bhí ann. Agus ba é an tiománaí céanna sin . . ."

Stad Réamonn nuair a chualadar téacs ag teacht isteach ar a ghuthán. Scrúdaigh sé grianghraf ar an scáileán. Bhí sé ar tí é a thaispeáint d'Aoife, nuair a tháinig carr dubh aníos ón gcarrchlós. Volkswagen Passat a bhí ann, díreach cosúil leis an gceann a chonaic sé ar Bhóthar an Choimín. Bhí fear ina sheasamh lasmuigh den ionad stórála, ag féachaint suas síos lána an charrchlóis. D'íslingh tiománaí an Phassat an fhuinneog ar thaobh an phaisinéara agus labhair sé leis. Léim Réamonn amach as a ghluaisteán féin agus é ar intinn aige féachaint idir an dá shúil ar an tiománaí, agus é a ghabháil má chreid sé go raibh cúis aige chuige sin.

Ach ní raibh ach cúpla coiscéim glactha aige nuair a réab an Passat amach ó bhéal an charrchlóis. Dheifrigh Réamonn ar ais chuig a shuíochán féin agus d'adhain sé inneall a chairr. Chomharthaigh Aoife dó go ndéanfadh sí an turas in éineacht leis.

"Seo linn," ar sé, agus iad ag déanamh ar cheann an bhóthair. "Tá mé ionann is cinnte gurb é an bastard céanna atá sa Phassat agus a bhí sa reilig, agus gurb é siúd an Liam Diolún céanna atá sa ghrianghraf a cuireadh chugam."

Choimeád Aoife a súile greamaithe den Phassat. D'imigh sé ar dheis ag cúinne na sráide, chomh fada le soilse tráchta gar do Stáisiún Heuston. Tháinig cúpla carr idir é agus iad agus chuala sí Réamonn ag mallachtú faoina anáil, rud ab annamh leis. Bhí an ceo ag maolú agus barr na bhfoirgneamh ard le feiceáil, ach ba dheacair dathanna agus déanamh cairr a aithint.

Ar chlé a thiontaigh an carr a bhí á leanúint acu, amach ar Bhóthar Naomh Eoin, an bóthar mór leathan siar ón stáisiún a thabharfadh ar chúrsa díreach iad chuig an bpríomhbhóthar ó Bhaile Átha Cliath go hiarthar na hÉireann. Ag an gcrosbhóthar gnóthach rompu, faoi mar ba chuimhin le hAoife, thrasnóidís an Cuarbhóthar Theas gar don Life. Chaith Aoife féachaint ghasta thar a gualainn agus chonaic sí go raibh leoraí ag teannadh leo. Dá scoithfeadh sé iad ní fheicfidís an Passat níos mó.

"Déan ar an lána ar dheis," ar sí le Réamonn. "Tá

ár gcara Diolún tar éis aistriú chuige. Tá sé chun casadh síos i dtreo Dhroichead na hInse."

B'éigean dóibh stopadh arís ag soilse an chrosbhóthair. Chlaon Réamonn a cheann i dtreo an chúinne ar chlé, áit a raibh garrán dlúth crannach ag fás ar an taobh thall de bhalla ard cloiche. "Istigh ansin atá reilig Acra an Bhulaí, tá's agat," ar sé. "Tá súil agam gur aimsíodh fianaise éigin ar an talamh ann, agus nach ormsa amháin a bheidh an cúiseamh ag brath nuair a bhéarfaimid ar an diabhal seo."

"Más amhlaidh gur sháigh Mel an scian san fhear eile ar dtús, nár chóir go mbeadh a chraiceann siúd gearrtha nó a sheaicéad breá stróicthe?"

"Ba chóir, ceart go leor – má thagaimid suas leis sula mbeidh gach fianaise curtha ó mhaith aige."

Ghlac an Passat casadh ar dheis ag an gcrosbhóthar, mar a thuar Aoife. Bhí trácht na cathrach ag síobadh ina dtimpeall, soilse ag lasadh agus ag caochadh, spéir na hoíche smúitiúil agus braon báistí ar ghaothscáth an chairr. Dá dtosódh sé ag stealladh, ba bheag an seans a bheadh acu breith ar an gcreach.

Scuabadar leo síos an cnoc thar bhlocanna árasán go dtí droichead dronnach thar abhainn na Life. Bhí trí charr idir iad agus an Diolúnach, agus d'imigh sé as radharc orthu nuair a bhíodar ar a slí suas le fána. Ar an taobh eile de dhroim an droichid, d'fheicfidís balla mór Pháirc an Fhionnuisce rompu – bhí Aoife tar éis turas bus a thabhairt ar an mbóthar céanna níos luaithe sa tseachtain agus bhí sí ag dul i dtaithí arís ar an gcathair inar tógadh í. Ag an acomhal, bheadh rogha ag Diolún dul ar dheis i dtreo lár na cathrach nó ar chlé i dtreo shráidbhaile Shéipéal Iosóid. Bhí an trácht ag scaradh ina dhá lána ar an taobh thíos den droim agus bhí Aoife ar a dícheall a fheiceáil cé acu lána ina raibh an Passat. Ach chas jíp mór amach ó thaobhlána, a chuir bac ar gach radharc.

Chlaon Aoife a ceann ar chlé agus ansin ar dheis. "Damnú ar an jip gránna! Nílim cinnte . . ." Bhí lána tráchta amháin ag gluaiseacht agus b'éigean do Réamonn rogha a dhéanamh. "I dtreo na cathrach, déarfainn," ar sí. Ach ghluais an jíp beagán ar dheis agus fuair sí radharc tobann ar an lána ar chlé. "Ní hea! Fan ar chlé, brón orm . . ."

Bhí eireaball an Phassat ag imeacht uathu i dtreo Shéipéal Iosóid. Lean carr amháin eile é sular athraigh an solas ó dhath oráiste go dearg. Bhíodar i sáinn ag na soilse tráchta agus buntáiste maith faighte ag Diolún orthu.

"Bhí cathú orm dul sa seans," arsa Réamonn. "Ach dá mbéarfaí orm ag dul trí sholas dearg, fiú i mo charr féin . . ."

"Tuigim duit," arsa Aoife go díomách. Chuimhnigh sí gur maraíodh tuismitheoirí Réamoinn go tubaisteach i dtimpiste bóthair nuair a bhí sé beagnach fiche bliain d'aois agus go raibh an ghráin shaolta aige ar an luastiomáint dá bharr. Duine cúramach, faichilleach ab ea é go minic, ach bhí a fhios aici freisin go raibh sé ar a chumas gach riail a bhriseadh nuair a bhí sprioc láidir á ghríosadh.

"Beag an dóchas go dtiocfaimid suas leis," ar sé go crosta. "D'fhéadfadh sé dul isteach i bPáirc an Fhionnuisce ag geata Shéipéal Iosóid, nó imeacht leis sa sráidbhaile i gceann de dhá nó trí threo dhifriúla." Thug sé spléachadh i leataobh uirthi. "Ach, féach, ar aghaidh linn fós!"

Nuair a ghluaiseadar an athuair, dhaingnigh Réamonn a chos ar an luasaire. Bhí bóthar folamh amach rompu, balla mór na páirce ar dheis agus corrtheach ar thaobh na habhann ar chlé. Neartaigh torann an innill agus luas an chairr ag méadú. Chonaiceadar cúpla cruth dorcha i bhfad uathu ar an mbóthar ach nuair a thaibhsigh túr mór an tséipéil os a gcomhair, ní raibh rian den Phassat le feiceáil. Agus bhí soilse tráchta ina n-aghaidh arís eile.

"Ar an jíp sin an locht," arsa Réamonn. "Murach é bheimis sna sála air."

D'fhéach Aoife amach ar chlé. Bhí ribín lonrach na Life le feiceáil ar an taobh thall de pháirceanna glasa agus iad ag sciurdadh thar bráid. "Cad a dúirt tú níos luaithe faoin rámhaíocht?" ar sí. "Nuair a labhair tú leis an mbean ag an deasc?"

"Dúirt sí go raibh an bainisteoir ag dul ag rámhaíocht." Stad Réamonn an carr i mbéal geata, áit a raibh sé ag cúlú. Bhí idir iontas agus amhras ina ghnúis. "An dóigh leat . . . ? Ag an am seo den oíche?"

"Tá clubanna rámhaíochta cois abhainn na Life sa cheantar seo, nach bhfuil? Is cuimhin liom freastal ar ócáid i gceann éigin díobh na blianta ó shin."

Las súile Réamoinn. "Creidim go bhfuil an ceart agat. Tá club an Gharda ar an mbóthar seo, cinnte, agus ceithre nó cúig cinn eile. Tugtar ceadúnas ólacháin dóibh dá gcuid imeachtaí."

I gcarrchlós ceann de na clubanna a chonaiceadar an Passat go luath ina dhiaidh sin. Bhí soilse ar siúl san fhoirgneamh agus ceol á sheinm. D'aimsigh Réamonn spás páirceála gar do gheata an chlóis. Chuirfeadh sé bac fisiciúil ar Liam Diolún imeacht dá mba ghá é.

Ina sheasamh ag an mbeár thuas staighre a bhí sé, a uillinn ligthe siar ar an gcuntar agus a chosa scartha aige lena dhímheas ar an ngráscar ina thimpeall a thaispeáint. Bhí an seaicéad dubh leathair air, a chuir le téagar leathan a ghuaillí agus leis an bhfuinneamh ainmhíoch a ghabh leis. Ní raibh deoch ina lámh, ach bhí na boird sa seomra mór ag cur thar maoil le gloiní agus an slua glórach ag baint ceoil as ceiliúradh Oíche Shamhna. Bhí cuid acu gléasta i gcultacha a rinne cailleacha, taibhsí, deamhain agus carachtair chartúin díobh, agus gach gáir agus scléip astu a dhíbreodh sprideanna na mbeo is na marbh araon.

Sheas Aoife agus Réamonn ag faire air. Thuig sise ón anáil dhomhain a ghlac a compánach go raibh an fear ceart aimsithe acu. Leag Réamonn a lámh ar a gualainn agus dúirt léi de chogar go rachadh sé amach arís chun glaoch ar an gcigire. Bhí na gardaí taca uaidh sula ngabhfadh sé an Diolúnach, ar sé, ionas nach sleamhnódh seisean uaidh den dara huair an tráthnóna sin.

"Coimeádfaidh mé súil air más féidir liom é," ar sise leis, "agus cuirfidh mé téacs chugat má chorraíonn sé."

"Tá mé fíorbhuíoch díot, a Aoife," arsa Réamonn. D'airigh sí an teannas a bhí ag radadh uaidh. Bhí sé cúig bliana déag níos óige ná í, ach nuair a bhíodh rud éigin le rá aige go foirmeálta, ba chosúla le bearna tríocha bliain é. Ní raibh tábhacht leis na gnásanna sóisialta, áfach, nuair a bhí cuspóir le cur i gcrích acu.

Chúlaigh sí i dtreo bhalla an tseomra nuair a d'imigh Réamonn. Bhí sé deacair go leor seasamh i measc an tslua ina haonar agus chonaic sí corrdhuine ag féachaint go fiosrach uirthi. Lig sí uirthi go raibh suíomh idirlín á scrúdú go dúthrachtach aici ach fós bhí gach re fhéachaint á tabhairt aici i dtreo an bheáir. Bhí beirt eile tagtha chomh fada le Liam Diolún agus comhrá bríomhar ar siúl aige leo. Fiú nuair a bhris gáire uaidh, ba léir di an fuacht socair céanna ina shúile a chonaic sí san óstallán. Bhí sé dea-chóirithe agus dathúil ar bhealach fearaíoch – a chuid gruaige slíoctha go néata agus a ghrua corcra-dhubh gan bhearradh – ach má bhí boige ar bith ina mheon, bhí sé á choimeád faoi cheilt go maith.

Chuimhnigh sí arís ar an gcáipéis staire, mar dhea, inar scríobh Saoirse cuntas ar shaol na mban a coimeádadh i ngéibheann striapachais. Chuimhnigh sí ar a comhrá le Kim i bPáirc an Fhionnuisce, agus an sceon a bhí uirthise roimh fhear an óstalláin. Bhí taighde iriseoireachta déanta aici ar an ábhar roinnt blianta roimhe sin, agus bhí a fhios aici go raibh an-éagsúlacht i measc na bhfear a shantaíodh seisiúin ghnéis le striapacha: fir óga a raibh móroíche ólacháin déanta acu; fir phósta a raibh fonn éagsúlachta orthu; fir a bhí tugtha do phornagrafaíocht agus d'eachtraíocht cholainne; fir aon uaire agus fir an tsíoréilimh. Mionlach ab ea na haonaráin a bhí scoite ó ghnáthchaidrimh, de réir mar a bhí léite aici, agus mionlach freisin ab ea na mná a roghnaíodh an gnó mar shlí bheatha a raibh smacht acu féin air. Ach thuig sí freisin go raibh díospóireachtaí ann ar gach taobh faoi na dlíthe, na rialacha nó na modhanna tacaíochta ab fhearr a chabhródh leis na mná a bhí sáinnithe san obair in aghaidh a dtola.

D'fhéach sí ar a huaireadóir. Bhí dhá uair an chloig caite ó d'fhág sí Sal ag an óstán. Scríobh sí téacs chuici, á rá go raibh súil aici filleadh laistigh de leathuair an chloig. Nuair a thug sí spléachadh in airde óna guthán, chonaic sí Liam Diolún agus a chairde ag imeacht ón mbeár. Bhí an plód ag méadú, an ceol ag ardú agus scata i lár an urláir ag damhsa. Lean sí trasna an tseomra iad, a huillinneacha in úsáid nuair nár ghéill lucht na cóisire dá meangadh béasach. Níorbh fhada gur chaill sí radharc orthu agus go raibh uirthi téacs tapa a chur chuig Réamonn á rá sin.

Shroich sí doras a thug amach ar bhalcóin ar chúl an

fhoirgnimh í. Bhí ceol na cóisire fós ar a cúl ach dhún sí an doras agus tháinig torann na habhann ina cluasa gan choinne. Bhí an Life ag rith is ag sreabhadh thar bráid fiche méadar uaithi, an t-uisce dubh ina sruthlam cumhachtach leathan idir na clubanna rámhaíochta agus Páirc an Fhionnuisce ar thaobh amháin agus cnocáin is ascaillí Gháirdíní Cuimhneacháin an Chogaidh ar an taobh eile.

Bhí soilse lasta lasmuigh den fhoirgneamh agus shiúil Aoife síos sraith céimeanna chun radharc níos fearr a fháil ar an Life. Ní raibh an abhainn dúnta isteach ag ballaí cloiche mar a bhí i lár na cathrach, ach í ar aon airde le himeall an chosáin a thit le fána íseal ó theach an chlub. Ba chuimhin le hAoife dul ag féachaint ar rás rámhaíochta uair amháin, agus na báid fhada chaola a fheiceáil á ligean isteach sa sruth go réidh. Bhí na báid chomh grástúil ar an uisce leis na healaí a bhí ar snámh in aice leo, ach bhí na healaí ina suan anois.

Sheiceáil sí a guthán agus chonaic sí gur fhreagair Réamonn a téacs. Leithscéal as an moill, gardaí breise ar a slí faoi dheireadh, súil aige go raibh sí ceart go leor. Thosaigh sí ag glaoch ar ais air ach ansin d'aithin sí triúr a bhí ina seasamh ar bhruach na habhann.

D'fhéach sí thart uirthi agus thóg sí buidéal folamh beorach ón talamh. D'iompair sí ina lámh é ionas go mbeadh an chuma uirthi go raibh sí páirteach sa chóisir. D'fhan sí cúpla nóiméad ag faire ar an Diolúnach. Murarbh ionann is a bheirt chairde, ní raibh seisean ag caitheamh toitín ná ag slogadh ó bhuidéal.

Tharraing sí a seaicéad olla thart uirthi agus shiúil sí go bruach na habhann. Ní áireofaí a cuid éadaigh mar ghléasadh cóisire, ná ní raibh smidiú uirthi ach oiread. Bhí Liam Diolún ag faire go socair uirthi.

"An bhfuil tú i d'aonar, a stór?" arsa duine den bheirt eile agus strainc na drúise ar a bhéal.

"*Jaysus,* ná bac léi sin," arsa an dara duine. Bhí a chuid focal ag sciorradh air le teann óil. "Seanduine dóite a gheobhaidh sise anocht, má tá an t-ádh léi."

D'fhéach Aoife orthu ar nós cuma liom. Chosc sí uirthi féin maslaí a chaitheamh leo. "Is le Liam a bhí fonn cainte orm," ar sí go binn. "Chasamar le chéile le déanaí agus is deas liom gur tharla dúinn . . ."

"Seo linn chuig an mbeár ar son Dé," arsa an chéad bhoc lena chara, "agus fágaimis faoi Dhiolún é a fháil amach cad atá istigh faoina cóta aici." Chaith sé bun toitín ar an talamh gar do chosa Aoife agus é fós lasta.

"Bhí mé ag ceapadh gur aithin mé thú," arsa Liam léi nuair a d'imíodar. "Tá tú stuacánta, feicim, agus fonn ort a bheith ag smúrthacht i ngnóthaí daoine eile. Chuala mé go raibh tú ag guairdeall thart ar an óstallán arís maidin inniu."

Bhí Aoife idir dhá chomhairle ar chóir di labhairt leis in aon chor. Ach má bhí baicle gardaí ag fanacht leis lasmuigh den chlub, ní raibh aici ach an seans amháin.

"Bhí árasán á lorg agam," ar sí, "mar a luamar leat an lá cheana. Agus d'aimsigh mé ceann maith, é béal dorais leis an ionad aclaíochta. Beidh deis againn cupán tae a ól le chéile . . ."

"Ná ceap gur féidir leat cluichí a imirt liomsa," ar sé go binbeach. Rug sé ar chaol a láimhe go tobann agus d'fháisc sé chuige féin í. Bhí lánúin ag suirí faoi chrann in aice leo, gan aird acu ná ag aon duine eile ar an Diolúnach. "Níl tuairim agam cad faoi atá tú ag rámhaillí, ach creid uaimse é nach gceadaím d'iriseoirí ná do bhitseacha eile mé a cheistiú."

Tharraing Aoife go tréan ar a hanáil. "An Suanlios a thugtar air, nach ea, agus é lonnaithe go breá áisiúil idir an t-ionad stórala agus an t-ionad aclaíochta? Nó fiú más faoi ainm eile atá na hárasáin cláraithe . . . ?"

Tharraing sé níos cóngaraí dó féin í agus chuir sé iachall uirthi tiontú i dtreo na habhann. Bhí an t-uisce ag snámh tharstu ina slaodanna gasta síorchumhachtacha. "Féach anois an áit a roghnaigh tú don chogarnaíl rómánsúil seo eadrainn, a óinseach! Abair gur bhain mé tuisle asat agus gur tharla duit titim sa Life ceann fút?" Rinne sé gáire íseal. "Agus ansin léimfinn isteach in iarracht thú a shábháil, há há, ach mo léan is m'ochón go dteipfeadh orm do chloigeann a ardú ón uisce?"

Bhí cuisle Aoife ag tormáil mar a bhí an t-uisce, ach thuig sí mar sin féin nár shéan Liam an méid a dúirt sí faoi na hárasáin. Bhí an buidéal folamh curtha ina póca aici nuair a d'imigh an bheirt eile ach ní raibh sí in ann breith air lena lámh chlé. "Tá a fhios ag daoine eile go bhfuilim anseo anocht," ar sí trína cuid fiacla. "Tuigfidh siad go bhfuil marú ar do chumas má dhéanann tú . . ."

Shnap Liam a lámh féin uaithi agus ba bheag nár thit Aoife i mullach a cinn. "Nílimse ciontach in aon dúnmharú, a chlabaire lofa, agus tá mé dubh dóite ag éisteacht leat. Ná bí ag olagón liom faoi do chara dílis Saoirse, mar ba í siúd a tháinig chugamsa agus teas an diabhail inti, bíodh a fhios agat. Giobóg gan náire ba ea í, ach ní raibh baint ná páirt agamsa le pé críoch thragóideach a bhí uirthi cúpla seachtain níos déanaí."

Thiontaigh sé i dtreo an chlub, ach sular imigh sé, chaith sé seile as taobh a bhéil. "Mór an trua gur bhac mé léi, mar a tharla sé, mar go raibh sí chomh glic, sleamhain le gach bean eile dár casadh riamh orm. Ach má scaipeann tusa bréaga fúm, creid uaim é go mbeidh mise romhat agus go nochtfaidh mé scéalta breátha náireacha faoi Shaoirse do na nuachtáin, a chuirfidh ar an gcéad leathanach iad."

*B*hí nuachtáin an tSathairn leagtha amach ar a leaba ag Aoife. Tuairiscí gearra a bhí acu maidir leis an scliúchas a tharla i reilig stairiúil i gCill Mhaighneann an oíche roimhe sin. Bhí fear amháin san ospidéal agus fear eile ag cuidiú leis na gardaí lena gcuid fiosruithe, a dúradh, agus iarrachtaí ar bun a thuiscint an raibh baint ag an eachtra le dúnmharú Shaoirse Ní Néill. Foilsíodh grianghraf Mhel Mhic Aogáin i gcúpla nuachtán tablóideach, agus d'éirigh le grianghrafadóir foighneach breith ar Róisín Mhic Aogáin agus í ar a slí isteach ar cuairt ar a fear céile san ospidéal. Ní amháin go raibh a fear céile go dona tinn ach tugadh a máthair ar ais an oíche roimhe sin freisin.

Ní raibh nod faighte ag na tuairisceoirí faoi mheon na ngardaí i leith na heachtra, ná faoin dul chun cinn sa tóir ar an dúnmharfóir. Foilsíodh gearrailt faoi shochraid phríobháideach Shaoirse Ní Néill ar an Aoine, agus chuaigh páipéir áirithe siar ar imeachtaí an tsearmanais chomórtha ar an Déardaoin, rud a thug leithscéal dóibh grianghraif na seachtaine a fhoilsiú an athuair. Cormac agus a mhuintir ina seasamh go cráite lasmuigh den phríosún. Mel agus Róisín ag deifriú isteach. Polaiteoirí áitiúla ag croitheadh lámh le stiúrthóir an phríosúin, agus baill den fhoireann ag faire orthu go sollúnta. An íomhá ba láidre ar fad, an greanadh cloiche os cionn dhoras ársa an phríosúin, a thaispeáin cúig nathair fhíochmhara á srianadh ag slabhraí iarainn.

Leag Aoife uaithi na nuachtáin tar éis tamaill. Bhí sí spíonta, suaite ag imeachtaí na hoíche. Níor gabhadh Liam Diolún go foirmeálta as an ionsaí sa reilig, rud a ghoill uirthi. Mhínigh Réamonn di gur theastaigh ón gcigire níos mó fianaise a bhailiú ina choinne ar dtús, agus gur thoiligh an Diolúnach ceisteanna a fhreagairt sa stáisiún. Bhí imní ar Aoife go raibh botún déanta aici labhairt le Diolún faoi na hárasáin. Bheadh an deis aige fianaise luachmhar a scrios sula gcúiseofaí é as an ionsaí sa reilig. Ag an am céanna, bhí sí cinnte go raibh an sprioc aimsithe aici nuair a luaigh sí leis go raibh an Suanlios in aice leis an óstallán. Labhair sí leis an gCigire de Barra ar maidin agus thug sí achoimre di ar na cúiseanna amhrais a bhí aici faoi ghnó striapachais a raibh páirt ag Liam Diolún ann. Bheadh sí in ann níos mó eolais a roinnt léi níos déanaí sa lá, a dúirt Aoife.

"Ba mhaith liom dul chuig an Leabharlann Náisiúnta inniu," arsa Sal go tobann. Bhí sí ina suí ar a leaba chúng shingil agus a ríomhaire ar a glúin. "Measaim gur féidir liom teacht ar cháipéisí nár bhain Saoirse leas astu ina cuid taighde."

"Cáipéisí don taighde staire atá i gceist agat?"

"Sea, go díreach. De réir mar a thuigim, tá páipéir sa leabharlann ó eastát Robert Bryant, an tiarna talún a shocraigh go marófaí Ellen sa phríosún, de réir mar a shíl Saoirse. Ach níor thagair sise dóibh sa taispeántas."

"B'fhéidir nach raibh ábhar fiúntach ar bith iontu maidir le tréimhse Ellen?"

"*Could be*, ach ba mhaith liom iad a léamh ar aon nós."

Bhí áthas ar Aoife go raibh Sal in ann a hintinn a dhíriú ar imeachtaí na staire mar éalú ón saol ina timpeall. Ach bhí iontas uirthi nach raibh ainm Chormaic luaite ag a hiníon ó dhúisigh sí.

"Cad a dhéanfaidh tú má iarrann Cormac ort casadh leis?"

Choimeád Sal a súile ar a ríomhaire. "*Unlikely*, a Mham. Tá a fhios aige nach bhfuil fonn orm labhairt leis."

Shuigh Aoife in aice léi ar cholbha na leapa. Níor fhéad sí príosúnach a dhéanamh dá hiníon, ach bhí cúrsaí chomh mór trí chéile go raibh sí buartha faoi gach cor nua.

"*Fact is*, chuir mé téacs chuige aréir," arsa Sal ansin. Thug sí súilfhéachaint ghasta ar Aoife agus lean sí uirthi go docht. "B'éigean dom rud éigin a rá leis.

Bhí sé ag glaoch orm agus ag fágáil teachtaireachtaí agus ag fiafraí cad a bhí cearr. Níor fhreagair mé na glaonna, *no way*, ach sa deireadh chuir mé téacs chuige ag moladh dó comhad Shaoirse a oscailt agus an cháipéis ar a dtugtar *Tátal* a léamh. Níor chuala mé focal uaidh ó shin, *meaning* gur léigh sé an abairt chéanna a léamar agus go dtuigeann sé go díreach cén fáth go bhfuil olc an domhain orm."

Nuair a leagadh Sal cúrsa amach di féin, bhíodh sí dobhogtha. Chuir Aoife i gcuimhne di féin nach raibh an caidreamh ar siúl idir an bheirt óg ach roinnt laethanta, agus go dtiocfadh Sal chuici féin gan rómhoill.

"Tá cúram eile ormsa inniu," arsa Aoife. "Ghlaoigh Faisal orm ar maidin agus tá socrú déanta agam casadh leis ag meán lae. Beidh orm dul amach chuig imeall na cathrach an uair seo, mar go bhfuil sé buartha go n-ionsófaí arís sinn. Ach beidh Gabriel Salgado ann freisin. Tar éis dom labhairt leis siúd tráthnóna inné, ghlaoigh sé ar Fhaisal agus mhol sé go gcasfaimis le chéile arís."

"Ach cad faoi Kim, an mbeidh sise in éineacht leis?"

"Ní raibh sé in ann sin a rá liom. Ach d'inis mé dó go raibh noda aimsithe againn faoin ngnó striapachais agus go gcabhróidh mé leo pé dóigh is féidir liom."

Ghlaoigh Pat ar Aoife sular fhág sí an t-óstán. Bhí sé fós ag fanacht le cinneadh uaithi, ar sé, faoi cén uair a d'fhillfeadh sí abhaile. Agus bhí scéala faighte aige faoin obair thógála ar an gcistin. Ní raibh seans ar bith go ndéanfaí go dtí lár mhí Eanáir í, de bharr nach raibh pleananna an ailtire pléite ag an mbeirt acu fós, ná dáta leagtha amach acu don tógálaí, a bhí díreach tar éis glacadh le conradh eile.

"Tá brón orm, a Phat." Bhraith Aoife go raibh achar níos faide ná ceithre chéad ciliméadar de bhóthar idir í agus a fear céile. "Ach fiú dá mbeinn sa bhaile an tseachtain seo, tá seans go ndéanfadh an tógálaí an cinneadh céanna. Bhí a fhios againn nach raibh mórán ama . . ."

"Ní fiú a bheith ag argóint faoi ar an bhfón," ar sé. "Tá an dochar déanta anois."

Chroith Aoife a ceann. Bhí Pat míréasúnta faoin obair thógála, dar léi, de bharr go raibh sé in amhras faoin méid a bhí ar siúl aici i mBaile Átha Cliath. Agus bhí Sal ag féachaint uirthi go fiosrach. "Labhróidh mé leat níos déanaí inniu," ar sí lena fear. "Tá coinne agam ar ball agus creidim go mbeidh mo chuid pleananna níos soiléire ina dhiaidh sin."

Níor chóir di labhairt go borb le Pat, a d'agair sí uirthi féin agus í ar a slí chuig Droichead Bhóthar na Siúire, áit a nglacfadh sí tram an Luas amach i dtreo Thamhlachta. Ach bhí drochoíche chodlata faighte aici agus níorbh fhéidir léi gach duine a shásamh. Dá ndiúltódh sí casadh le Faisal ar mhaithe le himeacht abhaile go Béarra, bheadh praiseach dáiríre déanta aici den tseachtain. Shiúil sí thar dhroichead na canálach, an áit chéanna a raibh slua ag faire ar Mhel Mac Aogáin ag dreapadh ar gheata an loic naoi lá roimhe sin. Fad a bhí sí ag fanacht ar thram an Luas, thóg sí amach an chóip a rinne sí san óstán den cháipéis bhréagstaire. Pé ainmneacha a tugadh, pé tréimhse ama agus pé áit ar domhan ar tharla na heachtraí, bhí an bunscéal céanna á insint.

. . . *B'as ceantar tuaithe do Katie. Áit bhocht lán de chlocha a bhí ann. Ghoilleadh sé uirthi a laghad a bhíodh le n-ithe ag a máthair, agus a cuid bia féin á roinnt aici ar na páistí óga. Shiúladh Katie go dtí an baile cois cósta, áit a raibh cuairteoirí saibhre ag teacht le beagán blianta, iad sa tóir ar aer glan agus iarsmaí den seansaol. Thosaigh sí ag cniotáil agus ag cróiseáil earraí beaga a dhíoladh sí leo. Bhíodar suarach go leor ach cheannaíodh na cuairteoirí iad ar aon nós. Trua a bhíodh acu di, dar léi. D'fhás an smaoineamh ina ceann go rachadh sí féin ina cónaí i dtír bhreá shaibhir trasna na farraige. Ó bhuail tubaistí nua agus ocras iad, bhí an imirce éirithe coitianta i measc a muintire.*

. . . *Turas fada achrannach a bhí ann go N-E, agus faoiseamh a bhí ann lóistín a fháil in óstallán saor sa chathair. Bhí airgead sábháilte aici le trí nó ceithre bliana, ach bhain sé geit aisti chomh daor is a bhí gach uile rud. B'éigean di déanamh gan bhia laethanta áirithe. Seomra beag ar chúl an óstalláin a bhí aici, an* leaba crua agus na ballaí lom. Bhí seomraí níos deise ann freisin, dóibh siúd a raibh airgead acu. Bhí comhrá briste aici cúpla uair le duine de na cuairteoirí a raibh seomra deas aici – bean óg spleodrach a bhí ag déanamh staidéir ar stair na tíre.

. . . Bhí an bainisteoir cairdiúil freisin. Buaileadh tinn í tar éis míosa agus chaill sí an post a bhí aici ag níochán soithí in óstán mór. D'inis sé di go mbeadh sé in ann agallamh a shocrú di do phost nua, ag glanadh árasáin do dhaoine saibhre. Bhí aithne aige ar an bhfostóir, ar sé. Tugadh isteach i seomra suite í don agallamh, agus tairgeadh deoch di.

. . . Dhúisigh sí i seomra bán. Bhí a cuid éadaigh imithe. Bhí a cuid páipéar imithe. Tháinig fear isteach sa seomra agus dúirt sé go raibh custaiméir ag feitheamh léi. Chaith sé gúna beag áiféiseach chuici agus d'ordaigh di é a chur uirthi. Bhí an gúna bándearg agus giortach. Thosaigh an custaiméir á slíocadh agus á crúbáil. Dhiúltaigh sí dó agus bhrúigh sé síos ar an leaba í. Thaitin mná trodacha leis, ar sé. Bhí gliondar an domhain air nuair a thuig sé gur mhaighdean í. D'íoc sé airgead maith uirthi ach ní fhaca sise cuid ar bith de.

. . . Bhí mná eile san árasán, agus an scéal céanna ag cách. Tairiscint oibre nuair a bhíodar in ísle brí, coinne leis an bhfostóir, dar leo, deoch a chuir suan orthu agus dúiseacht i ngéibheann gránna. Custaiméirí de ló is d'oíche. Tugadh chuig árasáin eile iad ó am go ham, agus chuig óstáin ina mbíodh slua bailithe do *chomhdháil nó do cheiliúradh spóirt. Ní raibh a fhios acu cá rabhadar ná cé a chabhródh leo.*

. . . Chuir Katie aithne ar bhean darbh ainm Nóra. An dara seachtain di siúd i ngéibheann, bhí custaiméir aici a bhí tuisceanach, báúil nuair a d'inis sí dó go raibh fuath aici don obair. Gheall sé go gcabhródh sé léi an chéad oíche eile. Ach níor fhill sé riamh. Ina áit sin, thug beirt fhear eile leadradh di a leag an t-anam aisti. Fágadh gan bhia í ar feadh trí lá. Thuig sí go raibh an fear báúil tar éis a muinín a chothú d'aon ghnó, ionas go gcuirf pionós uirthi agus go dtuigfeadh sí nach raibh éalú i ndán di.

Bhí an rud ceannann céanna tarlaithe do Katie. Bhí marc ar a leiceann san áit ar ghearr na fir le scian í.

Carrchlós ollmhór a chonaic Aoife roimpi nuair a shroich sí stad an Luas ag an mBó Dhearg, cúig nó sé stad ó dheas ó Chill Mhaighneann. Chuir sí eolas ar na stadanna eile ar a slí, mar gur bheartaigh sí tuirlingt de thram amháin agus dul ar an gcéad cheann eile chun a chinntiú nach raibh aon duine á leanúint. Ach d'fhág a lán daoine an chéad tram agus rinne sí an cleas céanna an dara huair, ar fhaitíos na bhfaitíos. Bhí téama ildathach ag gabháil le logainmneacha an cheantair, ba chosúil, agus roghnaigh sí na stadanna tuirlingte dá réir sin: an Droichead Órga agus an Capall Dubh, iad ar bhruach na canálach agus gan ach ciliméadar nó dhó eatarthu. Chonaic sí an t-ainm an Cloigín Gorm ar an gcéad stad eile ach d'fhan sí ar an tram ar a raibh sí.

Ní raibh an tírdhreach chomh mealltach leis na logainmneacha, áfach, go háirithe ar feadh na slí ar Bhóthar an Náis. Ionaid díolta carranna agus eastáit thionsclaíocha a bhí scoite spréite ar gach taobh, mar a d'fheicfí i mbruachbhailte Mheiriceá ina raibh an carr ina rí. Ag timpeallán na Bó Deirge, ní bó dhearg ná bán ná riabhach a bhí le feiceáil ag iníor i ngort, ach tranglam mórbhóithre ag teacht le chéile: an M50 a chrioslaigh an chathair, an príomhbhóthar a ghlacfaí chuig cathracha is contaetha an deiscirt, mar aon le fánáin, nascbhóithre agus fothimpealláin a bhí mar chuid den lúbra síorghnóthach tráchta.

Bhí sé socraithe acu nach mbeadh Faisal roimpi ag an stad agus ghlaoigh sí air chun a rá go raibh sí ann. Chonaic sí na céadta carr leata os a comhair mar a bheadh lochán miotail i measc sraitheanna crann. Bhí grian bháite ag sileadh trí na scamaill agus an talamh fós fliuch ó bháisteach na maidne. Bhain sé geit as Aoife chomh difriúil a bhí an áit leis an gceantar seanbhunaithe ina raibh sí le seachtain. Bhí machairí móra na mbruachbhailte tithíochta ag síneadh idir í agus cuar na sléibhte, píolóin leictreachais mar a bheadh fathaigh ag máirseáil soir siar, agus atmaisféar neamhphearsanta máguaird, mura n-áireofaí go raibh a bpearsantachtaí ildathacha féin ag na carranna.

"Tá brón orm tú a thabhairt amach anseo," arsa

Faisal agus iad ag croitheadh lámh. "Ach b'éigean dom a chinntiú go mbeimis slán an uair seo."

"An bhfuil aon tuairim agat cé a d'ionsaigh sinn sa pháirc?"

"Níl, ach creidim gur ionsaí marfach a bhí i gceist leis. Murach an bheirt a chabhraigh leat . . ."

"M'iníon a bhí ann, in éineacht le Cormac Ó Néill. Níl a fhios agam cé a bhí dár leanúint, ach mheas mé go bhfaca mé duine ag glacadh grianghraif díom sular chas mé leatsa."

"Pé duine a bhí ann, is léir gur sceitheadh an scéal leis na gardaí freisin," arsa Faisal. Labhair sé go deifreach, íseal in ainneoin go rabhadar amuigh faoin aer. "Thángadar chuig m'oifig inné, do mo cheistiú den tríú huair. Tá sé déanta amach acu go bhféadfainnse teacht ar an soláthar moirfín a mharaigh Saoirse, de bharr mo chuid oibre le cúramóirí. Agus conas is féidir liomsa a mhalairt a chruthú? Cuireann sé imní orm go bhfuil duine éigin ag iarraidh mé a lochtú as an marú."

Níor inis Aoife dó go raibh an tuairim chéanna ag Mel Mac Aogáin. Thug sí faoi deara arís go raibh Faisal bacach, agus mhoilligh sí ar a siúl. "Cad faoi Kim, an raibh sí sásta . . . ?"

"Ní hí Kim amháin a tháinig liom, ach a cara Nura freisin. Tá Gabriel Salgado sa charr in éineacht leo, ar mhaithe len iad a chosaint."

Ar a slí trasna an charrchlóis, mhínigh sé di mar a casadh Kim agus Nura air trí mhí roimhe sin. Thángadar chuig a oifig go moch maidin amháin, tar éis dóibh tacsaí a thógáil ó lár na cathrach. Bhíodar ag obair mar striapacha in óstán mór le linn comhdhála faoi thodhchaí na turasóireachta. Bhí custaiméir ag Kim a bhí dallta ar meisce agus a thit ina chnap ar a leaba. Fuair sí amach nach raibh an doras faoi ghlas agus d'éirigh léi burla maith airgid a ghoid óna phócaí sular éalaigh sí amach. Bhí cúig mhí dhéag caite aici ina sclábhaí faoin tráth sin agus sceon a croí uirthi go mbéarfaí uirthi. Ach bhí na maistíní slándála míchúramach an oíche sin agus chabhraigh sí lena cara Nura éalú freisin. D'aimsíodar cúlstaighre agus slí amach ar chúl an óstáin.

Bhí aithne ag Nura ar Fhaisal agus theitheadar chuige ar thóir tearmainn. Bhí seal déanta aicise mar chúramóir in áisíneacht Fhaisal in Inse Chór nuair a tháinig sí go hÉirinn ar dtús, ach níor thaitin sé léi a bheith ag freastal ar dhaoine aosta agus ghlac sí lóistín san óstallán. As sin a fuadaíodh í, mar a tharla le Kim. Modh oibre simplí go leor a bhí ag na máistrí striapach, dar le Faisal: in áit plé le gréasáin idirnáisiúnta chun mná agus cailíní a thabhairt go hÉirinn go mídhleathach, agus dul i mbaol go gcuirfí an dlí orthu as gáinneáil ban, bhí an t-óstallán in úsáid acu don soláthar: mná leochaileacha ar nós Kim agus Nura á n-aimsiú acu, a tháinig go hÉirinn ina n-aonar agus nach raibh gaolta ná cairde ag faire amach dóibh. Bhíodar lánchinnte go raibh Liam Diolún gníomhach sa ghnó, ach ní raibh a fhios acu cé eile a bhí ag obair in éineacht leis. B'in ceann de na ceisteanna móra a theastaigh ó Shaoirse a dheimhniú nuair a thairg sí cabhrú leo.

"Agus an bhfuil aithne agatsa ar Dhiolún?" a d'fhiafraigh Aoife.

"Níl, in aon chor," arsa Faisal. "Bhí eagla orm focal a rá leis oíche na hócáide."

"Tuigim." Fuair Aoife deacair é na sonraí uile a bhreith léi in aon ráig amháin. "Ach maidir le Kim, d'inis tú dom cheana go raibh tú gaolta léi, agus más fíor sin . . . ?"

"Mar chosaint di a dúirt mé é." Rinne Faisal meangadh leithscéalach léi. "Is Turcach í Nura agus is as an Albáin do Kim, as sráidbhaile gar do mhórláthair sheandálaíochta ar a dtugtar Butrint. Tagann cuairteoirí lae ann as oileán saoire Chorfú na Gréige, mar a rinne Saoirse. Sa chéad chomhrá a bhí ag Kim léi san óstallán, luaigh sí an t-ainm Butrint, agus nascadar caradas le chéile dá bharr. Nuair a d'fhill Saoirse ar Mheiriceá, rinne sí iarracht dul i dteagmháil le Kim agus a fháil amach conas mar a bhí ag éirí léi ina post nua, ach ní bhfuair sí scéala ar ais uaithi go ceann cúig mhí dhéag ina dhiaidh sin, nuair a bhí Kim tar éis éalú ó phríosúntacht an árasáin. Faoin am sin, bhí Saoirse ar a slí ar ais go hÉirinn as Nua-Eabhrac."

Stad Faisal dá shiúl agus thuig Aoife go rabhadar cóngarach dá charr. Bhí sí ag iarraidh na bunfhíricí a shoiléiriú sula labhródh sí leis na mná. "Cén fáth gur fhreastail an bheirt acu ar an ócáid sa phríosún? Bhí Diolún i láthair ann, rud a bhí contúirteach . . ."

"Níor thuigeamar go mbeadh sé ann," arsa Faisal

go tapa. Bhí sé ar gearranáil tar éis na siúlóide. "An plean a bhí ag Saoirse ar dtús ná scéal Kim agus Nura a fhógairt go poiblí ag an ócáid, i láthair na meán cumarsáide agus na maithe áitiúla, an príosún féin mar shiombail againn. Ach d'éirigh sí imníoch nach raibh dóthain fianaise aici agus smaoinigh sí ar an taispeántas a chur ar athló. Ní dhearna sí sin ar deireadh, ach bhí súil éigin againn go dtí an lá féin go mbeadh ar a cumas an scéal a nochtadh. Is dá bharr sin a bheartaigh na mná a bheith i láthair."

"Agus an fear féasógach a tháinig isteach in éineacht leo?"

"Bhí aithne agamsa air. Bhí sé le filleadh ar an Tuirc an chéad lá eile agus d'iarr mé air ligean air gur chara le Saoirse é, agus súil a choimeád ar Kim agus Nura. D'fhág sé an príosún go luath tar éis do na mná imeacht." D'fhéach Faisal ar Aoife agus chonaic sí an cineáltas agus an tuirse ina ghnúis. "Táimid i sáinn ar fad ó dúnmharaíodh í. Murach gur luaigh sí d'ainmse le Kim, ní thoileodh sise ná Nura labhairt leat."

Bhí an bheirt ina suí i gcúlsuíochán an chairr. Shuigh Aoife chun tosaigh, agus d'fhan Faisal in éineacht le Gabriel ina ghluaisteán siúd. Bhí scairf mhór chorcra agus ghorm ar bhean amháin a d'fhág a haghaidh le feiceáil, agus d'aithin Aoife gurbh í seo Kim. Bhí colm ar a leiceann mar a cheap sí cheana – marc cam bán, mar a dhéanfadh scian nó rásúr meirgthe. Bhí *niqab* dubh ar Nura, a chlúdaigh gach cuid di ach a malaí agus a súile.

"Insígí dom faoin ócáid sa phríosún," a thriail Aoife, tar éis dóibh beannú dá chéile.

"Bhí eagla orainn," a d'fhreagair Kim go tapa. "Bhí a lán daoine ann. Bhí sé contúirteach."

"Cé a chuir eagla oraibh?"

D'fhéach Kim agus Nura ar a chéile. "Bhí an fear sa phríosún," arsa Kim go ciúin. "An fear ón óstallán. Bhí tusa san óstallán, a dúirt Faisal . . ."

Choimeád Aoife a guth féin chomh ciúin, séimh is a bhí ar a cumas. "Tá an ceart agat. Chuaigh mé go dtí Óstallán Heuston agus labhair mé leis an mbainisteoir." Bhí sí ar a dícheall gan ainm ná aon sonra mór eile a chur i mbéal na mban. "Inis dom arís cad is ainm dó?"

"Tá a fhios agat. Dúirt Faisal. Labhair tú leis." Go lag a dúirt Kim é. "Le Diolún."

Chlaon Aoife a ceann mar aontú léi. "Agus cén fáth gur chuir Diolún eagla oraibh?"

D'fhéach Kim ar Nura arís. Ar éigean a bhí sí fiche bliain d'aois, dar le hAoife, ach bhí an sceon sin a chuaigh i gcion uirthi i bPáirc an Fhionnuisce chomh follasach céanna anois: béal Kim ag oibriú agus na focail á rá amach aici, preab éiginnteachta ina leiceann, scáil ar a súile. "Bhí sé sa seomra. Thug sé deoch. Bhí codladh sa deoch."

"Cén seomra é sin?"

"Don obair. Bhí an obair le fáil, a dúirt sé. Chuaigh mise sa seomra agus d'ól mé an deoch."

Chlaon Aoife a ceann arís. Níor ghá di an scéal ar fad a éileamh orthu, ach d'fhiafródh an cigire di ar chuala sí bunús an scéil ó bhéal Kim. Ní raibh tada ráite ag Nura, ach a súile íslithe aici gach re abairt. Agus bhí sé deacair a cuid ceisteanna féin a chur i bhfocail shimplí.

"Bhí Saoirse ag iarraidh cabhrú libh," arsa Aoife ansin. "Cén plean a bhí aici?"

"Scríobh sí síos an scéal. Ár scéal." D'fhéach Kim amach an fhuinneog agus chuir Aoife i gcuimhne di féin a bheith foighneach. "Agus ghoid sí rudaí. Bhí sí sásta faoi sin."

"Cén áit ar ghoid sí iad?"

"Bhí sí san óstallán. Chóipeáil Faisal an eochair. Fuair Saoirse an eochair san oíche. Thug sí an eochair dó san oíche."

Bhí fianaise de shórt éigin aimsithe ag Saoirse san óstallán. Ghoid sí an eochair ó Liam Diolún tar éis di é a mhealladh a luí agus d'éirigh le Faisal cóip a dhéanamh den eochair sin. Ach pé rud a d'aimsigh sí sa chófra nó sa tarraiceán a d'oscail sí leis an eochair, níor leor mar chruthú ar choiriúlacht é. Agus bhí Diolún ag dul le báiní, ag iarraidh an fhianaise sin a sciobadh ar ais dó féin nó a scrios sa tine.

"Dúirt Saoirse go raibh an obair go maith. Agus ansin bhí sí brónach. An-bhrónach." Chuir Kim a lámh lena leiceann go cúramach. "Ní raibh a fhios aici . . ." Bhí

Saoirse misniúil, diongbháilte ina cuid iarrachtaí, ach b'fhéidir go raibh ciontaíl ag obair uirthi freisin, má spreag sí Kim le glacadh leis an obair a thairg Diolún di. Agus bhraith Aoife a ciontaíl féin á priocadh. Dá dtiocfadh sí go Baile Átha Cliath in am, gan breithiúnas a dhéanamh roimh ré, b'fhéidir go mbeadh an bhean eile beo go fóill. Ag an am céanna tharraing Saoirse an iomarca freagrachta uirthi féin. Bhí fonn uirthi gníomhartha laochais a dhéanamh agus níor iarr sí cabhair ó na heagras a bhí ag plé le mná ar nós Kim agus Nura.

Bhí eagla ar Aoife go raibh ceisteanna práinneacha nár chuir sí fós. "Nuair a bhí sibh ag an ócáid sa phríosún," ar sí, "an raibh aon duine eile sa seomra a chonaic sibh cheana?"

"Bhí eagla orainn. Ní fhacamar daoine. Bhí an clúdach . . ." Tharraing Kim ar a scairf, a bhí feistithe go teann uirthi ionas nach raibh ribe gruaige le feiceáil, agus tháinig rois chainte uaithi. "Is maith le Nura an *hiqab*. *I*s fuath liomsa é ach tá mé saor nuair atá mé i bhfolach. Ní fheiceann daoine eile . . ."

Ba léir gur thuig Nura cuid mhaith den chaint. D'ísligh sí a *niqab* ar a srón. Shíl Aoife go raibh sise níos óige fós ná Kim.

"Cé a mharaigh Saoirse, an gceapann sibh?" a d'fhiafraigh sí den bheirt ansin.

Croitheadh cinn an freagra a fuair sí. D'inis sí dóibh go raibh na gardaí ag obair go crua. Bhí Liam Diolún á cheistiú acu, ar sí, de bharr gur ionsaigh sé fear eile. Thóg sí amach a nuachtán agus thaispeáin sí dóibh an leathanach a raibh grianghraf Shaoirse air. Chonaic sí Faisal ag comharthú uirthi ón gcarr eile agus chuaigh sí amach chuige féin agus Gabriel. D'fhan sí ar a gogaide in áit seasamh suas sa charrchlós. Dúirt an bheirt fhear go rabhadar sásta labhairt leis an gcigire faoin ngnó, ach nach gcuirfidís brú ar bith ar Kim agus Nura sin a dhéanamh.

Thiontaigh Aoife ar ais chuig na mná agus thug sí faoi deara go rabhadar ag stánadh ar na grianghraif ar an nuachtán. Shuigh sí isteach ina suíochán arís go tapa agus d'fhiafraigh sí cad a bhí cearr. Ach bhí Nura ag tarraingt ar uillinn Kim agus á thabhairt le fios nár chóir di aon rud a rá.

"Tá eagla orainn," arsa Kim. Shín sí an nuachtán ar ais chuig Aoife agus chroith sí a ceann go tréan. "Ró-eagla. Caithfimid imeacht. Nílimid ag labhairt le gardaí."

*B*hí Réamonn ag tnúth leis an gcruinniú foirne a tionóladh i stáisiún Shráid Chaoimhín ag am lóin ar an Satharn, go gcloisfeadh sé cad a déarfadh an Cigire de Barra faoi imeachtaí na hoíche roimhe sin sa reilig agus sa chlub rámhaíochta. An ligfeadh sí nod ar bith uaithi faoi na daoine a bhí faoi amhras as an dúnmharú agus as na coireanna eile? Cad a bhí á rá ag Liam Diolún leis na gardaí? Ach bhí drogall air freisin agus é ag siúl isteach i measc a chomhghleacaithe. Imní air go lochtófaí é as imeacht ar sciuird tóraíochta gan scéal a chur roimh ré chuig oifigigh shinsearacha an fhiosrúcháin. Gheobhadh Enzo Lombard locht air, go cinnte. Ach an imní ba mhó a bhí air ná go mbeadh Tom Ó Mórdha roimhe sa seomra agus naimhdeas á léiriú aige dó.

Bhí comhrá gearr acu ar an nguthán an oíche roimhe sin, nuair a bhí Réamonn ag glaoch ar chúnamh sula ngabhfadh sé Liam Diolún. Ba chóir dó teagmháil a dhéanamh leis an Sáirsint Lombard, mar a thuig sé; ach is éard a rinne sé ná uimhir an tsáirsint a dhiailiú sa tslí is go gcuirfí an glao díreach ar aghaidh chuig an nglórphost. Chuirfí moill ar Lombard glaoch ar ais air, agus idir an dá linn, bheadh gach rud socraithe ag Réamonn leis an gCigire de Barra.

Nuair a thriail sé uimhir an chigire, áfach, is éard a chuala sé ná cúpla clic ar an líne, agus guth Tom ag labhairt ina chluas. Chuir Réamonn deireadh leis an nglao láithreach ach ní raibh de rogha aige ach glaoch ar ais air, nó sin, a bheith ag plé le Lombard. Shiúil sé suas síos charrchlós ar dtús agus an méid a déarfadh sé á chleachtadh aige.

"Tá mé buíoch díot," arsa Réamonn go bacach nuair a bhí cúrsaí gnó pléite. Bhí air a dheis a thapú. "Ba mhaith liom . . . Tá súil agam, sé sin le rá, nuair a bheidh an cás seo thart . . ."

Níor thug Tom aon chúnamh dó. Ba léir nach duine bog, maoithneach a bhí ann a ghéillfeadh don chéad leithscéal.

"Tá brón orm, a Tom, faoin rud a tharla. Tá súil agam . . . Má tá deis comhrá am éigin . . . ?"

"B'fhearr liom m'aigne a choimeád ar an obair faoi láthair, a Réamoinn." Bhí tost ar an líne ar feadh cúpla soicind. "Níor mhaith liom," arsa Tom go mall tomhaiste, "go gceapfadh daoine eile nach rabhamar gairmiúil i mbun ár gcúraimí."

Bhí a fhreagra tugtha aige, agus searbhas curtha leis mar anlann. Ní raibh de shólás suarach ag Réamonn ach gur labhair an fear eile leis as a ainm, in áit "a Gharda Seoighe" a rá.

Tháinig an Ceannfort Ó Tiarnáin isteach sa seomra cruinnithe in éineacht leis an gCigire de Barra. Bhí sé gafa le cás eile le seachtain anuas agus ní raibh sé feicthe ag Réamonn ó d'fhill sé ar an obair. Bhí Lombard sna sála orthu, mar aon le triúr nó ceathrar de na bleachtairí a bhí ina chomhluadar sa teach tábhairne. Ní raibh dé ar bith ar Tom, áfach, agus lig Réamonn osna faoisimh agus díomá in aon anáil amháin.

"Sula luaim scéalta an lae libh," arsa Ó Tiarnáin, "ba mhaith liom a chur i gcuimhne daoibh cad iad na fiosruithe ar fad atá á láimhseáil againn anois. Níl a fhios againn fós cén ceangal atá eatarthu, má tá a leithéid ann in aon chor." Chroch sé a lámh agus méar in airde aige do gach fiosrú. "Uimhir a haon: dúnmharú Shaoirse Ní Néill sa phríosún tráthnóna Céadaoin, 22ú Deireadh Fómhair. Uimhir a dó: briseadh isteach agus tine i dteach Ní Néill an oíche dár gcionn, Déardaoin, 23ú. Uimhir a trí a tharla aréir: Oíche Shamhna, an 31ú, achrann i reilig Acra an Bhulaí nuair a sádh Mel Mac Aogáin. Tá seisean in aonad dianchúraim Ospidéal San Séamas agus ní bheidh sé in ann labhairt linn go ceann trí nó ceithre lá ar a luaithe. Tá fear eile, Liam Diolún, i mbun comhrá linn i stáisiún Chill Mhaighneann. Tháinig an Garda Seoighe ar an mbeirt a bhí i mbun achrainn, agus d'aithin sé an Diolúnach níos déanaí san oíche, ach níl fianaise ar bith eile againn a chuirfeadh ar láthair na coire é."

D'fhéach sé thart ar an seomra agus faobhar á chur aige ar a chuid cainte. "Fágfaidh mé faoin gCigire de

Barra plé le sonraí an chruinnithe," ar sé, "ach mar a thuigeann sibh, tá brú mór orainn toradh a sholáthar ar an bhfiosrúchán seo. Tá na meáin ag éileamh eolais agus agallamh uainn gach uile lá."

Bhí Brenda de Barra gléasta go slachtmhar mar a bhíodh i gcónaí, ach bhí strus an fhiosrúcháin le léamh ar a gothaí cainte.

"Maidir le Diolún féin," ar sí, "tá gach rud á shéanadh aige. Maíonn sé gur thug sé cuairt ar a athair i Rialto ag am tae mar a dhéanann sé gach Aoine. Níl eolas dá laghad aige ar an tine ar Bhóthar an Choimín. Níl faic nua le cur aige leis an ráiteas a rinne sé cheana faoin dúnmharú. Bhí súilaithne aige ar Shaoirse Ní Néill ach b'in uile. Admhaíonn sé go raibh sise ar lóistín in Óstallán Heuston trí seachtaine roimh a bás, ach deir sé go raibh suas le seachtó duine eile faoi dhíon na háite sa tréimhse chéanna. Tá sé lánsásta comhoibriú linn, ar sé, ach a dhlíodóir a bheith lena thaobh ar feadh an ama."

"Is fiú a mheabhrú," arsa duine de na bleachtairí, "go dtacaíonn a athair leis an gcuntas a thug sé. Bhí Diolún sa teach in éineacht leis go dtí a seacht a chlog, a mhionnaíonn seisean."

"Mar is eol daoibh freisin," arsa an cigire, "tá na taifeadtaí CCTV ón gceantar á scrúdú, i gcás go bhfeicfimis é siúd nó duine eile a bhfuil cúis amhrais faoi ag imeacht faoi dheifir ón mBrú Ríoga. Agus rud eile de . . ." Stad sí agus luigh a súil bhiorach ar Réamonn, a d'fhéach síos ar an urlár ina sheal. "Fuair mé glao ar maidin ó Aoife Nic Dhiarmada, duine d'fhinnéithe na hócáide sa phríosún, maidir le foirgneamh atá in aice leis an óstallán. Tá sí tagtha ar an tuairim go bhfuil gnó striapachais ar bun ann faoi stiúir Liam Diolúin agus d'iarr sí orainn an áit a chuardach."

"Tá sí tagtha ar an tuairim, ceart go leor," arsa Enzo Lombard go tarcaisniúil. Bhí sé suite go sleabhcánta, a ghlúine spréite agus a lámha ina phócaí, ach dhírigh sé é féin nuair a bhraith sé súile an cheannfoirt air. "Nár dhúirt mé libh ó thús go sáfadh gcuirfeadh sise a ladar san fhiosrúchán?" Leag sé a dhearc ar Réamonn agus mhéadaigh ar a tharcaisne. "Ar ndóigh, ní amháin go raibh fonn eachtraíochta ar an nGarda Seoighe aréir, ach gur thug sé a chara caoin Nic Dhiarmada in éineacht leis agus é i mbun a chúraimí."

Bhí luisne ag teacht ar Réamonn gur ainmníodh é i láthair an Cheannfoirt Ó Tiarnáin. Ach thug seisean freagra sách giorraisc ar Lombard. "Má tá pointe le déanamh agat faoi chúrsaí fianaise," ar sé, "abair amach é, le do thoil."

D'fhéach Lombard ar ais air go neamhbhalbh. "Dá mbeadh soláthar *beauties* á reáchtáil ag Diolún do leaids an cheantair seo, geallaim duit go mbeadh a fhios againn cheana é, a Cheannfoirt. Ach is duine de na *feminazis* sin í Nic Dhiarmada a shamhlaíonn comhcheilg in aghaidh na mban go síoraí, olagónach."

"Fianaise a d'iarramar seachas ráiteas polaitiúil, a Sháirsint," arsa an cigire go grod. Choimeád Réamonn a shúile ar an urlár ach las splanc dhóchais ann go raibh Lombard á mheas go cruinn, mífhábhrúil ag lucht ceannais an fhiosrúcháin. Lean an cigire uirthi. "Caithfear a rá nach cuid de ghnó an óstalláin é an bloc árasán a shonraigh Nic Dhiarmada, ach ní foláir dúinn éisteacht le gach leid agus táimid ag iarraidh cead isteach sna hárasáin a eagrú an iarnóin seo. Labhair mé freisin le haonad na ngardaí a phléann le coireanna gnéis, lena gcomhairle siúd a fháil. Dúradh liom gur stopadh carr sa cheantar seo i lár na hoíche ar dhá ócáid an samhradh seo caite, agus go raibh mná iasachta sa charr an dá uair agus an chosúlacht orthu go raibh imní orthu a mbéal a oscailt. Ach níor éirigh leis an aonad dóthain fianaise a fháil le go gcúiseofaí aon duine."

Chuir garda as Cill Mhaighneann ceist an raibh Diolún faoi amhras as bás Shaoirse Ní Néill. D'oscail Réamonn tábla a bhí breactha aige ar a ghuthán agus é ag éisteacht leis an bplé.

7.45 pm: D'fhág Aoife agus Sal pasáiste an chillín.

7.50 pm: D'fhág Róisín agus Mel an pasáiste, d'fhág Mel slán léi ag an músaem, agus d'fhág sise an príosún.

7.55 pm: D'fhág Cormac agus cairde le Saoirse an cillín. Ag 8.15 pm a d'fhág Cormac an príosún.

8.05 pm: Bhí Mel gar d'oifig stiúrthóir an phríosúin, agus ise ag a doras ag comhrá le daoine eile.

8.15 pm: Shroich Liam an pasáiste. Bhí Mel ag doras an chillín agus thug sé le fios go raibh an taispeántas thart. D'fhág Liam an pasáiste agus lean Mel é.

8.35 pm: Bhí Janis Ní Bheirn agus Pádraig Mistéil ar a gcamchuairt slándála i bpasáiste an chillín. Tháinig Mel timpeall an chúinne, ach nuair a d'aithin sé Janis d'imigh sé leis arís. Ansin thriail Janis doras an chillín agus Mistéil cúpla méadar ar shiúl uaithi.

"Nach raibh deis ag an dúnmharfóir fanacht i bhfolach?" a d'fhiafraigh Ultán. "Ar an bpasáiste gearr idir an cliathán thiar agus lár an phríosúin, tá cillín mór a bhíonn ar oscailt do chuairteoirí de ghnáth, mar gur ann a bhí Parnell le linn a thréimhse príosúntachta féin."

"Dúirt Mistéil linn go raibh cillín Pharnell faoi ghlas i rith na hócáide," a d'fhreagair an cigire. D'ardaigh sí a lámh sula gcuirfeadh Ultán ceist bhreise uirthi. "Sea, tuigim go maith, a Gharda, go bhfuil a lán cillíní eile ar an mbunurlár agus gur cosúil go raibh eochair ag an dúnmharfóir a d'osclódh iad. Ach níl fianaise ar bith aimsithe againn gur tharla sin."

"Cad faoin bpasáiste thuas staighre?" arsa an ceannfort. Ba léir gur thaitin leis a chuid mioneolais féin a léiriú. "'Pasáiste 1916' a thugtar air, nach ea, mar gur ann a coimeádadh ceannairí an éirí amach sna cillíní ann an oíche sular cuireadh chun báis iad. Glacaim leis gur scrúdaíodh go cúramach é?"

"Scrúdaíodh cinnte, a Cheannfoirt. Ach má bhí Liam Diolún nó aon duine eile thuas i bPasáiste 1916, agus gur rith sé síos staighre chun an doras a chur faoi ghlas ar Ní Néill ag 8.10 pm, abraimis, cén fáth gur ghá dó é féin a thaispeáint do Mhel Mac Aogáin cúig nóiméad ina dhiaidh sin seachas éalú leis go ciúin? Agus ní raibh an t-am aige filleadh ar an gcillín tar éis dó Mac Aogáin a fheiceáil, mar go raibh sé sa mhúsaem faoi 8.22 pm."

"Ba dheacair an staighre a úsáid ar aon nós," arsa bleachtaire-sháirsint nach bhfaca Réamonn cheana. "B'éigean don dúnmharfóir imeacht as an áit faoi 8.30 pm, mar is eol dúinn. Anois, tá staighre i gcúinne an chliatháin thiar, ar an tslí ó chillín Ní Néill go dtí cillín Pharnell, agus seachas an staighre úd, níl aon bhealach éasca le himeacht as Pasáiste 1916. Má bhí an dúnmharfóir ar an staighre sin, b'éigean dó siúl thar chillín Pharnell agus as sin thar oifig an stiúrthóra. Agus rud eile de: ní gnáthurlár atá thuas staighre ach ceann a bhfuil poill mhiotail ionas gur deacair a shamhlú conas nach bhfeicfí duine a bhí ag iarraidh fanacht as radharc ansin."

Tháinig an fhoireann le chéile arís ag a ceathair a chlog. Bhí Réamonn ar tí suí sa chathaoir a bhí aige níos luaithe, nuair a d'aithin sé cúl an chloiginn a bhí dhá shuíochán os a chomhair. Gruaig dhorcha Tom bearrtha go slachtmhar, a ghuaillí leathana stuama faoina éide dhúghorm. Bhí daoine eile ag brú isteach thart ar Réamonn agus níorbh fhéidir leis éalú chuig suíochán eile. Ba í an cigire amháin a stiúraigh an cruinniú an uair seo.

"Tá Liam Diolún fós sa stáisiún againn," ar sí, "agus tá cúpla cruacheist le freagairt aige anois. Labhraíomar le comharsa lena athair, a d'inis dúinn go bhfaca sí ag imeacht ó theach a athar é, ní ag a seacht mar a mhaígh muintir Diolún, ach ag a sé a chlog. Ciallaíonn sin go raibh an t-am aige casadh le Mac Aogáin ag an reilig. Thairis sin, is cosúil go mbíonn cúraimí oibre air nár luaigh sé linn as a stuaim féin: ag déanamh bainistíochta ar árasáin saoire béal dorais leis an ionad aclaíochta, agus ag bailiú cíosanna ón mbloc árasán ina bhfuil cónaí ar mhuintir Mhic Aogáin. Ghlaoigh Aoife Nic Dhiarmada orm arís freisin, agus tuilleadh sonraí aici faoin ngnó striapachais a chuireann sí ina leith." D'fhéach an cigire thart agus chlaon sí a ceann le Tom. "Cloisim go bhfuil blúire eolais nua aimsithe ag an nGarda Ó Mórdha freisin?"

"Tá gardaí ó stáisiúin eile ag cabhrú linn inniu," arsa Tom, "agus is uathu siúd a tháinig an nod ar dtús." An tréith sin aige a raibh an-mheas ag Réamonn air: gan gaisce a dhéanamh as a chion féin den obair. "Fuaireadar amach gur thosaigh mo dhuine ar an ainm Liam Diolún a thabhairt air féin thart ar ocht mbliana ó shin. Billy Dillon a bhíodh air roimhe sin, agus nuair a sheiceáil mé sa chóras, tháinig mé ar thaifead ar thine mhailíseach i Rialto a cuireadh i leith ógfhir den ainm sin. Níor ciontaíodh Dillon, áfach, toisc go raibh sé óg agus dea-theist ag cúpla duine air."

"Go raibh maith agat, a Gharda," arsa de Barra, agus nóta á ghlacadh aici. "Anois, a Sháirsint Lombard, tá tuairisc agatsa faoin druga Oxynorm, nach bhfuil?"

"Tá, go deimhin," arsa Lombard, "agus ní hé an Diolúnach atá á lochtú an uair seo. D'fhéach sé thart ar chách, gan srian na humhlaíochta air siúd. "An t-eolas nua atá agam daoibh ná gur inis altra oispíse dá bainisteoir coicís ó shin go raibh sí buartha go raibh an iomarca Oxynorm á ghlacadh ag Maria Furlong. Bhí beagnach leathbhuidéal imithe amú agus ní raibh míniú ag Furlong ná a cúramóir air sin."

"Cad faoin mbuidéal a fuarthas in árasán Mhic Aogáin?" a d'fhiafraigh Ultán.

"Ní bhaineann an buidéal sin leis an scéal," arsa an cigire. "Léirigh an scrúdú fóiréinseach ar an gcófra nár corraíodh ón tseilf é le dhá mhí anuas."

"Ach bhí go leor deiseanna ag Mel agus ag Róisín buidéal eile a líonadh," arsa Lombard, "agus tá an cúramóir Sharon á fhiosrú againn freisin, mar aon lena fostóir, Faisal pé-ainm-atá-air. Chuaigh mé á lorg siúd in Inse Chór inniu ach ní raibh aon duine sásta a rá liom cá raibh sé." Leath meangadh sásta ar bhéal an tsáirsint. "Tá sé in am dúinn a theach agus a oifig a chuardach, dar liom. Agus, dála an scéil, tá ráflaí cloiste agam gur fhostaigh sé scata imirceach go mídhleathach."

Bhí an teannas sa seomra ag méadú de réir mar a fógraíodh gach mír nua den fhianaise. Chuir Réamonn i gcuimhne dó féin gan díriú go hiomlán ar Dhiolún nuair a bhí cúiseanna láidre ann a bheith in amhras faoi dhaoine eile freisin. Thrácht an Cigire de Barra ar na grianghraif a ghlac roinnt aíonna lasmuigh den chillín. Pointe sonrach a tugadh faoi deara, ar sí, ná gur sheas Ní Néill ag doras an chillín cúpla uair le linn do dhaoine a bheith ag fanacht le dul isteach. Má bhí a mála ar a gualainn aici, bhí seans ann gurbh fhéidir an dá bhuidéal sú torthaí a mhalartú. Bhí Mel agus Róisín Mhic Aogáin fós sa phasáiste ag an am, arsa an cigire, agus Faisal al-Jamil freisin.

"Cad eile atá againn?" ar sí ansin. "An bhfuil scéal agatsa ón CCTV, a Gharda Seoighe?"

"Chonaic mé rud amháin spéisiúil," a d'fhreagair Réamonn. "Ní raibh aon rian de Liam Diolún ar na taifeadtaí, ach d'aithin mé duine a bhí le feiceáil lasmuigh den gharáiste mór ar an gCuarbhóthar Theas ag a seacht a chlog aréir. Isaac Ó Beirn a bhí ann, agus ba chosúil go raibh leaid níos láidre ná é ag bagairt air agus ag éileamh airgid air, ó na geáitsí a bhí eatarthu."

"Is iontach go dtuigfeá go beacht cad a bhí ar siúl eatarthu ón CCTV, mar sin féin?" Ba é Lombard a labhair go tarcaisniúil. "Is cosúil go bhfuil fiosrúchán príobháideach ar siúl agat faoi Ó Beirn óg, fiú mura bhfuil baint dá laghad aige sin lenár ngnó anseo inniu."

Bhí Réamonn dubh dóite de Lombard. Feachtas spídiúcháin ar siúl ag an sáirsint ina choinne, agus drochmheas aige ar ruainne fianaise seachas an méid a bhailigh sé féin. Bheadh sé contúirteach dúshlán Lombard a thabhairt go hoscailte, ach bhí air rud éigin a rá a thaispeánfadh nach raibh sé ag cúbadh roimhe. Bhris allas air agus é ag samhlú freisin cad a bheadh in intinn Tom Uí Mhórdha dá gcruthófaí arís dó chomh géilliúil is a bhí Réamonn do mheon daoine eile ina leith.

"Tá ceangail an-tábhachtacha idir Janis Ní Bheirn agus Saoirse Ní Néill," arsa Réamonn. Tharraing sé a anáil agus rinne a dhícheall labhairt go mall, milis. "Agus, a Lorenzo, nach leatsa a bhí mé nuair a chonaiceamar chomh cosantach is a bhí Ní Bheirn ar a mac Isaac? Má bhí seisean ag stóráil drugaí a scriosadh sa tine i dteach Ní Néill, sílim gur fiú dúinn sin a fhiosrú."

Chuala Réamonn cogarnaíl ar a chúl agus céadainm an tsáirsint á athrá ag a chomghleacaithe. Bhainfeadh Lombard a dhíoltas go cinnte ach ba chuma sin i gcomórtas leis an ngliondar a bhí ar Réamonn gur fhreagair sé go dána é faoi dheireadh. Rinne a chomharsana meangadh leis agus thóg Réamonn amach a ghuthán ar mhaithe leis an luisne a bhí air a cheilt. Bhí téacs díreach faighte aige ó Aoife, ag fiafraí an mbeadh sé in ann casadh léi go práinneach sa phríosún. Bheadh sí féin ann óna leathuair tar éis a ceathair, ar sí.

Bhí an cigire gafa lena guthán féin sular chuir sí críoch leis an gcruinniú. "Go raibh maith agat, a Gharda Seoighe," ar sí ansin. "D'fhéadfá féin agus an Garda Ó Mórdha féachaint ar an bhfianaise úd maidir le tinte mailíseacha eile a lasadh sa cheantar seo." Bhí strus le léamh ar a gnúis an athuair. "Tá míle rud le déanamh againn fós ach ní foláir dom a insint daoibh go raibh toradh diúltach ar an gcuardach sna hárasáin. Cúig árasán a bhí san fhoirgneamh agus iad go léir folamh, gan éadaí ná aon chomhartha eile iontu go raibh striapacha á n-úsáid. Is gnáth-árasáin saoire iad, de réir gach cosúlachta, a glanadh ar maidin inniu tar éis do dhream cuairteoirí imeacht leo chuig an aerfort."

*B*hí an príosún fuar. Bhí na sluaite cuairteoirí á
dtionlacan ar feadh na bpasáistí is na staighrí
gach lá ach fós bhí an fuacht ina luí ar an aer. Bhraith
Aoife go raibh sé ag éirí aníos as na seanbhallaí cloiche
agus ag dul go smior na gcnámh inti. Anáil na ndaoine
dearóile fadó a bhí súite ag clocha an chliatháin thiar
ó tógadh é dhá chéad bliain níos túisce.

Ach bhí deifir uirthi agus ba chuma léi an fuacht.
Deifir dhamanta a bhí uirthi, é cúig nóiméad chun a
cúig agus gan Réamonn tagtha fós. Dá fhaide a bhí
uirthi fanacht leis, ba mhó a himní go dtiocfadh
amhras ar stiúrthóir an phríosúin cén t-údarás a bhí
aici a bheith ag féachaint ar an bpasáiste inar
maraíodh Saoirse. D'iarr sí ar Réamonn teacht ann
ionas go gcreidfí go raibh an t-údarás sin aici. Ach bhí
cúraimí eile air, ar sé i dtéacs a chuir sé mar fhreagra
chuici. Dhéanfadh sé a mhíle dícheall ach ní bheadh
sé éasca imeacht ón stáisiún.

Nuair a d'fhill sí ó imeall na cathrach, chaith Aoife
tamall ina seomra óstáin agus tamall eile i gcaifé deas

suas an bóthar uaidh. Bhí sí tuirseach traochta ach nuair a bhí babhla anraith biatais ite aici, bhí sí in ann machnamh as an nua ar imeachtaí an lae. Fuair sí scéala ó Shal nach raibh Cormac i dteagmháil léi ó mhaidin. Ní raibh a fhios aici cé acu ba mheasa, arsa Sal, an tost seo uaidh nó é a bheith á ciapadh le glaonna. Ach bhí sise slán sábháilte i seomra léitheoireachta na Leabharlainne Náisiúnta, ag faire ar thaifid staire ar mhicreascannán.

Chuir Aoife i gcuimhne di féin gur thuig sí anois cén fáth gur iarr Saoirse casadh go práinneach léi, agus cén fáth go ndúirt Saoirse go poiblí nach raibh sa taispeántas ach tús na hoibre. Bhí an bhean óg tógtha le rúndiamhra na staire ach lig sí a cuid taighde le sruth nuair a d'éirigh sí níos tógtha fós leis na rúndiamhra gránna ina timpeall. Bhí sí gafa í lúbra caidreamh agus coimhlintí a raibh tuiscint áirithe faighte ag Aoife air; ach níorbh ionann a cuid tuiscintí nua agus sprioc nó ainm an dúnmharfóra a bheith ar eolas aici. Cé a bhí ag cur brú airgid ar Shaoirse má b'fhíor? Cad a tharla idir í agus muintir Uí Bheirn, agus an raibh mangairí drugaí ag tromaíocht ar Janis nó ar Isaac? Cé chomh dílis is a bhí Mel Mac Aogáin dá bhean chéile, agus an raibh alltacht seachas áthas air faoi Shaoirse a bheith torrach? Agus ceist eile fós: an raibh cúis ar leith ann gur sa chillín a rinneadh an dúnmharú?

Go tobann a bheartaigh Aoife go raibh uirthi cuairt a thabhairt ar láthair na coire. Bhí an cliathán thiar feicthe aici sa mhír scannáin, ach seachas sin níor leag sí súil air ón lá a tháinig sí féin agus Janis ar an gcorpán. Thrasnaigh sí an bóthar agus d'éirigh léi teacht ar an stiúrthóir. Chum sí leithscéal di gur iarr muintir Shaoirse uirthi sonraí ar leith faoi leagan amach an chliatháin a mhíniú dóibh. D'iarr Aoife féachaint go gasta ar an taispeántas freisin, a bhí le baint anuas an lá dar gcionn.

Nuair a chonaic sí Réamonn ar deireadh, bhí luisne allais air a thug le fios di gur tháinig sé ar sodar ó stáisiún Chill Mhaighneann. Thosaigh sé ar spéic fhada faoi na cúraimí a bhí air ach chuir Aoife stad leis. Bhí an stiúrthóir le filleadh ar an bpasáiste i gceann deich nóiméad.

"Ba mhaith liom rud éigin a thástáil," ar sí leis. "Eadrainn féin atá sé go fóill, ach má théann tusa suas an staighre go dtí Pasáiste 1916, an ceann os ár gcionn, beimid in ann a chruthú an raibh an dúnmharfóir in ann a bheith ag faire ar an gcillín agus é thuas, agus fós nach bhfeicfeadh aon duine ar an bpasáiste thíos staighre é."

D'inis Réamonn di gur diúltaíodh don teoiric chéanna ag cruinniú na ngardaí. Ach d'éist sé lena raibh uaithi mar sin féin. Nuair a bhí sé ar a shlí suas an staighre, chualadar treoraí agus scata cuairteoirí os a gcionn agus d'fhan Réamonn i leataobh go dtí gur imíodar. Cúig nóiméad a bhí fágtha acu anois. Bhí an cillín féin faoi ghlas agus an bolta mór iarainn trasna a lár, ach bhí an clúdach bainte den pholl faire agus d'fhéach Aoife isteach ar an seomra bídeach. Bhí sé folamh, tréigthe anois, gan pluid ná fiú tocht ar an leaba.

D'fhéach sí in airde arís ar an bpasáiste os a cionn. Bhí urlár dlúth adhmaid ar thaobh amháin agus droichid bheaga trasna ón urlár adhmaid sin go dtí doirse na gcillíní ar an taobh eile. De mhiotal láidir a raibh poill bheaga ann a bhí na droichid déanta agus bhí ráille cosanta ar gach droichead. Idir é agus an chéad droichead eile, áfach, ní raibh ach urlár eangach righin miotail. Bhí sé an-éasca d'Aoife agus do Réamonn a chéile a fheiceáil nuair a sheas seisean an-ghar do chuid na heangaí den urlár. Ach nuair a ghluais sé anonn is anall, d'aimsíodar spota áirithe amháin a thug radharc dó ar dhoras an chillín, agus fós gan radharc aníos ag Aoife air.

"Anois, glac céim i mo threo," a ghlaoigh sí suas air. Bhí clapsholas an tráthnóna tite agus soilse ar lasadh sna pasáistí. Nuair a dhruid Réamonn ina treo, chonaic sí a scáil ag titim go doiléir ar an urlár in aice léi, gar do dhoras an chillín. Bhí scáil den sórt céanna feicthe aici ar an mír scannáin faoi scéal Ellen Cassidy, ach nár aithin sí an tábhacht a bhí leis. Chuimhnigh sí arís go tobann ar an mír an iarnóin sin, nuair a luaigh Sal na micreascannáin a raibh sí féin ag breathnú orthu.

"Ní thuigfinn é murach an scáil," ar sí le Réamonn. "Nuair a bhí an mhír á réiteach acu, caithfidh go raibh Saoirse nó stiúrthóir an scannáin as radharc thuas anseo, san áit a raibh sí in ann faire ar an obair. Ach thit a scáil ar an urlár nuair a chorraigh sí."

"Bheadh sé níos éasca dom a bheith ar mo ghogaide," a ghlaoigh Réamonn síos chuici. "Bheadh radharc beagán níos fearr agam. Ach chaithfinn breith ar an ráille cosanta is gaire . . ."

"Ná déan sin!" arsa Aoife. "Má bhí an ciontóir . . ."

D'aithin sí óna thost gur rith an smaoineamh céanna leis-sean. Má bhí an ciontóir ag faire ón spota ina raibh Réamonn, seans gur fhág sé a mhéarlorg ar an ráille. Bhíodh na sluaite cuairteoirí san áit, ach níor ghnách d'aon duine a lámh a leagan go híseal ar an ráille. Tháinig stiúrthóir an phríosúin fána ndéin ag an nóiméad sin agus d'iarr Réamonn uirthi téip nó bacainn a chur in airde ionas go ndéanfaí scrúdú nua fóiréinseach dá mba ghá é.

Bhí an triúr acu ina seasamh thuas staighre nuair a tháinig scata nua cuairteoirí timpeall an chúinne ó phasáiste eile. D'fhiafraigh Aoife den stiúrthóir de gheit an raibh an dara bealach chuig doras an chillín seachas an bealach ar urlár na sráide. D'fhreagair sise go raibh, ach dhearbhaigh sí gur cuireadh na doirse ar na bealaí eile faoi ghlas oíche na hócáide. Thoiligh sí an dara bealach a thaispeáint di, áfach, agus threoraigh sí chomh fada leis an séipéal ar an gcéad urlár iad, agus as sin síos staighre fada a thug ar ais go lár an phríosúin iad. Bhíodar gar do dhoras an chliatháin thoir, agus d'inis sí dóibh go raibh an tuairim ann gur dearadh an príosún d'aon ghnó i gcruth a dhéanfadh éasca é dul amú ann.

"B'fhearr domsa glaoch a dhéanamh," arsa Réamonn nuair a bhí an stiúthóir imithe ar ais ina hoifig. "Tá brón orm, ach gheall mé do mo chomhghleacaí, an Garda Ó Mórdha . . ."

Bhí díomá ar Aoife go raibh Réamonn ag útamáil lena ghuthán seachas a bheith ag iarraidh a teoiric nua a phlé go mion.

"An bhféadfainn casadh leat ar ball?" ar sí go tapa. "Tá seans go mbeidh . . ." Bhí slua ag brú isteach sa mhúsaem agus bhí orthu cúlú in aghaidh balla. D'fhéach Aoife in airde agus thug sí ceamara CCTV faoi deara. Bhí smaointe iomadúla ag snámh ina hintinn agus phreab ceann nua chuici gan choinne. "An iarrfá ar do chomhghleacaí . . . ? An chéad uair a labhair mé le Liam Diolún, thug mé faoi deara go raibh a lán scáileán CCTV ar a dheasc san óstallán. Agus bhí ceann áirithe amháin ab fhiú a sheiceáil go creidim."

"Tá an-bhrón orm, a Aoife," arsa Réamonn agus a lámh ar a bhéal. "Bhí sé ar intinn agam. . . Bhí na hárasáin folamh nuair a cuardaíodh iad."

Sheas sí ag stánadh air ar feadh nóiméid. An raibh gach cinneadh á dhéanamh rómhall acu? Agus botún déanta aici féin nuair a labhair sí go ró-oscailte le Diolún? Ach b'fhiú an CCTV a sheiceáil ar aon nós. Níorbh fhéidir éirí as an iarracht anois.

Bhí Réamonn imithe i dtreo an halla fáilte nuair a chonaic Aoife Harry Ó Tuathail in éineacht leis an ngrúpa cuairteoirí sa mhúsaem. Bhí sí ag déanamh ar an staighre, nuair a bheannaigh sé di go lách.

"Bhí an áit seo chomh plódaithe inniu go raibh moill orainn ag dul thart ar na pasáistí cúnga. Tá bus ag fanacht lasmuigh chun sinn a thabhairt chuig dinnéar breá oifigiúil thíos fán gcathair."

Bhí deifir ar Aoife dul suas chuig an seomra taispeántais roimh am dúnta. Ach chuimnigh sí go raibh fonn ar Janis a bheith ina treoraí le grúpa Harry. B'fhearr léi gan Janis a bheith ag gliúcaíocht uirthi nuair a bheadh cuardach gasta ar siúl aici sa seomra.

"An raibh Janis agaibh mar threoraí?" a d'fhiafraigh sí de Harry.

Chroith sé a cheann. "B'éigean di imeacht abhaile an iarnóin seo, is oth liom a rá. Trioblóid éigin a bhain lena mac." D'ísligh sé a ghuth beagán. "Chuala mé go raibh na gardaí ag iarraidh labhairt leis ach gur ghlasáil sé é féin ina sheomra."

Thug Aoife staighre an mhúsaeim uirthi féin. Bhí treoraí ag feitheamh léi a raibh focal díreach faighte aici ón stiúrthóir an seomra a oscailt di. Bhí smaoineamh nua ag Aoife faoin éileamh úd a bhí déanta ag Kim uirthi i lár na seachtaine, "féachaint sa stair". Ní raibh Kim ag trácht ar an gcaoi ar scríobh Saoirse cuntas ar a scéal sa cháipéis bhréagstaire, chreid sí anois. Ní raibh eolas ar bith ag Faisal ar an gcáipéis, de réir mar a d'inis sé di ar a slí amach as carrchlós na Bó Deirge, agus cheap sé nach raibh eolas ag Kim uirthi ach oiread. Rud eile ar fad a bhí i gceist aici, más ea.

*T*háinig Aoife ar an taisce a bhí á lorg aici. Ní raibh a fhios aici cad é go baileach a bheadh inti, ach go raibh páipéir nó earraí luachmhar eile tógtha ag Saoirse ón óstallán. In áit éigin sa taispeántas staire a chuir sí i bhfolach iad ina dhiaidh sin, b'in an tuairim a bhuail Aoife nuair a bhí sí ina suí sa chaifé. Bheidís slán sábháilte faoi ghlas docht sa phríosún.

Níor chreid Aoife go mbeadh Saoirse in ann earraí luachmhara a ghreamú de chúl na bpainéal ar na ballaí, agus chuaigh sí caol díreach go dtí an trunc a bhí ar taispeáint ar bhord beag sa seomra taispeántais, an ceann a thug Tadhg Cassidy leis go Meiriceá. Ba chuimhin léi go raibh cáipéisí ag Tadhg in íochtar an trunca ar a thuras, agus gur ann freisin a stóráil sé a chuntas leathscríofa ar bhás a dheirféar Ellen. D'adhmad smólchaite agus de bhandaí miotail a bhí sé déanta, agus laistigh éadach canbháis mar líneáil air, roinnte ina phócaí stórála.

Ní raibh glas ar na ceangail mhiotail ar an trunc

agus sháigh Aoife a lámh síos ann go gasta. Níor thóg sé uirthi ach daichead soicind a fháil amach go raibh an canbhás stróicthe agus beartán i gclúdach litreach crua ceilte idir é agus an t-adhmad.

Ní raibh am aici ach spléachadh a thabhairt ar an mbeartán. Bhí an doras ar leathadh agus an treoraí ina seasamh taobh amuigh ag feitheamh léi. Sular fhág Aoife an seomra, chaith sí seal beag ag scrúdú earraí eile ionas go gceapfaí nach sa trunc amháin a bhí a spéis. Ar a slí síos an staighre, bhuail taom tuirse agus mearbhaill í. Bhí rud éigin feicthe ag Kim agus Nura sa nuachtán, a bhain an-gheit astu: duine éigin a d'aithníodar sna grianghraif agus nach rabhadar sásta a ainmniú. Ghoill sé ar Aoife a bheith ag tathant orthu a scéal a insint agus iad beirt chomh cráite. A lámh ag Kim ar an gcolm ar a leiceann agus b'fhéidir gortú den sórt céanna ceilte ag Nura faoina caille. Gan de rogha acu ach iad féin a choimeád clúdaithe, anaithnid, cuma an raibh meas nó gráin acu do na caillí.

D'fhiafraigh Aoife di féin an ndéanfadh sí iarracht eile labhairt leo, nó an rachadh sí caol díreach chuig an gCigire de Barra. An fonn is mó a bhí uirthi ná filleadh ar an óstán agus luí siar ina folcadán mór, an t-uisce te á suaimhniú agus a cuid smaointe ligthe ar snámh. Ní raibh sí in ann ainm a chur ar an dúnmharfóir fós, ach bhí ainm nó dhó tagtha chuici thuas sa seomra.

Bhí an músaem ciúnaithe go mór, gan ach corrdhuine ag féachaint ar na taispeántáin. Bhí an treoraí ag comhrá ar an ngléas siúlscéalaí. "Fágadh teachtaireacht duit in oifig an stiúrthóra," ar sí le hAoife, "ón nGarda Seoighe a bhí leat anseo ar ball. D'aimsigh sé rud éigin thíos staighre, is cosúil."

"Cá bhfuil sé anois?"

"San íoslach a dúirt sé, sa seomra níocháin ina raibh Ellen Cassidy ag obair ar lá a báis. Tabharfaidh mé síos thú, más maith leat."

Ní raibh téacs ar bith faighte ag Aoife ó Réamonn agus chuir sí focal chuige. Ach bhí an ceangal lag agus bhí sí in amhras an seolfaí é. Thug an treoraí isteach sa chliathán thoir í, an t-áras mór ard ina raibh sraitheanna cillíní le feiceáil in aon tsúilfhéachaint amháin. Bhí fannsolas gorm an tráthnóna ar a dhíon cuartha fuinneogach, agus i lár an urláir bhí ráille cosanta ar chéimeanna a thug slí síos chuig an íoslach.

Ní dúradar mórán agus iad ag siúl thar an bhfógra cosctha ar an staighre. Bhí Aoife chomh gafa lena cuid smaointe féin nár iarr sí fiú a hainm ar an treoraí. Abair gurbh é Cormac Ó Néill a d'aithin Kim agus Nura sa ghrianghraf, agus é feicthe acu sa Suanlios ina chustaiméir dílis nó, rud ba mheasa fós, ina mháistir fuarchúiseach ar an ngnó? B'iontach díograiseach mar a thug sé faoina chaidreamh le Sal, agus é ag éisteacht le gach nod a thug sise agus Aoife faoin gcás. An amhlaidh gur sholáthraigh sé comhaid Shaoirse dóibh ar mhaithe lena muinín a chothú, ach gan eolas cruinn aige cad a bhí iontu? Ar eagraigh sé an t-ionsaí ar Aoife agus Kim i bPáirc an Fhionnuisce – agus faill aige freisin a shocrú go nglanfaí na hárasáin sular cuardaíodh iad?

Bhí tamall machnaimh de dhíth uirthi go géar agus easpa codlata na hoíche roimhe sin á mearú. Bhí noda ag teacht chuici a bhain le daoine eile freisin, a raibh an meon aigne agus an deis acu Saoirse a mharú.

Thíos san íoslach, bhí na ballaí aimhréidh agus briste in áiteanna. Stiúraigh an treoraí í ar phasáiste fada a thug go dtí cineál crosaire iad. "Anseo atá an seomra níocháin," ar sí, agus méar sínte aici ar spás fairsing nach raibh ach leathbhallaí idir é agus an pasáiste. "Mar a fheiceann tú, nílimid faoin talamh go hiomlán. Tá fuinneoga anseo a osclaíonn amach ar na clósanna ar chúl an phríosúin." Dhírigh sí a méar síos pasáiste dorcha. "Ach ní bhíodh solas ar bith ag na príosúnaigh sna cillíní pionóis atá sa treo sin."

Ní raibh Réamonn rompu agus bhreathnaigh Aoife isteach ar na leathsheomraí ag crosaire na bpasáistí. Bheadh aiféala ar Shal nach bhfuair sise an deis an t-íoslach a fheiceáil, agus gliúcaíocht trí pholl na heochrach ar dhuibheagán na gcillíní pionóis. Lá eile, b'fhéidir, ach a fháil amach anois cén fhianaise nua a bhí ag Réamonn agus an príosún a fhágáil roimh am dúnta.

Bhí an siúlscéalaí lena cluas ag an treoraí an athuair. "Tá brón orm," ar sí go deifreach, "ach tá gá le mo chúnamh thuas staighre. An bhfanfaidh tú anseo nó arbh fhearr leat . . . ?"

"Fanfaidh mé cúig nóiméad." Chomharthaigh Aoife sa treo óna dtángadar. "Ar ais an bealach sin atá an staighre, nach ea? Agus má fheiceann tú an Garda Seoighe, abair leis cá bhfuilim."

Nuair a bhí sí ina haonar a chuimhnigh Aoife nach raibh aithne ag an treoraí ar Réamonn. Shiúil sí síos ceann de na pasáistí agus ghlaoigh sí air as a ainm. Chuala sí macalla toll ó na seanbhallaí. D'fhill sí ar an seomra níocháin. Dhruid sí i dtreo na bhfuinneog ar an taobh thall den seomra. Agus ansin chuala sí a hainm féin á rá os ard. Dhá nó trí huaire a glaodh amach uirthi.

Thiontaigh sí ach ní raibh sí in ann a dhéanamh amach cérbh as a dtáinig an fhuaim. D'fhéach sí amach ar an bpasáiste agus chonaic sí cruth duine ag druidim léi. Bhí sé ar aon airde le Réamonn ach níorbh é a bhí ann.

Bhí meangadh cairdiúil ar a bhéal. Harry Ó Tuathail a bhí ag siúl ina treo. Thuig sí i bhfaiteadh na súl nár cheart di dul síos san íoslach in aon chor. Bhí sprioc dá chuid féin ag Harry nuair a labhair sé léi thuas staighre. An dtabharfadh sí aghaidh air nó an dteithfeadh sí chomh tapa is a bhí ina cosa?

Bhí a croí ina chnap searbh ina scornach. Ní raibh plean ar bith ag Réamonn casadh léi. Dallamullóg a bhí sa teachtaireacht a tugadh don stiúrthóir. Bhí fios a bhealaigh ag Harry ar fud an phríosúin agus bhí sé tagtha sa tóir uirthi.

Chuaigh sí ar a gogaide agus shroich sí cuaille den bhalla cloiche a cheilfeadh ón bpasáiste í. Bhí a súile i dtaithí ar an modarthacht. Sheas sí agus d'éist sí le troime an aeir san íoslach.

Ní raibh coiscéim ar bith le cloisteáil aici. Buillí a

croí féin a bhí ag cnagaireacht ar a cnámha. Dá mbeadh éadaí dubha uirthi bheadh seans aici téaltú faoi choim an dorchadais.

Ghlac sí trí choiscéim go dtí leathbhalla. Dreapadh thairis agus rith ar nós an diabhail a bhí uaithi. Ach bhí dath gorm geal ar a seaicéad. Bhí súile Harry i dtaithí ar an easpa solais freisin. Tháinig sé sa mhullach uirthi ón taobh thall den chuaille. Rug sé greim docht garbh ar a lámh.

"Anseo atá tú, a chara mo chléibh! Tá an príosún siúlta agat inniu, gan aon amhras!"

Rinne Aoife a seacht ndícheall labhairt go socair. "Beidh an treoraí linn arís i gceann nóiméid. Beidh an stiúrthóir . . ."

"Ní dóigh liom é, a Aoife. Cuireadh glaoch ar oifig an stiúrthóra cúig nóiméad ó shin lena rá gur cuireadh graifítí gránna ar cheann de na ballaí i bPasáiste 1916. Déarfainn go bhfuil an fhoireann gafa á fhiosrú sin faoi láthair."

Bhrúigh Harry in aghaidh an bhalla í agus neartaigh sé a ghreim uirthi. Bhí lámhainní fíneáilte dubha air. Mhothaigh Aoife a lámh chlé ar a corp. D'oscail sí a béal le scread a ligean ach níor tháinig puth aisti.

Bhí sí sáinnithe in aghaidh an bhalla aige. Stad sé dá chrúbáil agus bhreathnaigh sé uirthi. "Bhí tú glic, caithfidh mé a rá. Níor chuimhnigh mé féin go mbeidís i bhfolach i seomra an taispeántais. Níl le déanamh agat ach iad a thabhairt dom anois – cad faoi sin mar mhargadh?"

Bhí a anáil go te ar a muineál. Bhí Aoife ar deargmhire léi féin. Tar éis an chomhrá a bhí aici le Harry sa mhúsaem a chuimhnigh sí air den chéad uair mar chiontóir. Ach nuair a tháinig sí anuas an staighre ón seomra, ghlac sí leis go raibh an príosún fágtha aige in éineacht lena ghrúpa cuairteoirí. Chreid sí an teachtaireacht bhréige maidir le Réamonn. Rugadh uirthi sa ghaiste a réitigh Harry di. Chuimhnigh sí go tobann ar an lá úd sa tábhairne nuair a chonaic sí tríd an bhfuinneog é. Bhí sé ag comhrá le fear a raibh seaicéad dubh leathair air; aithne mhaith aige ar Liam Diolún ach a mhalairt á insint aige di féin agus don chigire.

Bhí dóchas aici fos go bhfillfeadh an treoraí. Fiú má bhí an fhoireann gafa le bréagscéal an ghraifítí, chuardófaí an t-íoslach sula ndúnfaí an príosún. Caithfidh go raibh sé beagnach a sé a chlog.

"Ní raibh aon rud . . ." Mhothaigh Aoife lámh Harry ag gluaiseacht suas síos a cabhail. Bhí sí sáinnithe in aghaidh an bhalla, gan ceachtar dá géaga saor le troid ina choinne. "Éirigh as, a chladhaire! Ní bhfuair mé faic thuas . . . Caithfidh go rabhadar i dteach Shaoirse."

Thuig sí cad a bhí á lorg aige. Is éard a bhí feicthe aici nuair a thug sí spléachadh ar an mbeartán sa trunc ná pasanna agus páipéir aitheantais a tógadh ó Kim agus ó mhná eile a fuadaíodh. Bhí grianghraif ann freisin, a thaispeáin an tarraiceán glasáilte inar aimsigh Saoirse iad tar éis di eochair a ghoid ó Liam

Diolún, an eochair chéanna a chóipeáil Faisal di. Níorbh é Liam amháin a bhí sa tóir ar na páipéir ach Harry freisin. Ba ríléir anois go rabhadar gafa sa ghnó striapachais le chéile.

Rinne sí iarracht eile é a choimeád ag caint. "Tá a fhios ag na gardaí go bhfuilim . . ."

Chuir Harry a bhéal suas lena béal. "Ná bac na focain gardaí, a iníon ó. Chonaic mé níos luaithe thú ag cogar mogar le do chomrádaí an Garda Seoighe. Sibh lasmuigh den chillín agus mise thuas os bhur gcionn le mo chuid cuairteoirí. Ní raibh tú chomh glic is a cheap tú, a Aoife!"

"Bréag a d'inis tú dom faoi Shaoirse, nárbh ea: go raibh duine eile ag cur brú airgid uirthi? Agus dúirt tú freisin go raibh aithne ag Liam Diolún ar Fhaisal al-Jamil. Tú ag iarraidh amhras a scaipeadh . . ."

Tháinig meangadh ar Harry, gan rian ar bith den chineáltas ann a léirigh sé don phobal mór. "Tá mé ag tuirsiú den ghiob geab," ar sé. Ghéaraigh ar a ghuth. "Tabhair dom na páipéir nó cuirfidh mé scian ionat. Róbhog a tháinig tú slán thuas ag an armlann."

"Bhí Diolún míchúramach," arsa Aoife, á shaighdeadh. Bhí iarracht de tharcaisne ina glór. "D'éirigh le Saoirse é a mhealladh a luí, agus fiú nuair a chuir sé a teach trí thine, ní bhfuair sibh na páipéir . . ."

"Ó, is brúid de dhuine é Billy Dillon gan aon agó. Sular thosaigh sé ag obair domsa, bhíodh sé trioblóideach, é tugtha do bheith ag lasadh tinte i ngaráistí na ndaoine nár thaitin leis." Bhí greim Harry ar Aoife á scaoileadh beagán aige. Chas sé a chloigeann agus chaith sé seile i leataobh. "Ach is amadán é freisin, a chreid gurbh é Mel bocht a thug an nimh dá ghrá geal . . ."

D'éirigh le hAoife an ghéag nach raibh greim ag Harry air a shaoradh go tobann. Thug sí sonc uillinne dó agus d'éalaigh sí óna ghreim. Ach bhí a chóta trom costasach ina chosaint dó ón sonc. Lasc sí a méara i dtreo a shúile. Dá mb'fhéidir léi é a dhalladh ar feadh dhá shoicind, rithfeadh sí ar nós an diabhail.

Ach rop seisean a dhorn ar a giall. Leagadh as a seasamh í. Sula raibh uain aici éirí bhí greim aige ar a dá lámh. Tharraing sé aníos í agus bhrúigh sé roimhe í.

"Tá sé in am agamsa greadadh liom," ar sé go híseal. "Agus beidh tusa sa riocht nach mbeidh gíog asat. Timpiste a d'oirfeadh duit seachas an scian, creidim."

Thug Aoife béic lag uaithi. Phreab a hintinn chuig a fear céile is a mac caoin i mBéarra. An stiúrthóir ag cur uirthi a cóta. Doras tréan an phríosúin faoi ghlas thar oíche, agus í féin ina luí marbh san íoslach.

Chaith Harry ar an talamh arís í nuair a shroicheadar tinteán mór. D'ordaigh sé di cromadh ar a glúine. Rug sé ar a cuid gruaige ar chúl a cinn agus bhrúigh sé a héadan in aghaidh an tsimléir.

"Tusa a bhí chomh fiosrach," a dúirt sé léi, "is cosúil gur sciorr tú ar leacracha sleamhna an tseanphríosúin."

Bhí súiche ina béal. Cheapfaí gur ag iarraidh an

simléar a scrúdú a bhí sí. Bhí fréamh gach ribe gruaige á gortú, agus chuimhnigh sí arís go mbíodh an príosún ina áit spraoi ag Harry ina óige. Gach staighre, dorchla agus cúlslí de ghlanmheabhair aige. Gan dua air bealach ceilte a ghlacadh ón gcliathán thiar oíche na hócáide.

Bhí sé i gcomhluadar Shaoirse sa tábhairne freisin, agus é tugtha faoi deara aige cén deoch a bhí á ól aici. Agus bhí a ghrianghraf sa nuachtán a chonaic Nura, mar aon le maithe móra eile. Harry ar cuairt sa Suanlios, arsa Aoife léi féin go nimhneach, ag ligean air gur chustaiméir báúil é.

"Is maith liom féin dul sa seans anois is arís," ar sé go binbeach. "Ach theip ortsa díreach mar a theip ar do chara Saoirse. Maith an rud gur chuala mé in am go raibh sí ag smúrthacht thart ar an óstallán."

Shnap Harry siar a cloigeann. Bhí tost sa seomra níocháin. Lig Aoife cnead aisti a líon a cluasa le macalla pléascach. Bhí sceon a hanama á tachtú.

Bhí a lámha cuachta ar a ceann aici. Ach ní raibh tost sa seomra a thuilleadh, ná fuil ag sileadh óna cloigeann.

Bhí an seomra dubh dorcha ach d'aithin sí an cineáltas i nguth an té a bhí ag labhairt léi. Réamonn.

*B*hí tinte ar lasadh sna Gairdíní Cuimhneacháin cois Life. Ní tinte iad a scriosfadh duilliúr ná teach, ach lasracha ildaite an fhómhair ar na crainn agus grian an tráthnóna á neartú. Na dathanna ag léim agus ag soilsiú, dearg ag rith ina órbhuí agus craorag ina ghlasuaine. Samhlaíodh do Réamonn go raibh aoibhneas an nádúir á fhoilsiú dó mar a bheadh do leanbh a leagfadh súil den chéad uair ar an domhan mór.

Bhí dhá lá caite ó gabhadh Harry Ó Tuathail agus é ar a rith ráis ón íoslach i bPríosún Chill Mhaighneann. Dhá lá eisceachtúla i saol Réamoinn, a gcuimhneodh sé orthu go brách. Scaoll air nuair a d'ordaigh Brenda de Barra dó cabhrú leis an nGarda Tom Ó Mórdha lena chuid fiosrúchán. Leithscéal ciotach déanta aige le Tom go raibh coinne aige le hAoife sa phríosún. Seal caite aige ag plé le socruithe don scrúdú nua fóiréinseach sa chliathán thiar. Agus comhrá fóin aige le Tom ina dhiaidh sin.

An gnó a bhí acu ar an bhfón ná taifeadtaí CCTV a rinneadh san óstallán. Dhá nóiméad a ghlac an méid sin orthu. Lean tost míshocair eatarthu ar feadh aga eile, go dtí gur ghabh Tom a leithscéal go raibh sé róstuacach, ró-réidh le masla a ghlacadh an tráthnóna úd in árasán Réamoinn. Bhí Réamonn ar a shlí ar ais chuig an stáisiún agus a chroí ag líonadh le dóchas, nuair a fuair sé téacs ó Aoife. Trácht aici ar íoslach an phríosúin agus an fhianaise nua a bhí aimsithe aige féin de réir mar a thuig sí.

Sheas sé ar an tsráid ag stánadh ar a ghuthán. Bhí rud éigin cearr. Níorbh fhéidir leis neamhaird a thabhairt ar an teachtaireacht.

Ghlaoigh sé ar ais ar Tom agus d'iarr sé a chúnamh. D'fhill sé de rith reatha ar an bpríosún. Tháinig sé ar Aoife ina cnap ar an tinteán. Bhí Harry imithe as radharc agus bhí eagla air í a fhágáil ina haonar i gcás gur i bhfolach i seomra eile a bhí sé. Murach gur shroich Tom an músaem nuair a bhí Harry ar a shlí amach, bhí an baol ann go dtabharfadh sé na cosa leis.

Ní raibh a fhios ag Tom cad a bhí tarlaithe ach chonaic sé Harry ag siúl amach doras a raibh fógra coscthta do chuairteoirí air, agus ní amháin sin ach go raibh lámhainn dhubh ar lámh amháin aige. Chuimhnigh sé ar an staidéar a bhí déanta aige ar léaráid an phríosúin, a thaispeáin pásáiste idir cúl an mhúsaeim agus an t-íoslach. Díreach in am chuir sé bac ar Harry imeacht.

D'éirigh Réamonn óna bhinse. Bhí coinne aige le

Sal agus Aoife agus chonaic sé thíos cois abhann iad, ag faire ar na healaí agus ar an mbád aonair rámhaíochta a bhí amuigh ar an uisce tráthnóna Luain i dtús mhí na Samhna. Ba chuma leis an uair seo cé chomh hamscaí is a bhí na barróga a rug sé orthu.

"An bhfuil a fhios agat . . . ?" Bhí Sal chomh cíocrach chun eolais nár bhac sí le mionchaint. "An raibh Cormac Ó Néill i dteagmháil libh sa stáisiún? Chuir sé téacsanna chugam á rá go raibh fianaise nua aige ach níor theastaigh uaim . . ."

"Bhí fianaise aige, ceart go leor. Is cosúil gur bheartaigh sé dul ar cuairt ar na hárasáin a bhí luaite agatsa leis ar an Aoine. Labhair sé le tiománaí tacsaí a thug nod dó cá raibh striapacha an cheantair le fáil."

"Agus chuaigh sé ann mar chustaiméir?" Thiontaigh Sal anonn chuig Aoife, a chuir a lámh thart ar a gualainn. Bhí sise bacach, agus marcanna dúghorma ar a grua.

"Lig sé air gur chustaiméir é, de réir a scéil féin. Tugadh go dtí seomra é ina raibh cailín óg ón Afraic Thuaidh – déagóir nach raibh fiú ocht mbliana déag d'aois . . ." Stad Réamonn. Bhí Sal corraithe agus b'fhearr leis gan an iomarca a insint di. "Is éard a rinne Cormac ná an ceamara ar a ghuthán a choimeád ar siúl. Dúirt sé leis an gcailín go raibh sé uaigneach agus gan uaidh ach dreas comhrá, ach thairg sise caitheamh aimsire de gach cineál dó. Thug Cormac a ghuthán dúinn agus tá an taifeadadh á scrúdú ag na saineolaithe."

"Cad a tharlóidh don chailín?" arsa Sal go tapa. "Tá súil agam nach . . ."

"Táimid ag plé le haonad na gcoireanna gnéis. Maidin Shathairn tugadh na mná a bhí i dtrí árasán i gCill Mhaighneann chuig árasáin eile i gceantar na ndugaí." Bhí Réamonn féin ag éirí corraithe. "Tá súil agam go dtabharfar gach cúnamh dóibh anois, agus do Kim agus Nura fresin. Cloisim nach bhfuil córas iontach sa tír seo chuige sin."

"Beidh orainn teagmháil a choimeád leo," arsa Aoife go docht, "agus tacú leo an méid is féidir. Ach abair liom, an mbeidh fiúntas le fianaise Chormaic? Caithfidh go raibh sé sa Suanlios oíche Aoine, sular glanadh gach rian den ghnó a bhí ar siúl ann."

"Tá mé cinnte go mbeidh fiúntas léi," ar sé. Bhí sé ag dul d'Aoife agus Sal go roinnfí cuid de na sonraí leo, dar leis. "Bhí trí nó ceithre ionad oibre rialta ag na mná. Thugadh Ó Tuathail agus Diolún an Suanlios mar leasainm ar na hárasáin sa cheantar seo, agus an Mochéirí ar an mbloc sna dugaí. Tá áiteanna eile thíos faoin tír, is cosúil, de réir mar a dúirt an cailín óg le Cormac."

"Agus is dócha go raibh maistíní eile páirteach san obair in éineacht lenár mbeirt," arsa Aoife. "Ach cé a thug le fios dóibh go raibh na hárasáin le folmhú maidin Shathairn?"

"Nílimid cinnte," arsa Réamonn. Stad sé agus ansin labhair go cúramach. "Eadrainn féin an méid seo ar fad, tá's agaibh? Bhí Diolún inár gcomhluadar sa stáisiún ó mheán oíche ar an Aoine agus táimid ag fiosrú arbh é a dhlíodóir a thug an scéala do Harry go moch ar an Satharn."

Dheargaigh Sal agus scaoil sí lámh a máthar uirthi. "Fuair mé téacs ó Chormac inniu, ag iarraidh orm seans eile a thabhairt dó," ar sí trína fiacla. "Ach ní fhéadfainn muinín a chur ann arís." Chroch sí a smig go diongbháilte. "Tá sé *so* in am dó fás suas agus freagracht a ghlacadh sa saol."

Bhí na healaí ag imeacht go grástúil le sruth na habhann. Shiúladar go dtí binse ar phríomhascaill na páirce agus mhínigh Réamonn dóibh go raibh taifeadadh CCTV á thaispeáint ar scáileán amháin san óstallán den doras isteach sa Suanlios. Bhí dorchú déanta ar an íomhá ionas go gceapfaí gur thíos faoin talamh sa charrchlós a bhí an doras. Fuarthas fianaise níos luachmhaire fós in oifig Liam Diolúin áfach. Taifeadadh CCTV a bhí ann a rinne seisean faoi rún, agus é ag pleanáil don lá a gcuirfeadh sé brú ar Harry Ó Tuathail a smacht siúd ar an ngnó a ghéilleadh dó.

"Éistigí leis seo," arsa Réamonn, nuair a bhíodar ina suí. Thóg sé amach a ghuthán agus d'aimsigh sé taifeadadh fuaime air. "Eadrainn féin é, gan amhras, ach is leor é lena léiriú cad leis atáimid ag plé."

Chualadar guth Dhiolúin ar dtús, agus guth Uí Thuathail ina dhiaidh.

"*Sea, beirt atá agam an uair seo. Turcach duine acu agus í níos deise fós ná an bhitseach Nura a d'éalaigh uainn sa samhradh. Agus bodóg ón Afraic a thaitn-*

eoidh leatsa, geallaim duit, an sórt a bhfuil cíocha móra agus tóin bhreá láidir uirthi."

"Feoil úr, tá súil agam? Is iad is fearr a thuilleann an t-airgead. Ba mhaith liom soláthairtí nua a fhorbairt, tá's agat. Ní fiú na rioscaí mura bhfuil an brabach sásúil."

D'amharc an triúr ar a chéile nuair a bhrúigh Réamonn an stadchnaipe. Chroith Aoife a ceann go mall agus a lámh ar a béal aici. Bhí a dá dhorn brúite ar a chéile ag Sal.

"Mallacht an diabhail orthu," arsa Aoife. Rug sí greim súl ar Réamonn. "Táimid ag brath oraibh cás docht a chur le chéile faoin ngnó lofa seo agus faoin dúnmharú."

Níor fhreagair Réamonn í. Thuig sé go maith nárbh ionann tuairimíocht na ngardaí agus cruthú cúirte ar ghnéithe den dúnmharú. Mar a sciob Ó Tuathail soláthar Oxynorm ón mbord i dteach Mharia Furlong le linn dó bheith ar cuairt uirthi mar pholaiteoir comharsanúil, carthanach. Mar a chonaic sé seaicéad Mhel ar shuíochán sa teach tábhairne an Nead nuair a chuaigh Mel chuig an leithreas ag leatham an chluiche sacair ar an teilifís. Mar a d'éirigh leis an guthán a ghoid tar éis dó an téacs ó Mhel chuig Saoirse a léamh, ag socrú go gcasfaidís le chéile sa chillín; agus gur sciob sé freisin an duillín gealltóireachta a fuair sé i bpóca an tseaicéid, ionas go gcreidfí go raibh Mel sa chillín. Ach fuarthas eochracha príosúin i dteach Harry, a bhí aige ón uair a mbíodh a athair ina threoraí deonach ann, agus cúpla ceann cóipeáilte aige ó shin.

Thógfadh sé a lán oibre gach ruainne fianaise a chur le chéile. Bhí fiosrú ar siúl ar úinéireacht na n-árasán agus an óstalláin, feiceáil an raibh smacht ag Ó Tuathail orthu, agus ba léir ó na figiúirí ar ríomhaire Shaoirse go raibh sise ar a dícheall an t-eolas sin a fháil. Ba chosúil go raibh an marú ar a intinn ag Harry le tamall, agus méara gasta glice aige a chuaigh chun tairbhe dó sa chillín oíche na hócáide, nuair a chuir sé an buidéal nimhe i mála Shaoirse. Rinne sé cúpla glao gutháin sa mhúsaem nuair a d'fhág sé an cliathán thiar go deas luath; sheas sé ag comhrá leis an stiúrthóir lasmuigh dá hoifig, san áit a bhfeicfí é; agus bhí na gardaí ar aon intinn anois le hAoife gur oscail sé doras glasáilte in aice leis an oifig agus go ndeachaigh sé in airde staighre as sin chuig an séipéal agus timpeall go dtí Pasáiste 1916. Nuair a chonaic sé Saoirse ag doras a cillín ina haonar agus tinneas nimhe scríofa ar a gnúis, thuig sé go raibh an uain aige rith síos go dtí an bunurlár agus a bás a chinntiú. Ach bhí a mhéarlorg fágtha aige ar an ráille san áit a raibh sé i bhfolach, faoi mar a thomhais Aoife.

"Cad faoi Isaac Ó Beirn?" a d'fhiafraigh Aoife ar ball.

"Bhí brú á chur ag mangairí drugaí ar Isaac. Bhí luach cúpla míle euro curtha i bhfolach aige in áiléar Shaoirse agus scriosadh sa tine é. Fuair sé féin is a chairde pinginí ó Liam Diolún an oíche sin, dar linn, nuair a d'iarr sé orthu a bheith ag achrann fad a dhreap seisean isteach i gclós an tí. Thuill Isaac roinnt airgid ón spiaireacht agus ón ionsaí a rinne sé oraibh sa pháirc, cé nach bhfuil a fhios againn arbh é Ó Tuathail nó Diolún a d'íoc as sin. Ach nuair a tháinig na mangairí ag cnagadh ar dhoras Uí Bheirn, chuir Isaac doras a sheomra faoi ghlas agus dhiúltaigh sé é a oscailt."

"B'fhearr do Janis a muinín a chur sna gardaí seachas ina cuid fiosrúchán féin," arsa Aoife. Nuair nach ndearna Réamonn ná Sal tada ach féachaint uirthi le hiontas, thosaigh sí ag gáire agus íoróin a ráitis á tabhairt léi aici.

"*Mind you*," arsa Sal agus meangadh spraíúil aici léi. "Is cosúil nach bhfuil an Cigire de Barra cantalach leatsa a thuilleadh. Ar inis tú do Réamonn gur chuir sí bláthanna agus nóta buíochais chugat inné?

Chuadar chomh fada le teampall beag cuartha i lár na hascaille, agus as sin suas an cnoc. Bhí leac éibhir ollmhór i bhfoirm altóra i gceartlár an ghairdín agus crois ard den chloch chéanna taobh thuas de. Ar dhá thaobh na haltóra, bhí lochán beag i bhfoirm babhla a raibh leac chaol ar nós coinnle ina lár. Sheasadar go ciúin, go dtí gur labhair Aoife agus Sal as béal a chéile.

"An garda sin a chuir stop le Harry, a Réamoinn . . . ?"

"Féach anseo go bhfeicfidh sibh . . ."

Gháireadar go léir arís agus bhí leithscéal ag

Réamonn gan freagra a thabhairt láithreach ar cheist Aoife faoi Tom. Lig sé don bheirt eile dul chomh fada leis an gcrois ag an altóir éibhir ag déanamh gairdis dó féin. Tráthnóna ina aonar a bhí amach roimhe ina árasán den chéad uair ón Satharn i leith. Tar éis gur gabhadh Harry Ó Tuathail, lean flosc fiosrúchán agus agallamh ar feadh cúpla uair an chloig, agus dreas ólacháin sa Chrann Darach ina dhiaidh sin. Bhí an tráthnóna tirim agus scata gardaí ina seasamh lasmuigh den tábhairne. Faoin am a raibh an dara deoch á ól aige, chonaic Réamonn go raibh Tom lena thaobh faoi sholas na sráide. Tháinig misneach chuige agus thug sé cuireadh dó deoch chiúin a ól ina chuideachta. Nuair a dhúnadar doras an árasáin, ní fonn óil ná cainte ná codlata a bhí orthu.

Rinneadar leathlá oibre ar an Domhnach agus ansin chuaigh Tom abhaile go Cluain Dolcáin chun a chuid éadaigh a athrú. Bhí dreas codlata á dhéanamh ag Réamonn, nuair a dhúisigh ceol an chloigín dorais é; agus cuireadh gliondar as an nua air an tráthnóna sin, iad ina suí go leisciúil ar an tolg ag féachaint ar an teilifís agus béile beir leat á roinnt acu. Bhí comhluadar aige a chuir spéis sna nithe fánacha a dúirt sé. Bhí sé féin faoi dhraíocht ag comhrá Tom: ag a gháire, ag a chiúnas lách, ag a lámh siúd fillte ina lámh féin. Bhí an saol scanrúil agus iontach in aon turas.

Ceann de na scéalta a bhí ag Tom dó ná ráfla a bhí ag dul thart i stáisiún Shráid Chaoimhín faoi raic ag am lóin idir Enzo Lombard agus Brenda de Barra.

Ábhar gearáin Lombard ná go raibh sise ag tabhairt cluaise don ghlúin óg agus gan meas aici a thuilleadh ar thaithí chrua na mblianta aigesean. Agus freagra de Barra ná go n-éistfeadh sí lena thuairim nuair a bheadh meon oscailte aige mar a bhíodh tráth.

Thuig Réamonn go tobann go raibh Sal ag cur ceiste air. "Glacaim leis go raibh Harry ag iarraidh Mel a lochtú as an dúnmharú," ar sí, "ach an dóigh leat gur roghnaigh sé an cillín sa phríosún chuige sin ionas go gceapfaí go raibh Mel ag déanamh aithrise ar Denis Treacy?"

Chuimil Réamonn a bheola lena chorrmhéar agus é ag scaradh lena chuimhní milse. "B'fhéidir é. Is cinnte gur mhór an buntáiste dó go raibh slua i láthair sa phríosún agus go bhféadfaí an milleán a chur ar aon duine acu. Ach déarfainn freisin go raibh eagla ar Harry go raibh an iomarca ar eolas ag Mel faoina raibh ar siúl ag Saoirse. Chuir Diolún brú airgid ar Mhel eolas a sholáthar dó agus é ag geallúint go maithfí cuid dá chuid fiacha dó. Ach, mar sin féin, níorbh fhéidir leo a bheith ag brath ar Mhel"

"Sílimse go raibh cúis eile aige an cillín a roghnú," arsa Aoife. "Bhí cuid mhaith nár thuig mé an chéad uair a casadh Kim orm. 'Bhíomar sa phríosún' – b'in ceann de na rudaí a dúirt sí, agus ansin leathabairt faoi nach raibh Saoirse in ann imeacht. D'fhéach Aoife ó dhuine go duine. Is éard a thuigimse leis sin anois ná gur thug an dúnmharú le fios do Kim agus do na mná eile nach raibh éalú i ndán dóibh ón ngéibheann. Bhí

Saoirse ar a dícheall iad a scaoileadh saor, agus fágadh marbh sa chillín í."

Thug Sal leathanach clóite an duine do Réamonn agus d'Aoife. Nótaí taighde dá cuid féin a bhí iontu, a bhreac sí faoi Ellen Cassidy agus na ceisteanna staire a bhí a bhfiosrú aici dá haiste. Bhí sceitimíní uirthi faoi dhá cháipéis a bhí aimsithe aici sa Leabharlann Náisiúnta.

Ba bheag a thug Réamonn leis roimhe sin faoi scéal an taispeántais. Léigh sé na tuairimí éagsúla faoi bhás Ellen, mar a leag Sal amach iad.

Údaráis an phríosúin: Ní raibh Ellen ar fónamh sa seomra níocháin; tugadh ládanam di mar leigheas ach bhí sé róláidir di. Laige croí a thug a bás, dar leo.

Tadhg Cassidy: Bhí Denis sa seomra níocháin agus thug seisean ládanam di a fuair sé ó bhairdéir cam. Feall á déanamh aige ar Ellen; fonn air éalú ón trioblóid a tharraingeodh sí orthu agus í ag scaipeadh míchlú an tiarna talún Robert Bryant; saol nua i Meiriceá uaidh.

Saoirse: Bhí comhcheilg idir Robert Bryant agus Denis, agus iad beirt freagrach as bás Ellen. Bryant ag cosaint a sheasaimh pholaitiúil le páirtí Pharnell, Denis sa tóir ar airgead a chruthódh saol nua dó i Meiriceá.

"Tá na *loads* ceisteanna nach bhfuilim in ann a fhreagairt fós," arsa Sal. "Níl figiúirí ar bith agam ar líon na dtionóntaí a dhíbir Bryant i gcomparáid le tiarnaí talún eile ag an am, nó an raibh míchlú ar leith tuillte aige. Dlíodóir ab ea Bryant freisin, mar a bhí tipiciúil i measc na dtiarnaí talún nua, ach níl deimhniú agam fós an raibh sé lonnaithe i mBaile Átha Cliath fad a bhí an triúr óg sa chathair. Agus ní dúirt Tadhg mórán faoin eachtra inar gabhadh Ellen, ná ar gabhadh Denis ag an am céanna léi."

Bhí an leathanach clóite á scrúdú ag Aoife. "Ach tá tú in amhras faoin bhfianaise a thug Saoirse faoi Bryant agus na cúiseanna a bheadh aige gníomhú in aghaidh Ellen?"

"Dúradh sa taispeántas go raibh cruinniú ag Bryant le hiriseoir a bhí ag fiosrú tuairiscí gur chaith sé go dona le cuid dá thionóntaí." Las súile Shal le díograis a chuid oibre. "Ghlac Saoirse leis gur tharla an cruinniú sin fad a bhí Ellen sa phríosún agus gur léirigh sí go raibh ag éirí le feachtas Ellen, agus nasc sí an cruinniú sin le halt a léigh sí ar ghearrthóg nuachtáin a bhí sa trunc ag Tadhg – alt a thrácht go mífhábhrúil ar Bhryant chomh maith le roinnt tiarnaí talún eile i ndeisceart Shligigh agus in oirthear Mhaigh Eo. Ach ní dóigh liom gur fhéach sí go cúramach ar na dátaí."

"Cé acu dátaí?" a d'fhiafraigh Réamonn.

"Bhí an dáta ar an ngearrthóg nuachtáin an-doiléir; ach ba léir freisin go bhfaca Saoirse litir atá sna páipéir a bhaineann le heastát Bryant, ón iriseoir a d'éiligh cruinniú leis an tiarna talún. Chonaic mise an litir sin maidin inniu agus an dáta uirthi ná 3 Feabhra 1880, cúpla mí tar éis bhás Ellen."

"Rud a chiallaíonn nach raibh eolas aige ar iarrachtaí Ellen in aon chor?"

"Tá cúis amhrais faoi, cinnte," arsa Sal. Ba léir gur thaitin sé léi lucht éisteachta a bheith aici. Leath meangadh mór uirthi agus dhírigh sí a méar ar ais ar an leathanach. "Ní amháin sin, ach féach ar an litir seo ó shagart paróiste i gceantar na Céise, gar do Bhaile an Mhóta, san áit a raibh muintir Denis fós ina gcónaí. I mí Bealtaine 1880 a chuir sé an litir chuig Robert Bryant agus, ar ndóigh, bhí a eastát siúd fiche nó tríocha ciliméadar ar shiúl, thart ar Chill Mac Taidhg atá siar ó Thobar an Choire."

Léigh Réamonn an sliocht a raibh a méar ag Sal air.

"*Further to your recent most kind inquiry, I am pleased to inform you that the family of Mr. Denis Treacy has received happy tidings of his marriage to a young woman of unblemished character known to him since childhood. We understand they hope to settle very soon in Minnesota, where Mr. Treacy's uncle lives and from which he sent him a sum of money to assist him with his passage to America. We are grateful that in these most dangerous times the young man has overcome the troublesome episodes of the past year concerning your former tenants.*"

"Anois cad a déarfadh Saoirse bhocht?" arsa Sal. "Tugann an litir seo le fios go raibh aiféala ar Denis go raibh sé tógtha le muintir Chassidy in aon chor, agus má mharaigh sé Ellen sa phríosún, go ndearna sé sin ar mhaithe le filleadh ar a chéad ghrá agus í a phósadh."

"D'fhéach Aoife sna súile ar Shal. "Tá mé ag ceapadh nach bhfuil deireadh an scéil seo cloiste againn uait. Ní ábhar aiste atá agat anseo, tá's agat, ach ábhar tráchtais. Agus níl foireann agat mar atá ag Réamonn sna gardaí: ag saothrú le gach blúire fianaise a dhearbhú agus a fhí leis an bpictiúr mór."

"*So* aontaím leat go bhfuil a lán cuardaigh fós le déanamh agam," arsa Sal, "ach níl ormsa cás a chruthú sa chúirt mar atá ar Réamonn agus a chomhghleacaithe. *Like,* is éard atá le taispeáint agamsa ná go bhfuil tuiscintí difriúla le baint as an scéal amháin, de réir mar a thagann píosaí nua fianaise chun cinn nó go n-athraíonn ár dtuiscint ar an bhfianaise a bhí againn cheana féin."

Bhain Réamonn síneadh as a chosa. Bhí an aimsir bog agus bhíodar ina suí i ngairdín foscaithe na rós, ach bhí mí na Samhna ann agus scáileanna an tráthnóna ag titim ar luisne dhearg na gcrann.

"Feicim sliocht bheag agat anseo as cuntas Thaidhg," ar sé le Sal, "agus é ag cur síos ar a dheirfiúr Ellen. Déarfainn go léiríonn sé go maith cén fáth gur imir Ellen an oiread tionchair ar Shaoirse."

"Tá an ceart agat," arsa Aoife. "Chaith Saoirse saol a bhí iomlán difriúil le saol a sin-seanaintín Ellen, agus cé go bhfuaireadar bás sa chillín céanna, níorbh ionann na cúiseanna leis sin, pé tuiscint a bhainimid ón stair. Ach is iontach freisin na cosúlachtaí a bhí eatarthu mar dhaoine."

Ní ghéillfeadh Ellen don dtuairim a bhí ag daoinne eili. Bhí sí meaidhte ar an gceart a dheunudh, pé olc math di féin é. Chuaigh sí i gcuntabhairt agus ba chóir domsa í a stop. Thuit sí i ngrádh ach níorbh é fear a leasa é. Choinnigh sí a misneach i gcómhnuidhe riamh mar sin féin, agus cé go bhfuil atuirse is brón orm i gcónaí, beidh bród orm go racha mé i gcriaidh na cille go raibh sí agam mar dheirbhshiúr.

Buíochas

Tá mé fíorbhuíoch de gach duine a luaim anseo thíos, a chuidigh go mór liom an leabhar seo a thabhairt ar an saol.

Dá gcomhairle luachmhar ar iliomad ceisteanna taighde: Niall Bergin, Stiúrthóir Phríosún Chill Mhaighneann; Seosamh Ó Broin, staraí Chill Mhaighneann agus Inse Chór; an tOllamh Marie Cassidy, Paiteolaí an Stáit, agus Jennifer Hynes, Oifig an Phaiteolaí; Brendan Walsh, iarbhleachtaire-sháirsint; an Dr Lucy Balding, lia comhairleach sa leigheas maolaitheach; Cliona Hayden agus Fiona McGrehan, poitigéirí cliniciúla; agus mo chairde ildánacha, an Dr Paul D'Alton agus an Dr Des McMahon, an tOllamh Margaret Kelleher agus an tOllamh Máirín Nic Eoin, Pat Normanly agus Conall Mac Riocaird.

Dá saineolas fial agus dá gcuid moltaí spreagúla ar dhréachtaí an úrscéil: Kintilla Heussaff, Gearóid de Briotún, Nuala Hayes, an Dr Caoilte Ó Ciardha agus Cathal Póirtéir.

Do Chlár na Leabhar Gaeilge, a bhronn coimisiún fiúntach orm a chuir ar mo chumas tabhairt faoin úrscéal; agus do gach duine ar fhoireann Chló Iar-Chonnacht, dá dtacaíocht chaoin agus dá sainchomhairle ar an obair eagarthóireachta agus foilsitheoireachta: Micheál Ó Conghaile, Lochlainn Ó Tuairisg, Deirdre Ní Thuathail, Bridget Bhreathnach, Lisa McDonagh agus Julianne Ní Chonchubhair.

Don té a thacaigh ó thús le mo chuid scríbhneoireachta agus a íocann formhór na mbillí lena linn, mo chéile saoil Simon Brooke, agus dár mac Conall, nach mbíonn scáth riamh air cruacheisteanna spéisiúla a thógáil.